Les organisations internationales

Guillaume Devin

Les organisations internationales

2e édition

Mise en page : Belle Page
Image de couverture :
Delaunay Robert, *Formes circulaires*,
1930, huile sur toile. © The Solomon
R. Guggenheim Foundation.

Armand Colin est une marque de
Dunod Éditeur, 5 rue Laromiguière, 75005 Paris
ISBN 978-2-200-60169-0
www.armand-colin.com

Introduction[1]

L'ACTIVITÉ MULTILATÉRALE mobilise aujourd'hui l'essentiel de la politique extérieure. Elle rythme l'agenda des chefs d'État et de gouvernement, des hauts fonctionnaires, des grandes ONG. Dans un monde façonné par la libéralisation des échanges et la mondialisation de l'information, aucun domaine de l'activité humaine n'échappe désormais au besoin de concertation à l'échelle planétaire. Chaque problème nouveau engendre à plus ou moins longue échéance une nouvelle instance internationale baptisée selon les circonstances, forum, conseil, groupe, comité, programme, commission, haut commissariat, union, organisation. Jamais les formes de coopération n'ont été aussi diverses. Jamais les institutions internationales n'ont été aussi nombreuses.

Pendant deux siècles, l'organisation internationale (OI) a été considérée comme la forme la plus achevée du multilatéral. Un traité fondateur, une adresse permanente, un budget régulier, un personnel indépendant des États, toutes ces propriétés constitutives devaient garantir pérennité et autorité à ce nouveau type d'institution élaboré par les États pour servir leurs besoins collectifs. L'organisation internationale s'analysait comme une construction intergouvernementale. La principale question théorique était d'en apprécier les effets sur la distribution de la puissance : comment la souveraineté des États s'en trouvait affectée, à quel type de puissance (petite, moyenne, grande ?) l'organisation bénéficiait le plus, dans quelle mesure son action s'avérait préférable aux modes antérieurs d'arrangements internationaux.

Au XXIe siècle, il n'est plus possible de s'en tenir à une vision aussi étroite. Les organisations internationales ne correspondent plus à la vision « réaliste » d'institutions interétatiques entièrement soumises et contrôlées par leurs États membres. D'une part, le rôle grandissant des acteurs civils sur la scène internationale se manifeste là comme ailleurs et pèse sur les éléments constitutifs de l'organisation internationale : son agenda, son fonctionnement interne, ses ressources, l'évaluation de son action ; d'autre part, chaque organisation est englobée dans des jeux d'actions

1. La première édition de ce livre a été rédigée avec la collaboration de Marie-Claude Smouts. Pionnière, en France, de l'analyse socio-politique des organisations internationales, Marie-Claude a estimé qu'il était temps pour elle de prendre congé des travaux universitaires. Son talent et la sûreté de son jugement vont nous manquer. Cette deuxième édition, comme la première, est toute empreinte de notre amitié et de notre complicité intellectuelle.

interdépendantes qui la dépassent et la transforment en permanence. Il n'existe pas de définition simple des organisations internationales ni de théorie définitive pour en rendre compte.

La plasticité de ces organisations, leur profusion et leur hétérogénéité semblent décourager l'analyse politique. Des monographies nombreuses et de qualité sur les différentes organisations internationales (ONU, OMC, FMI, OSCE, etc.) sont disponibles, ainsi que des études fouillées sur les mécanismes de coopération dans les secteurs les plus divers (sécurité, environnement, lutte contre le terrorisme, le trafic de drogues, le blanchiment d'argent, etc.) mais ces travaux sont peu cumulatifs. Chaque organisme, chaque secteur est étudié pour lui-même et non pour ce qu'il peut apporter à la conceptualisation du phénomène « organisation internationale ». Les chantiers de recherche sont nombreux et encore trop peu explorés : sur l'histoire des OI, leur institutionnalisation, leur gouvernance, leur autorité, leur fonctionnalité, les transformations de leur périmètre d'action, leurs rivalités et leurs collaborations avec de nouveaux partenaires, pour n'en citer que quelques-uns. En langue française, il n'existe actuellement aucun ouvrage général sur les OI. Un essai déjà ancien pour présenter l'évolution des organisations internationales en liaison avec les transformations du système international n'a pas été renouvelé (Smouts, *Les Organisations internationales*, 1995). La littérature anglophone, d'ordinaire profuse sur tous les sujets, est relativement peu fournie en travaux de synthèse. Trois ouvrages seulement s'en dégagent sans conteste.

L'étude de Clive Archer, *International Organizations* [2015, 4e édition] a le mérite de l'antériorité. Elle retrace à grands traits l'histoire des organisations internationales, donne un aperçu de leur classification selon la composition, les objectifs, les types d'activité et les structures, avant d'évoquer leur rôle et leurs fonctions et dire leur importance dans la gouvernance mondiale. L'auteur présente différentes approches théoriques des organisations internationales (« réalistes », « réformistes », « radicales) » et termine en s'interrogeant sur l'avenir des OI. Concis, factuel, pédagogique, ce petit livre de facture classique offre une introduction à qui aborderait pour la première fois le champ des organisations internationales.

Plus vaste et ambitieux, l'ouvrage de Margaret P. Karns et Karen A. Mingst, *International Organizations : The Politics and Processes of Global Governance* [2009, 2e édition] conçoit les organisations internationales comme des mécanismes coopératifs parmi d'autres, à l'intérieur d'un ensemble complexe de processus et d'institutions, publics et privés, composant le puzzle de la gouvernance mondiale. L'ouvrage s'attarde sur cette dernière notion, sur les enjeux qui lui sont rattachés et ses fondations théoriques dans la littérature sur les organisations internationales. Il s'organise ensuite selon une trame conventionnelle en introduisant tour à tour les différentes « pièces de la gouvernance mondiale » : l'ONU, les organisations régionales, les acteurs non étatiques (ONG, réseaux et mouvements sociaux), puis les grands domaines où se fait sentir le besoin de gouvernance mondiale : la paix et la sécurité, le développement humain et le bien-être économique, les droits de l'homme, l'environnement. Ce livre clair et de lecture aisée permet d'avancer dans la compréhension des débats sur la nature et le rôle des organisations internationales dans la régulation mondiale mais le propos des auteures, spécialistes reconnues des organisations internationales, n'est pas d'analyser le phénomène des OI en ce qu'il a de spécifique, encore qu'elles accordent une place considérable aux Nations unies « pièce maîtresse de la gouvernance mondiale ». Leur objectif est plutôt de répondre à la grande question d'aujourd'hui : quels sont les acteurs, les institutions et les conditions d'une gouvernance mondiale ? Ce déplacement d'optique est général chez les spécialistes des organisations internationales [Senarclens et Ariffin, 2010 ; Knight et Keating, 2010]. Le champ des OI, déjà peu labouré, tend à se confondre à celui de la gouvernance mondiale en pleine floraison.

Dans ce contexte, l'ouvrage de Rittberger et Bernhard Zangl, *International Organization : Polity, Politics and Policies* [2006] fait exception. Il s'intéresse au fonctionnement interne des organisations internationales, aux processus de formation des choix collectifs qui s'y déroulent, aux politiques qui en émanent dans les secteurs clés : sécurité, bien-être, environnement, droits de l'homme. Après trois éditions en langue allemande, la version anglaise considérablement allégée par les traducteurs s'est rapidement imposée dans le monde anglophone comme « le » manuel sur les OI. On y trouve une longue présentation des théories et de l'histoire des organisations internationales précédant une analyse minutieuse des OI en tant que systèmes politiques : ce qu'apportent les acteurs en termes de demandes et de refus (*input*), comment leurs préférences se convertissent en décisions (*decision-making*), ce que produisent les OI (*output*). Quatre études de cas illustrent le propos des auteurs, pour qui les OI existent d'abord et avant tout pour servir les intérêts de leurs membres ce qui ne les empêche pas d'être au cœur de la gouvernance mondiale et de gagner en importance, particulièrement depuis la fin de la Guerre froide.

À ces trois ouvrages, il faudrait ajouter la somme impressionnante de Bob Reinalda, *Routledge History of International Organizations : From 1815 to the Present Day* [2009]. En 846 pages, 17 parties, 44 chapitres, et un nombre incalculable de sous-chapitres, cette œuvre monumentale vise à retracer sur deux siècles, de façon chronologique, l'histoire de la totalité des organisations internationales, gouvernementales et non gouvernementales, mondiales et régionales, dans les domaines de la sécurité, de l'économie et de l'humanitaire, avec leurs origines, leurs organes, leurs actions et leur évolution. Le prix de cet énorme ouvrage de référence est proportionnel à la dimension du projet ce qui le cantonne à la consultation en bibliothèque. À l'heure d'Internet et de Google, l'entreprise paraît un peu vaine. Il en va différemment du *Routledge Handbook of International Organization*, dirigé par le même Bob Reinalda (2013), qui mobilise une soixantaine d'auteurs autour de 38 entrées thématiques (des ressources documentaires et des méthodes d'analyse des OI à la transformation de leurs structures en passant par l'étude de leurs bureaucraties et de leurs défis) et constitue, à ce jour, une entreprise inégalée.

On retiendra également la contribution récente des juristes dans une somme consacrée au droit des OI [Lagrange, Sorel, 2013] qui croise de nombreuses questions occupant les politistes (définition, fonctions, autonomie, privatisation, réformes des OI). Un dynamisme soutenu vient aussi des socio-historiens et des anthropologues qui entendent renouveler l'étude des OI comme « lieux de fabrication de l'international » [Kott, 2011, p. 15 ; voir également l'apport des approches transnationales, Iriye et Saunier, 2009] ou comme espaces de construction « des imaginaires et des pratiques qui se diffusent partout dans le monde » [Müller, 2012, p. 14]. Néanmoins, là encore, les cas particuliers dominent et la synthèse fait un peu défaut.

Les nouvelles technologies ont complètement changé les modes d'accès à la connaissance et, partant, ce que l'on demande à un manuel. Deux clics suffisent pour réunir tous les éléments factuels sur une organisation donnée, sa date de création, sa composition, ses organismes, ses textes officiels, rapports et résolutions. Manquent, cependant, les outils intellectuels pour relier les informations et les hiérarchiser, les pistes pour frayer un chemin dans un labyrinthe institutionnel déconcertant. Chaque organisation possède sa trajectoire particulière, son organisation propre, sa bureaucratie plus ou moins spécialisée, son degré d'autonomie variable vis-à-vis de ses membres, ses méthodes d'action. L'ensemble du système des OI semble pratiquement impossible à saisir dans tous ses détails. Toute généralisation est donc plus ou moins condamnée à laisser échapper certains faits et à faire des choix en restituant ce qui semble le plus significatif. La monographie exhaustive constitue un défi pour la recherche.

L'objet de cet ouvrage est d'apporter ce que la Toile ne fournit pas : une problématique donnant une intelligibilité au phénomène des organisations internationales afin d'accéder à une connaissance plus fine de leur place dans le système international. Il ne dresse pas un catalogue des organisations internationales mais les présente selon les besoins de l'analyse pour ce qu'elles nous apprennent sur une question précise. Leur action dans les domaines clés de la coopération internationale (sécurité, environnement, commerce, droits de l'homme, etc.) ne fait pas l'objet d'études de cas juxtaposées, comme on le voit dans la plupart des ouvrages. Elle est abordée dans le souci d'illustrer telle ou telle interaction des OI avec le système international. La démarche s'écarte de l'approche institutionnelle classique. Elle se situe dans une perspective sociohistorique privilégiant les jeux d'acteurs en mouvement plutôt que les règles et structures.

Dans une première partie, l'ouvrage étudiera la genèse des organisations internationales en soulevant trois questions : pourquoi coopère-t-on ? Comment s'opère l'institutionnalisation de l'action concertée ? La diversité des formes d'institutionnalisation permet-elle une approche globale des OI ? L'organisation internationale sera analysée comme un construit social, solution provisoire à des exigences d'action collective résultant de la combinaison de stratégies intéressées et d'objectifs en mouvement. Il sera montré que les OI ne sont pas un point d'aboutissement de « la » coopération mais un point de rencontre de conduites coopératives et que l'institutionnalisation de ces conduites s'appuie sur des ressources juridiques, fonctionnelles et symboliques que l'on peut détailler. Du Concert européen aux Nations unies, le multilatéralisme s'est progressivement institutionnalisé jusqu'à s'imposer comme le mode dominant de la coopération internationale. La définition et les implications de ce nouveau « projet politique » seront examinées. Ce que l'on appelle, de façon impropre, le « système » des Nations unies a donné une formidable impulsion au développement des organisations internationales. Leur prolifération et leur diversité défient aujourd'hui tout effort de classification et de synthèse. L'ouvrage proposera, cependant, une grille de comparaison à partir de la distinction classique entre structure et fonction. Il donnera également des pistes pour analyser les types de changement opérés par les OI car aucune organisation internationale n'est semblable à ce qu'elle était au moment de sa fondation, l'identité des organisations internationales ne peut être comprise que dans le mouvement, leur évolution est une dimension fondamentale de l'analyse. Un accent particulier sera mis sur les organisations régionales et l'articulation entre multilatéralisme régional et multilatéralisme mondial. Qu'il s'agisse de la sécurité internationale ou du commerce mondial, la question de la compatibilité entre les deux niveaux pose problème et leur complémentarité est loin d'être démontrée.

Enfin, pour trompeuses et imprécises qu'elles soient, les notions de « communauté internationale » et de « société mondiale » ne seront pas négligées. En l'absence d'un ordre mondial, elles pourraient traduire la réalité nouvelle d'une société internationale reliée par quantité d'ordres partiels dont les organisations internationales seraient les principaux artisans.

La deuxième partie de l'ouvrage abordera de façon renouvelée la question classique du rôle des organisations internationales : que nous apprennent sur ce point les controverses théoriques encombrant la littérature ? À quoi servent les OI (*fonctions*) ? Comment s'en sert-on (*usages*) ? Les positions adoptées par les différentes écoles (libéralisme et fonctionnalisme, réalisme et néoréalisme, institutionnalisme néolibéral, constructivisme) seront présentées comme autant d'explications partielles de questions récurrentes : entre autonomie et dépendance, les OI sont-elles des acteurs à part entière dans les relations internationales ? Entre intérêts et valeurs, les organisations internationales sont-elles un type d'agencement particulier d'intérêts ou bien un foyer de valeurs communes ? La nécessité de renouveler les approches théoriques s'impose et l'ouvrage proposera de les resituer dans une approche sociothéorique globale empruntant la démarche de la sociologie « évolutionnelle » due à Norbert Elias. La notion de « configuration » permettrait de mieux saisir les dynamiques de différenciation et d'intégration à l'œuvre dans le système international et le rôle qu'y tiennent les organisations internationales. Les OI seraient pensées comme un moment particulier dans un processus général d'intégration croissante de l'humanité.

L'ouvrage examinera ensuite « le triangle de la fonctionnalité » : représentativité, légitimité, efficacité des organisations internationales, ce qui amènera à traiter de la composition des OI y compris dans leurs secrétariats, de leur processus décisionnel avec le risque d'insignifiance de décisions collectives adoptées par adhésion passive, des missions remplies par les OI et de la mesure incertaine de leurs performances. Une attention particulière sera donnée à la façon dont les organisations internationales tentent de valoriser elles-mêmes leurs réalisations ainsi qu'aux méthodes de gestion des entreprises privées dont elles s'inspirent et aux effets de cette approche « managériale ». Les éléments d'un bilan contrasté de l'efficacité des OI seront proposés. Cette partie se terminera sur un survol de trois types d'usages de l'organisation internationale – instrumentalisation, socialisation, légitimation – nuançant fortement l'importance qui leur a été accordée par la littérature.

La troisième partie s'efforcera de saisir les organisations internationales en action et d'en montrer les principaux facteurs d'évolution. Elle fera ressortir combien la notion de gouvernance est insuffisante pour rendre compte du triple mouvement à la fois subi et influencé par les OI : les transformations du multilatéralisme, le renouvellement des conceptions de la sécurité, les effets ambivalents de la mondialisation. Sur le premier point, il sera montré comment, d'un côté, le ralliement massif des pays du Sud aux OI et leur contestation persistante d'un ordre économique mondial dominé par les pays du Nord a renforcé la logique interétatique au sein des OI et comment, de l'autre, les OI ont dû s'ouvrir à une grande diversité d'acteurs sociaux et l'action multilatérale s'élargir à un vaste réseau de « porteurs d'enjeux » (*stakeholders*). Plus que jamais le multilatéralisme est un enjeu de puissance que les États s'efforcent de contrôler, soit au sein des OI soit par la multiplication de clubs à dimension variable qui débordent ces organisations (G7, G8, G20, etc.). Dans le même temps, la notion de sécurité a évolué. De nouvelles conceptions du maintien de la paix ont émergé. Des menaces globalisées ont été identifiées. Les conséquences de ces évolutions sur la sécurité collective, le rôle du Conseil de sécurité, les opérations de maintien de la paix, et sur la capacité des OI à fournir de nouveaux paradigmes et de nouveaux instruments pour y faire face seront longuement analysées.

Enfin sera posée la question des possibilités d'une régulation mondiale par un système organisationnel fortement hiérarchisé, fragmenté, polycentrique et traversé par des dynamiques contentieuses. Quel est le rôle des organisations économiques et financières dont l'omniprésence témoigne de l'emprise marchande sur le système international (FMI, Banque mondiale, OMC, OCDE) ? Qu'advient-il des normes sociales édictées par l'OIT et, plus généralement, que reste-t-il aux institutions des Nations unies ? L'éparpillement des organisations environnementales comme les débats actuels sur la protection des droits de l'homme témoignent de la difficulté pour les OI de produire une conception de l'ordre mondial commune à tous. Les exigences contradictoires de l'universalité et de la réciprocité les mettent au défi d'appliquer ce qu'elles prétendent incarner.

PARTIE I

La genèse des organisations internationales

DÈS LORS QUE DES ACTEURS sont en interaction et qu'ils forment un système, ils tendent à nouer des arrangements. Au plan international, la reconnaissance d'émissaires attitrés ou la formation d'alliances, par exemple, est une pratique aussi ancienne que les premiers systèmes connus. Pendant longtemps, il s'est agi de pratiques coutumières et d'arrangements *ad hoc*. Leur caractère formel et durablement tourné vers la résolution de problèmes identifiés comme ceux de l'action collective est, en revanche, beaucoup plus récent. La coopération organisée est une idée neuve et ses développements débutent au XIXe siècle.

Chapitre 1

Coopération et organisation

L'APPARITION DES PREMIÈRES ORGANISATIONS internationales a coïncidé avec celle de la notion d'organisation à l'intérieur des sociétés industrielles. Ces deux formes d'arrangement des relations humaines sont nées en même temps. Elles répondaient, chacune à leur façon, à des besoins d'intégration au plan national et à des demandes de coopération au plan international.

Pourquoi coopère-t-on ?

Une situation d'interaction particulière

La coopération est une notion qui s'installe dans notre vocabulaire dans la première moitié du XIXe siècle. Tirée du socialisme associationniste et notamment du mouvement coopératif préconisé par Robert Owen (1772-1832), elle vise un principe d'association par lequel des acteurs (producteurs ou consommateurs) se groupent pour résoudre des problèmes d'intérêt commun (en l'espèce l'élimination de la misère qui accompagne le triomphe du capitalisme). La coopération implique donc une situation d'interaction entre les acteurs dans laquelle chacun d'eux ne peut atteindre ses objectifs sans tenir compte de ceux des autres. C'est l'existence simultanée du conflit des intérêts et de la complémentarité qui crée un problème de coopération [Kébabdjian, 1999, p. 150-153].

L'histoire des organisations internationales illustre cette motivation mixte des jeux coopératifs. Ainsi, l'une des premières de ces organisations, l'Union télégraphique internationale (1865), vise-t-elle à surmonter l'opposition des systèmes nationaux de transmission (conflits d'intérêts) au profit d'une interconnexion des réseaux mutuellement avantageuse (complémentarité).

Jusque dans les années 1840 existait la télégraphie aérienne optique, utile mais de portée limitée. Lorsque la télégraphie électrique apparut et permit de communiquer sur des distances allant au-delà du territoire national, il fallut trouver les moyens de régler les nouveaux problèmes de compétence posés par la technique. Dans un premier temps, les États élaborèrent des conventions bilatérales ou régionales : en 1864, plusieurs conventions régionales étaient en vigueur. Quantité de systèmes différents de procédures, de services, de tarification se superposaient, freinant d'autant les possibilités de gains mutuels. Le système d'arrangement d'État à État, le seul connu alors, s'avérait inadéquat. Il fallut inventer un système « international ». À l'initiative du gouvernement français, 20 États européens élaborèrent un accord-cadre régissant l'interconnexion internationale auquel s'ajoutait un ensemble de règles visant à normaliser les équipements, uniformiser les modes d'exploitation, harmoniser les tarifications, etc. Pour permettre le suivi et l'amendement de cet accord, les États créèrent une Union télégraphique internationale.

Lorsque naquit la télégraphie sans fil, le même processus se répéta et conduisit à la création d'une Union radiotélégraphique internationale (1906). Ces deux unions fusionnèrent en 1932 pour donner naissance à l'Union internationale des télécommunications qui a survécu à toutes les guerres, s'est adaptée à toutes les révolutions techniques (téléphone, télécopie, satellites géostationnaires, Internet) et joue à l'heure actuelle un rôle important dans le développement et la normalisation des nouveaux systèmes d'information et de communication.

Les déterminants de la coopération

On retiendra trois types de facteurs ou de dispositions qui poussent à coopérer au plan international. En pratique, ils ne sont nullement exclusifs les uns des autres et se retrouvent mêlés dans les décisions conduisant à choisir un mode d'action coopératif c'est-à-dire à s'associer avec d'autres plutôt que de faire cavalier seul.

En premier lieu, des dispositions de nature fonctionnelle. Il s'agit ici de coopérer pour résoudre avantageusement des conflits d'intérêt dans le cadre d'un jeu répété (si le jeu est à un coup, l'incitation à la coopération risque d'être moins forte). L'allocation des routes aériennes et des fréquences hertziennes ou la liberté des échanges commerciaux, parmi bien d'autres exemples, induisent cette recherche de fonctionnalité. C'est un calcul d'utilité qui est à l'œuvre avec l'idée que les intérêts particuliers (nationaux) et collectifs (internationaux) sont compatibles. Ce type d'approche est souvent qualifié de « libéral » par les théoriciens des relations internationales.

En deuxième lieu, la coopération est souvent mise en mouvement par des dispositions de nature cognitive. Connaître et se reconnaître contribuent à réduire l'incertitude de relations potentiellement conflictuelles. Dans le domaine de la sécurité (notamment militaire), l'anticipation réciproque peut être ainsi clarifiée et maîtrisée par un processus d'apprentissage collectif. Si les dispositifs relatifs à la sécurité collective prévus par le Pacte de la Société des Nations et la Charte des Nations unies reposent, malgré leurs différences, sur un directoire de grandes puissances, c'est à la fois par réalisme et avec l'espoir qu'un rapprochement formel servira une meilleure compréhension entre les plus puissants et modifiera leurs intérêts dans un sens plus coopératif. Le rôle de la connaissance, de l'interconnaissance, des normes et de la communication est essentiel. Il constitue la matrice d'explication privilégiée par l'approche « constructiviste » des relations internationales.

En troisième lieu, la coopération peut être aiguillonnée par des dispositions de nature coercitive. Un acteur plus puissant et/ou un régime de sanctions contraignent d'autres acteurs à rallier un jeu coopératif qui n'était pas souhaité initialement ou à s'y maintenir malgré des velléités de défection. La portée obligatoire de traités et de normes, la menace de sanctions ou les risques de l'isolement sont autant d'invitations forcées à coopérer. La puissance de certains acteurs dans un jeu fondamentalement conflictuel est ici au centre des explications : on y retrouve l'approche « réaliste » des relations internationales.

Au fond, l'observation des pratiques recoupe assez fidèlement les principales approches théoriques qui cherchent à expliquer les comportements coopératifs [Le Prestre, 2005, p. 294-324]. Que l'on parte du constat empirique ou du marché des théories, les types de déterminants de la coopération internationale sont en nombre limité, même si leurs manifestations sont infiniment diverses.

L'apport de l'organisation

Un cadre pour l'action

À la dispersion des interactions gravitant autour de « problèmes à résoudre », l'organisation offre un cadre. Celui-ci consiste à coordonner les conduites par une série de procédés : division des tâches et des rôles, systèmes d'autorité et de communication. Comme ensemble structuré de contraintes et d'opportunités, l'organisation vise à rationaliser les moyens de ceux qui se donnent des objectifs partagés. Elle répond aux demandes de l'action collective : à la fois en rendant plus prévisibles les conduites des membres du groupe et en tentant d'accroître leurs satisfactions par rapport aux résultats attendus.

L'organisation internationale regroupe, par définition, des membres appartenant à des pays différents. Elle caractérise une forme particulière d'agencement des rapports internationaux et présente deux traits spécifiques :

L'organisation internationale résulte d'un acte volontaire manifeste. Elle procède d'un acte fondateur : « acte constitutif » pour les organisations intergouvernementales (traité, charte, convention), dépôt de statuts pour les organisations non gouvernementales.

L'organisation internationale a une matérialité. Elle dispose d'un siège permanent, d'une adresse, d'un financement, d'un personnel.

Dans une configuration d'acteurs multiples à l'instar du système international, les conduites des uns dépendent étroitement de celles adoptées par les autres. La réduction des incertitudes est une condition préalable au dialogue et à l'échange. Par ses règles acceptées et ses procédures, l'organisation internationale tend ainsi à sécuriser l'espace des jeux stratégiques dans lequel chacun tient compte de la stratégie de l'autre. Elle coordonne avec plus ou moins d'effectivité et de réussite et, à ce titre, demeure irremplaçable dès lors que plusieurs acteurs en situation d'interaction se donnent des objectifs partagés.

Un construit social

L'organisation internationale n'est pas pour autant le produit d'une adaptation mécanique à l'existence de « besoins communs » ou au désir de quelques-uns d'agir ensemble. Comme pour toute organisation, l'organisation internationale est un instrument qui mêle une part de déterminisme (le poids des contraintes) et une part de liberté (le choix des acteurs). Au sens de l'analyse stratégique des organisations, l'organisation internationale est un « jeu » : un instrument de l'action collective qui concilie contrainte et liberté [Crozier et Friedberg, 1977, p. 97]. S'agissant de notre objet, cette approche sociologique a au moins deux grands mérites. D'une part, elle écarte toute tentation visant à réifier l'organisation internationale, à en faire un réceptacle passif et figé de rôles totalement prévisibles. En effet, les structures et les règles sont à la fois des contraintes et des opportunités pour les acteurs qui conservent toujours une certaine marge de liberté. Au plan international, on a vite fait d'expliquer la création d'organisations par des « nécessités communes ». Il faut y prendre garde : l'organisation internationale n'est pas un fait social neutre. Elle est structurée par les stratégies de ses membres et les relations de pouvoir qu'elles traduisent : si l'on sert et se sert des organisations, c'est aussi pour se servir. La mobilisation des États-Unis en faveur de la création d'organisations de coopération internationale au lendemain de la Seconde Guerre mondiale, l'adhésion aux organisations internationales des pays en développement au fur et à mesure de leur décolonisation ou la défense de la concertation multilatérale par les puissances moyennes, notamment européennes, sont autant d'engagements politiques au service de stratégies d'influence.

D'autre part, souligner cette situation mixte de contrainte et de liberté, c'est rappeler que l'organisation n'est jamais qu'une solution provisoire aux problèmes de l'action collective – un « construit social contingent » selon Crozier et Friedberg [1997, p. 89] –, la solution la moins mauvaise possible aux yeux des acteurs (les plus puissants et/ou les plus nombreux), compte tenu des contraintes du moment, ou la meilleure possible, compte tenu des opportunités qui se présentent à un moment donné. Ainsi de 1947 à 1995, le commerce international n'est-il régi que par un accord de coordination faiblement formalisé de libération des échanges (Gatt : *General Agreement on Tariffs and Trade*) : l'opposition des États-Unis à un projet plus contraignant (la Charte de La Havane), leur poids dans l'économie mondiale et le volume encore limité des échanges ne permettent guère plus. La consolidation de puissances économiques concurrentes (Europe, Japon), la multiplication des conflits commerciaux et l'intensification des échanges vont modifier les attentes. Les pays membres du Gatt en viennent à souhaiter, sinon à accepter, le renforcement des règles du commerce international et ils décident la création, en 1995, d'une Organisation mondiale du commerce (OMC). Néanmoins, l'accélération de la mondialisation des échanges, le poids économique croissant des pays émergents (Afrique du Sud, Brésil, Chine, Inde, etc.), l'importance du régionalisme économique (Europe, Asie, Amériques, notamment) rendent les compromis, lorsqu'ils sont possibles, très laborieux. Même si l'OMC reste globalement appréciée dans sa mission de règlement des différends commerciaux, elle est également contestée et souvent paralysée. En résumé, l'organisation du commerce mondial a connu plusieurs types de réponse : chacune demeurant très dépendante d'un contexte particulier et aucune ne pouvant se donner comme définitive. Il en va de même pour toute organisation internationale.

La combinaison de stratégies intéressées et d'objectifs en mouvement fait de l'organisation internationale un point de rencontre de conduites coopératives plus qu'un point d'aboutissement de « la » coopération. Celle-ci n'existe pas indépendamment de ses arrangements pratiques qui, à leur tour, ne constituent que des réponses partielles et plus ou moins durables aux besoins de l'action collective déterminés par les plus puissants et/ou les plus nombreux. En ce sens, l'organisation internationale repose sur un paradoxe : elle est à la fois indispensable à l'action collective et sans cesse menacée par les tensions inhérentes à cette action.

Le processus d'institutionnalisation

Organisation et institution

Dans la plupart des manuels, la distinction entre organisation et institution n'est pas très claire. Les deux termes peuvent s'employer indifféremment et viser des principes, des règles ou des structures qui participent au fonctionnement des relations internationales. Empruntant à la tradition juridique, certains auteurs désignent par institutions les démembrements fonctionnels de l'organisation prise comme un ensemble de compétences. On parlera ainsi du Conseil de sécurité (CS) ou de l'Organe de règlement des différends (ORD) comme des institutions de l'ONU ou de l'OMC. Les institutions se caractérisent ici par leurs fonctions, elles-mêmes déterminées par l'acte juridique constitutif de l'organisation. Curieusement, cette approche restrictive définit autant qu'elle banalise les institutions en les réduisant à des fonctions d'organisation [Rittberger et Zangl, 2006, p. 65-77]. Ainsi, les institutions sont-elles spécifiques à chaque organisation et générales à toutes les organisations : Taylor et Groom en font la catégorie la plus large de l'action internationale organisée (gouvernementale ou non, publique ou privée) [Taylor et Groom, 1988, p. 8]. À l'inverse, pour d'autres auteurs qui contestent l'approche juridique et fonctionnaliste des institutions, c'est l'organisation qui est le terme général le plus pertinent pour désigner le cadre formel des coopérations internationales [Archer, 2015]. En bref, tantôt ce sont les institutions qui englobent toute action organisée, tantôt c'est l'organisation qui englobe les institutions. Le lecteur a du mal à s'y retrouver.

Au-delà de la querelle sémantique, l'insatisfaction vient de ce que n'est pas posée la question de savoir comment s'imposent les règles qui vont permettre le minimum de régularité et de prévisibilité entre les acteurs sans lequel aucun ordre n'est possible. Cette imposition se réalise à travers la création d'institutions. L'institution acquiert ici une nouvelle dimension que nous privilégierons à l'instar des anthropologues et des sociologues. Dans toute collectivité, il existe, en effet, des manières d'agir et de penser socialement sanctionnées [Durkheim, 1998]. Tout groupe connaît dans son fonctionnement une multitude de règles obligatoires : la plupart des individus y obéissent sous peine d'encourir des sanctions. Ces règles s'expriment à travers des institutions que l'on a pu définir comme un ensemble d'actes ou d'idées tout institué que les individus trouvent devant eux et qui s'impose plus ou moins à eux. On saisit là ce qui fait l'irréductibilité de l'institution : son caractère contraignant. La sociologie wébérienne retient la même idée lorsqu'elle définit l'institution comme un ensemble de règles « octroyées avec un succès (relatif) à l'intérieur d'une zone d'action délimitable à tous ceux qui agissent d'une façon indéfinissable selon des critères déterminés » [Weber, 1995, p. 94].

L'institutionnalisation comme processus

Les organisations internationales dont nous parlons dans cet ouvrage ont toutes un caractère institutionnel plus ou moins marqué. C'est la raison pour laquelle on ne fera pas de distinction tranchée entre les deux termes. Ici, les organisations internationales ne sont pas seulement des « structures de coordination ou de coopération » : elles disposent d'une autorité et d'un pouvoir de contrainte, même si variables et relatifs. De là, l'intérêt à se pencher sur la façon dont cette autorité se construit au sein des organisations internationales : on parlera du processus d'institutionnalisation.

Très schématiquement, celui-ci repose sur trois types de ressources : juridiques, fonctionnelles et symboliques.

La force du droit est une ressource non négligeable. Elle s'exprime dans les actes constitutifs (traités, conventions, chartes, statuts) qui sont souvent négociés minutieusement par les membres fondateurs [Schlesinger sur la Charte de l'ONU, 2003], acceptés par tous et contrôlés, de manière plus ou moins complète, par des instances habilitées (juridictions, conférences des Parties, comités de suivi, etc.) ou par la doctrine [Cot, Pellet, 2005, pour un exemple d'analyse et d'interprétation de la Charte des Nations unies qui fait autorité]. L'adhésion valant acceptation du cadre juridique, les membres se soumettent à des dispositions qui comportent éventuellement des dispositifs de sanctions qui pourront leur être opposés en cas d'infraction. L'organisation tire autorité de cette soumission volontaire. Même dans les nombreuses OI qui ne disposent pas de pouvoir de contrainte, les membres les plus récalcitrants doivent composer avec la cadre accepté d'une certaine « conditionnalité interne » [Fawn, 2013].

La contestation n'est pas impossible, mais la révision de règles âprement négociées entre un nombre croissant d'acteurs demeure toujours un exercice politique délicat et laborieux [Devin, 2006, sur les réformes de l'ONU].

La fonctionnalité de l'organisation est également une source importante d'autorité. Non seulement parce que les membres profitent d'avantages, mais surtout parce que ceux-ci seraient plus coûteux à obtenir d'une autre manière. La réduction des coûts (de la communication, de l'information ou d'aides diverses) offerte par l'organisation pousse ses membres à accepter un certain degré de force contraignante au terme d'un calcul rationnel. L'institutionnalisation ainsi acquise demeure néanmoins toujours fragile, soumise aux intérêts changeants des membres et au fait que ce qui est fonctionnel pour les uns peut être dysfonctionnel pour les autres (le blocage du Conseil de sécurité, par exemple) ou au fait que ce qui est jugé fonctionnel à moment donné peut devenir dysfonctionnel à un autre (le vote à l'unanimité ou la recherche du consensus, par exemple). Quoi qu'il en soit, l'organisation tire autorité de ses fonctions lorsque celles-ci servent utilement l'intérêt de ses membres. En revanche, lorsque les avantages ne compensent pas les coûts, du moins dans la perception qu'en ont les intéressés, l'organisation est méprisée, contournée et parfois combattue – en témoigne le destin de la Société des Nations (SDN) : l'institutionnalisation est alors en déclin.

L'autorité de l'organisation internationale émane enfin de sa capacité à incarner une force supérieure à celle de ses membres : par sa représentativité, par l'étendue de ses objectifs, par l'universalisme de ses idéaux. À lui seul, aucun membre ne peut prétendre à de telles grandeurs. L'institutionnalisation prend ici la forme d'un travail de représentation qui vise à grandir l'organisation, à la parer des attributs symboliques de la puissance : drapeaux, emblèmes, devises, protocole, célébrations, déclarations solennelles. En se mettant en scène, l'organisation construit l'image d'une communauté solidaire qui exerce en retour des effets de discipline sur ses membres : mieux vaut y être plutôt que de risquer sa situation et sa réputation en faisant cavalier seul. Difficile à mesurer, ce pouvoir symbolique de l'organisation est indéniable. On en saisit toute l'importance dans l'acte de reconnaissance de ses membres qui est aussi un acte d'autorité.

L'institutionnalisation est donc un processus de consolidation de l'autorité de certaines structures. Elle constitue « un moyen de stabiliser et de perpétuer un ordre particulier » [Cox, 1981, p. 136], au terme d'évolutions souvent conflictuelles entre une grande diversité d'acteurs (pour un exemple de tension entre nationalisme et internationalisme dans la coopération culturelle internationale qui mènera à la création de l'UNESCO, [Laqua, 2011]). En fait, l'institutionnalisation des organisations internationales n'est jamais totalement acquise. Là où les points de vue et les intérêts sont incompatibles, là où l'injustice est telle que la contrainte n'est plus intériorisée, là où la lutte à mort paraît la seule issue, l'échange n'est plus institutionnalisable. L'impuissance de la SDN face à la Seconde Guerre mondiale en est une tragique illustration. La notion durkheimienne d'« anomie » rend compte de ces situations dans lesquelles l'ordre institutionnel s'affaisse, les normes sont contestées, caduques, voire inexistantes. En revanche, là où les règles sont acceptées, là où les organisations internationales parviennent à les faire respecter, l'institutionnalisation est, au moins provisoirement, en progrès.

Chapitre 2

Les développements de l'action internationale concertée

Bien avant que n'apparaisse la notion même d'organisation internationale, les unités politiques ont cherché dans la diplomatie concertée un outil complémentaire pour mener leurs relations extérieures. Il s'agissait alors de se défendre ou d'organiser la domination, non de coopérer dans la poursuite d'activités communes. Jusqu'à la révolution industrielle, les projets d'organisation internationale ne se distinguaient pas nettement des politiques d'alliances classiques, et la « diplomatie de conférence » n'était que la poursuite des conflits par d'autres moyens que la guerre.

Au milieu du XIXe siècle, l'augmentation des flux de personnes, de marchandises, de services, de capitaux multiplia les connexions à travers les frontières. Les nécessités techniques conduisirent les États à créer de nouvelles associations dans des domaines précis : ce fut la période des unions administratives, ancêtres de nos modernes institutions spécialisées. Mais jusqu'à la Seconde Guerre mondiale, ministres et diplomates ne ressentaient pas la nécessité de gérer politiquement de façon concertée le maillage économique complexe, tissé à l'échelle internationale par l'ouverture commerciale, l'accroissement des échanges et l'internationalisation des productions. L'échec de la SDN, créée en 1919, ne fut pas seulement celui du droit et de la sécurité collective. Il fut celui de la politique face à l'économie. Alors que les économies du monde capitaliste se trouvaient de plus en plus solidaires au plan commercial et financier dans un monde mal remis de la guerre et rétréci par l'isolement de l'URSS, la seule réponse à la propagation de la grande crise économique fut la politique du chacun pour soi : isolationnisme américain, repli britannique, hésitations françaises, autarcie allemande, dévaluations compétitives, protectionnisme généralisé... jusqu'à la catastrophe finale. La création de l'ONU en 1945 ouvrit un nouveau chapitre de la coopération internationale : les promoteurs de la nouvelle organisation entendaient tirer les leçons des échecs de la SDN et garantir la paix et la sécurité internationales de manière plus efficace.

De la diplomatie de conférence à l'administration internationale

La diplomatie de conférence est aussi ancienne que l'histoire de l'Europe. Après la mort de Charlemagne, les entrevues périodiques entre les fils de Louis le Pieux destinées à institutionnaliser le principe de « confraternité », dans un vain effort pour restaurer l'empire d'Occident, tenaient déjà plus du sommet politique que de la réunion de famille. Dûment préparées et précédées par l'envoi d'ambassadeurs, elles se terminaient par des déclarations solennelles envoyées au pape, sorte de « communiqué final » dans lequel chacun des protagonistes réaffirmait son attachement à la paix, non sans protéger jalousement ses droits. Les premiers Capétiens poursuivirent cette pratique des rencontres directes jusqu'à ce que, leur royaume s'étant agrandi et peu à peu organisé, les souverains cessent de courir les routes avec leur escorte d'évêques et de barons pour régler en personne les affaires, germaniques, anglaises ou normandes, selon les cas.

Privée de cette diplomatie itinérante, la diplomatie multilatérale (c'est-à-dire à plus de deux parties) ne disparut pas pour autant. Les conciles œcuméniques du XIIe siècle où prélats, évêques et abbés mitrés, réunis par centaines, siégeaient en présence de représentants de tous les princes d'Europe évoquent nos actuelles conférences internationales. Comme de nos jours dans les grands rassemblements onusiens, on y traite de l'état du monde : la situation en Terre sainte, l'empire latin d'Orient, l'invasion des Tatars. Plus tard, alors qu'émerge l'État moderne, le traité d'Arras entre la France, l'Angleterre et la Bourgogne (1435) sera signé pendant le Concile de Constance au terme de ce que l'on appellerait aujourd'hui un véritable « marathon diplomatique », tant la discussion sur chaque mot y fut serrée.

Pendant des siècles, cette activité multilatérale intense et de forme très variée n'a été que l'expression d'une forme politique de domination. La politique étrangère des souverains européens étant essentiellement une politique de frontières liée à la transformation incessante des limites territoriales, la force et la négociation visaient au même but : faire admettre ses droits, en acquérir de nouveaux, préciser ceux de chacun. Les propositions d'action concertée poursuivaient la politique classique d'alliances entre souverains, mais la complétaient par des dispositifs juridiques de plus en plus sophistiqués.

Les premiers plans d'organisation entre États et le Concert européen

Historiquement, les premières propositions d'organisation entre États relèvent d'une stricte logique d'alliance.

L'une des plus anciennes, celle de Pierre Dubois en 1305, prône l'unité de la république chrétienne et la paix perpétuelle de tous les catholiques par l'arbitrage et les procédures judiciaires dans un but bien précis : reprendre la Croisade. Sans ambages, le plan s'intitule : « *De recuperatione Terrae sanctae* ».

Un siècle et demi plus tard (1464), le roi de Bohême, George de Podiebrad, soumet à Louis XI un véritable plan de sécurité collective sous forme d'une « organisation laïque des souverains » : dix ans après la prise de Constantinople, il s'agit d'organiser la défense des royaumes européens contre les Turcs. Le roi de France accepte l'alliance mais repousse le projet d'organisation.

Le « Grand Dessein » d'Henri IV exposé dans les Mémoires de Sully (1638) propose un vaste remaniement territorial. L'Europe serait divisée entre 15 potentats de puissance comparable se réunissant en Conseil général dans la tradition des amphictyonies grecques. Le souci d'abaisser la Maison d'Autriche par une action concertée de la France et de l'Angleterre n'est certainement pas absent de ce Grand Dessein.

L'un des projets les plus connus, celui de l'abbé de Saint-Pierre (auquel François Mitterrand ne dédaignait pas de faire allusion quand il présentait sa politique européenne) est un « Projet pour rendre la paix perpétuelle en Europe » (1713). Il préfigure ce que sera l'esprit de la SDN deux siècles plus tard : garantie réciproque du statu quo territorial, action de l'ensemble des participants contre toute agression dont l'un d'entre eux serait victime. Les fauteurs de trouble ne doivent plus avoir d'intérêt à faire la guerre. L'abbé de Saint-Pierre vient de participer au congrès d'Utrecht marquant la fin de la guerre de succession d'Espagne. La France est affaiblie militairement face à la Hollande ; sur le plan économique, elle doit abandonner ses avantages tarifaires ; sur le plan politique, sa défaite consacre la suprématie de l'Angleterre en Europe. Le « projet de paix perpétuelle en Europe » est d'abord un désaveu de la politique de Louis XIV.

Beaucoup d'autres plans individuels ont été imaginés pour définir des structures politiques nouvelles permettant d'organiser la société des États de façon à sauvegarder la paix (Czartoryski, Saint-Simon et Augustin Thierry, Emmanuel Kant, Ernest Renan, etc.). Tous étaient proposés dans un contexte politique bien précis pour répondre à des menaces clairement identifiées.

Le système européen chercha ainsi longtemps son équilibre dans un jeu quasi mécanique d'alliances provisoires, de guerres localisées et d'accords précaires. Au XVIIe et XVIIIe siècles, les parties belligérantes prirent l'habitude de réunir leurs plénipotentiaires en congrès et de poursuivre sur le terrain diplomatique l'affrontement commencé par les armes. Les travaux se déroulaient en trois phases bien établies : armistice, puis « préliminaires de paix » et enfin « traité définitif » (ce qui n'est guère différent de la façon dont se négocie la fin des conflits à l'époque contemporaine).

Les grands congrès des XVIIe et XVIIIe siècles, précurseurs de nos modernes conférences de la paix, modelèrent la carte de l'Europe au terme de négociations souvent très longues (cinq ans pour les traités de Westphalie qui mirent fin à la guerre de Trente ans, 1618-1648). Ils construisirent également le système international moderne. L'État-nation a triomphé en Europe comme mode d'organisation politique et défini les principes d'un nouvel ordre international fondé sur les trois attributs majeurs de la logique étatique : monopole de la violence légitime, souveraineté et territorialité. Parti d'Europe, le modèle allait être exporté partout dans le monde avec plus ou moins de succès.

Le début du XIXe siècle marque un tournant. Paradoxalement, les grands bouleversements provoqués par la Révolution française et les guerres napoléoniennes ont rapproché l'Europe d'un point de vue politique tandis que la révolution industrielle la resserrait économiquement. Au sortir de ces épreuves, et pour des raisons souvent contradictoires, les États européens ont estimé qu'ils avaient globalement avantage à stabiliser leurs relations pour mieux affirmer ou restaurer leur souveraineté. Au principe classique de l'équilibre des puissances, ils ajoutèrent pourtant une méthode nouvelle. Cette nouveauté était due au fait que les États européens se retrouvaient dans des situations d'interaction beaucoup plus fréquentes qu'ils cherchèrent à institutionnaliser : c'est ce que l'on a appelé le Concert européen (1814-1914). Le dispositif très souple tendait à organiser la délibération en commun des quatre grandes puissances européennes (Autriche, Grande-Bretagne, Russie, Prusse) auxquelles s'adjoindront la France en 1818 puis l'Italie à partir de 1875. Ce « syndicat intermittent » (Stanley Hoffmann) ne constituait pas à proprement parler une organisation : il ne possédait pas de structures, pas de lieu de réunion fixe, pas de périodicité. Les seuls mécanismes – un « Congrès » et une « Conférence des ambassadeurs » – ne fonctionnaient que lorsque les Grands jugeaient la conciliation utile pour faire régner l'ordre de leurs intérêts. Sa capacité stabilisatrice ira en déclinant jusqu'à son échec final en 1914. Mais le Concert européen léguait des pratiques diplomatiques importantes. Le jeu des « puissances de premier ordre » et les consultations de façade des « puissances de second rang », la définition des « grands intérêts communs », la question de l'intervention dans les affaires d'un État, l'influence de « l'opinion publique » et des acteurs non gouvernementaux, toutes ces caractéristiques dessinaient déjà de nombreux traits de la concertation multilatérale moderne [Sédouy, 2009].

Les unions administratives

Bien que ne constituant pas une organisation internationale permanente, à vocation générale et universelle, le Concert européen aura des effets d'entraînement sur la coopération technique internationale. Établie en 1815 par le Congrès de Vienne, la Commission permanente pour la navigation sur le Rhin, chargée d'assurer la liberté de navigation et de commerce sur ce fleuve, est la première organisation internationale moderne. À partir de la deuxième moitié du XIXe siècle, de nombreux services internationaux d'intérêt commun se structurent avec des organes devenus quasi permanents et une bureaucratie composée de fonctionnaires nationaux mis à leur disposition par les États membres. On parle, à l'époque, d'unions administratives et du « temps de l'administration internationale ». L'extension des échanges de toute nature, caractéristique de la « première mondialisation », est ici déterminante. Le progrès des communications fait naître plusieurs associations d'États : l'Union télégraphique internationale déjà mentionnée (1865) ; l'Union générale des postes (1874) qui deviendra l'Union postale universelle (1878). On assiste à un véritable « internationalisme technocratique » [Kaiser, Schot, 2014]. Parallèlement, l'accélération des communications internationales et le raffermissement de la colonisation en Afrique et en Asie produisent des mouvements de personnes d'une ampleur jamais connue. De nouveaux problèmes de santé publique se posent. Le souci des métropoles de se protéger des maladies tropicales et des maladies infectieuses conduit à créer un Office international d'hygiène public (1907), chargé de recueillir et de diffuser les informations pertinentes et de mettre en place des procédures de quarantaine. En cette période d'intense circulation, on pense également à protéger la création intellectuelle : une Union internationale pour la protection industrielle est créée en 1883, suivie par l'Union pour la protection de la propriété littéraire et artistique en 1884. Un Bureau international des poids et des mesures (1875) répond à l'internationalisation des activités industrielles ; l'Union météorologique mondiale (1878) fournit des informations relatives aux conditions météorologiques, nécessaires à l'intensification du transport, notamment maritime.

En 1919, le Pacte de la Société des Nations envisagera de mettre un peu d'ordre dans cette prolifération d'organisations spécialisées et de placer tous les bureaux internationaux sous l'autorité de la nouvelle organisation (art. 24). Cet article restera sans effet. D'une part, les « unions administratives » voulaient conserver leur autonomie. D'autre part, les États-Unis, qui faisaient partie de plusieurs organisations techniques, mais n'étaient pas membres de la SDN, ne souhaitaient pas voir ces services intégrés dans les mécanismes de la Société des Nations. Enfin, les États membres craignaient un affaiblissement de leurs compétences nationales par l'intervention d'organismes internationaux trop puissants. Cette situation n'empêcha pas la SDN de multiplier les commissions et organes techniques dans de nombreux domaines (communications et transit, coopération intellectuelle, hygiène, contrôle des stupéfiants, etc.). L'activité fut débordante[1]. La SDN attira sur les bords du lac Léman tout ce qui comptait dans le domaine de la politique, de l'art et de la science dans un tourbillon diplomatico-mondain dont les lettres de Bela Bartok et le roman d'Albert Cohen, « Belle du Seigneur », ont donné de savoureux échos. Malgré cette effervescence, les organes techniques de la SDN firent surtout de la collecte et de l'échange d'informations auxquelles les gouvernements prêtèrent peu d'attention. Néanmoins, un lien nouveau était créé entre l'action politique pour la paix et la nécessité d'en construire les fondements économiques et sociaux.

La Société des Nations

Malgré ses faiblesses et son incapacité à gérer les crises politiques, économiques et monétaires qui allaient entraîner un second cataclysme mondial, la SDN a marqué un tournant décisif dans l'histoire des organisations internationales. Elle a été la première tentative dans l'histoire de l'humanité pour faire fonctionner une organisation politique des États dotée d'organes permanents, à compétence générale et vocation universelle.

Un type nouveau d'organisation politique

Si l'expression « Société des Nations » n'est pas absolument nouvelle (on la retrouve notamment sous la plume d'un livre éponyme de Léon Bourgeois en 1909), la création de la Société des Nations est due à l'obstination du président des États-Unis Woodrow Wilson. Dès janvier 1918, celui-ci avait exposé son programme pour la paix dans le 14e point d'un discours demeuré

1. Sur le dynamisme et les réseaux de l'Organisation, la base de données LONSEA fournit une entrée très instructive, http://www.lonsea.de

célèbre : « Une association générale des nations devra être formée en vertu de conventions formelles dans le but d'apporter des garanties réciproques d'indépendance politique et d'intégrité territoriale aux petits comme aux grands États ». Pour la première fois, le chef d'État d'un grand pays prétendait fonder la politique étrangère et la sécurité internationale non plus sur les jeux de puissance et de domination adossés à des coalitions militaire *ad hoc*, mais sur le droit et la morale appuyés par l'opinion publique.

L'esprit de l'organisation internationale installée à Genève au lendemain de la première guerre mondiale est un mélange inédit de Realpolitik et d'idéalisme juridique. Comme la Sainte Alliance et le Concert européen avant elle, la Société des Nations succède à une coalition victorieuse pendant la guerre. Le Pacte de la SDN est incorporé aux traités de paix de 1919-1920 (traités de Versailles, de Saint-Germain, de Trianon, de Sèvres) qui bouleversent de fond en comble la carte de l'Europe, disloquent l'Empire austro-hongrois, démantèlent l'Empire turc, répartissent les populations, redécoupent les territoires [Macmillan, 2006]. La nouvelle organisation doit permettre de garantir les frontières et le statu quo en Europe, d'assurer l'existence et la protection des nouvelles constructions politiques issues des redécoupages territoriaux. Tout en préservant les intérêts des puissances coloniales, elle entend amorcer une internationalisation du débat colonial à travers le système des mandats. Au centre de l'ensemble de ce dispositif : « Les membres de la Société s'engagent à respecter et à maintenir l'intégrité territoriale et l'indépendance politique présente de tous les membres de la Société » (art. 10).

Une organisation permanente

La Société des Nations est la première organisation internationale à compétence générale dotée d'organes permanents : une Assemblée, conférence diplomatique où tous les États membres sont représentés et disposent d'une voix ; un Conseil, sorte de directoire mondial dont la tâche est essentiellement la prévention et la solution des conflits internationaux. À l'origine, le Conseil devait être composé de 9 membres, avec 5 sièges permanents pour les puissances alliées et associées pendant la guerre (États-Unis, France, Grande-Bretagne, Japon, Italie). Lors de son admission à la SDN en 1926, l'Allemagne exigea et se vit accorder un siège permanent, ce qui conduisit en compensation à augmenter le nombre des membres non permanents à neuf (ils étaient déjà passés de quatre à six en 1923). Le Conseil finit par comprendre 14 États de 1926 à 1933, ce qui réduisait d'autant le rôle des grandes puissances. Les rédacteurs du Pacte avaient souhaité un système donnant une majorité de sièges aux Grands, mais cette majorité ne fut jamais atteinte. À la veille de la Seconde Guerre mondiale, le Conseil de la SDN ne comportait plus que deux membres permanents (France et Grande-Bretagne).

Le refus du Sénat des États-Unis d'autoriser la ratification du traité de Versailles, et donc du Pacte de la SDN qui s'y trouvait incorporé, avait porté un coup sévère à la notion de « communauté internationale » en voie d'institutionnalisation. Non seulement la non-participation des États-Unis ôtait beaucoup de crédibilité aux décisions prises par la SDN et à la force dissuasive de son mécanisme de sanctions, mais elle minait aussi sa vocation universelle. Il n'était pas considéré comme indispensable de faire partie de la nouvelle organisation : l'exemple venait d'en haut. Plusieurs puissances importantes ne siégèrent que de façon temporaire : l'Allemagne de 1926 à 1933, l'URSS de 1934 à 1939 (pour avoir attaqué la Finlande, elle fit l'objet de la seule mesure d'exclusion de la SDN). Seize États démissionnèrent, dont le Brésil en 1928, le Japon et l'Allemagne en 1933, l'Italie en 1937. Après avoir atteint une participation maximum de 60 États en 1934, la SDN ne comptait plus que 50 membres en 1939.

La procédure de vote limitait également les possibilités de la SDN. Pour les questions de fond, en effet, l'unanimité de tous les États représentés à la réunion était requise aussi bien au Conseil qu'à l'Assemblée. Seule exception à cette règle : dans l'examen d'un conflit soumis au Conseil, les voix des États parties au différend ne comptaient pas (art. 15). Cette exigence d'unanimité était la contrepartie de la limitation du droit de se faire la guerre consentie par les États en entrant dans la SDN : une assurance contre les abandons de souveraineté dans cette organisation entièrement novatrice. La Société des Nations restera dans l'histoire, en effet, comme la première tentative institutionnalisée pour définir et représenter l'intérêt commun, garantir la sécurité et prévenir les conflits. Depuis la SDN, la sécurité n'est plus l'affaire des nations individuelles mais celle de tous. Le droit de faire la guerre est limité à la légitime défense. La guerre d'agression est interdite (art. 10). Qu'elle soit licite ou non, la guerre ne peut pas être déclenchée sans avoir préalablement respecté quantité de procédures mises au point pour gagner du temps (le « moratoire de la guerre ») et permettre le règlement pacifique du litige : enquête, médiation, recommandation du Conseil, arbitrage, recommandation de la Cour permanente de justice internationale.

Un mécanisme de sécurité collective

L'article 16 du Pacte organise un mécanisme de sécurité collective fondé sur le principe selon lequel l'atteinte à la sécurité d'un seul doit entraîner l'intervention de tous : « Si un membre de la Société recourt à la guerre [...] il est *ipso facto* considéré comme ayant commis un acte de guerre contre tous les autres membres de la Société. Ceux-ci s'engagent à rompre immédiatement avec lui toutes relations commerciales et financières (art. 16, § 1) ». Outre ces mesures de blocus économique obligatoires pour chaque État membre, le Pacte donne au Conseil « le devoir de recommander aux divers gouvernements intéressés les effectifs militaires, navals ou aériens par lesquels des membres de la Société contribueront respectivement aux forces armées destinées à faire respecter les engagements de la Société (art. 16, § 2) ».

Le Pacte de la SDN mettait en place un système complètement nouveau de prévention et de résolution des conflits. Son pari était de renverser les politiques de sécurité traditionnelle par simple injonction juridique. Le système de la sécurité collective prétendait remplacer le jeu classique des rapports de force, de l'équilibre de la puissance et des traités d'assistance mutuelle par une alliance universelle. Une telle doctrine modifiait radicalement la notion d'intérêt national. Celui-ci se confondait avec un intérêt général, abstrait et à long terme, défini de façon très lointaine : faire échec à la violence où qu'elle soit et d'où qu'elle vienne, veiller au respect du droit. La sécurité ne reposait plus sur l'autonomie des choix dans l'appréciation des menaces et les moyens d'y faire face, elle était fondée sur l'universalité des perceptions, des valeurs et des objectifs. La SDN devait constituer un système institutionnalisé, avec un cadre d'action préétabli, une rationalité commune, des principes partagés mis en forme dans des dispositions juridiques écrites. Tout était prévu pour faciliter l'« anticipation réciproque ».

En réalité, les États préférèrent avoir recours, comme par le passé, aux méthodes diplomatiques traditionnelles. Les conférences des ambassadeurs, les traités bilatéraux et les pactes de garantie mutuels paraissaient moins contraignants et bien plus fiables que le nouveau dispositif. Dès 1920, beaucoup d'efforts furent consacrés à assouplir le mécanisme des sanctions pour le rendre moins automatique, plus progressif et sélectif. Jamais la sécurité collective ne fut suffisamment crédible pour dissuader les États d'avoir recours à la force lorsqu'ils estimaient y avoir avantage.

La création de la SDN a beaucoup fait progresser la réflexion théorique sur la notion de sécurité collective. Elle n'a pas réussi à transformer cette idée abstraite en application concrète. Pendant ses dix premières années, la Société des Nations eut à son crédit plusieurs réalisations : règlement de l'affaire des îles d'Aaland où le Conseil a recommandé et fait accepter, en 1921, que la souveraineté reste à la Finlande mais que la minorité suédoise vivant sur ces îles dispose des droits garantis ; dénouement d'une crise frontalière gréco-bulgare, en 1925, où le Conseil a proposé une solution équitable acceptée par les deux parties ; administration de la Sarre et de la ville libre de Dantzig. Tous ces cas ont constitué des précédents auxquels il est encore fait référence de nos jours lorsque des solutions sont cherchées pour des besoins similaires de protection des minorités, de règlement territorial ou d'administration internationale. Ils ont marqué la « grande époque genevoise » et contrebalancé les échecs flagrants de la SDN pendant la même période : guerre russo-polonaise en 1920, avancée des Serbes en Albanie la même année, réoccupation de la Ruhr par les troupes franco-belges en 1923. Jamais la SDN n'a pu intervenir dans ces conflits : ils avaient commencé et s'étaient achevés avant qu'elle ait commencé à réagir.

À partir de 1931, la dégradation rapide de la situation internationale va condamner l'idée même de Société des Nations. Lorsque le Japon occupe militairement la Mandchourie pour y créer un État fantoche, le Mandchoukouo, la SDN hésite et tergiverse. Il faut attendre deux ans pour que l'Assemblée adopte une déclaration très défavorable aux thèses japonaises. Le Japon quitte immédiatement l'organisation (février 1933). Le Conseil n'ose réagir. Les sanctions prévues en cas d'agression ne sont pas évoquées. Elles ne le seront qu'une fois, contre l'Italie, après l'invasion de l'Éthiopie en 1935. Encore ne s'agit-il pas d'une pleine application de l'article 16. Les mesures ne sont pas décidées sur une base collective et obligatoire, elles sont prises sur une base individuelle et facultative, chacun décidant comme il l'entend. Elles restent limitées et insuffisantes pour impressionner Mussolini.

Venant après l'affaire de Mandchourie, ce second échec grave de la SDN devant des agressions flagrantes sape la crédibilité de l'organisation. Elle n'offre aucun soutien efficace aux Républicains espagnols pendant la guerre civile, ni aucune médiation. La politique nazie et l'avancée hitlérienne en Europe ne suscitent pas de réaction de sa part. La seule mesure spectaculaire pendant cette course vers l'abîme sera l'exclusion de l'URSS, le 11 décembre 1939, pour son attaque contre la Finlande. Trois mois plus tôt, la France et la Grande-Bretagne avaient officiellement déclaré la guerre à l'Allemagne.

Des innovations majeures

Insuffisances et échecs ne sauraient faire oublier les transformations décisives apportées par la SDN dans la vie internationale. La Société des Nations a introduit une forme nouvelle de diplomatie multilatérale institutionnalisée dont la pratique ne disparaîtra plus. Elle a marqué la première tentative pour transférer à la communauté des États agissant de façon collective une partie du pouvoir politique jusque-là exercé de façon autonome par chacun des États. Contrairement à ce que l'on aurait pu croire, la faillite globale de cette première expérience et le déclenchement de la guerre n'ont pas condamné l'idée d'une organisation universelle à vocation générale. La SDN a disparu juridiquement en 1946, après avoir coexisté six mois avec l'Organisation des Nations unies destinée à la remplacer. Son héritage reste important [Kolb, 2015].

La fonction publique internationale

Première organisation à vocation politique dotée d'organes permanents, la Société des Nations a jeté les bases de la fonction publique internationale. À la différence des secrétariats des conférences internationales, destinés à disparaître avec l'achèvement des conférences, ou des bureaux des unions administratives composés d'effectifs légers appartenant à l'administration des États, le secrétariat de la SDN est un organe permanent établi au siège de la Société (environ 700 personnes en 1931). Le premier Secrétaire général avait été désigné par les négociateurs du traité de Versailles : sir Eric Drummond, un diplomate écossais, resta treize ans à la tête du secrétariat international (1920-1933). Un Français de piètre envergure lui succéda, Joseph Avenol. Contraint de démissionner en septembre 1940 pour ses sympathies à l'égard de l'« ordre hitlérien », il fut remplacé *de facto* par son adjoint irlandais, Sean Lester, dont le principal mérite fut d'assurer la survie de la SDN avec l'adoption d'un budget pour 1941 et le transfert des activités économiques et financières de la Société à l'université de Princeton.

Le Pacte de la Société des Nations ne disait rien sur l'indépendance des fonctionnaires internationaux. Dès le début, le petit groupe de fonctionnaires composé d'hommes de premier plan dévoués à l'esprit de la SDN fit admettre que son activité devait répondre à l'intérêt de l'organisation et que ses membres devaient être indépendants de leur gouvernement. La forte influence de la France et de la Grande-Bretagne, pays dotés d'une longue tradition de service public, favorisait l'apparition de cette idée tout à fait neuve d'une fonction publique indépendante agissant dans l'intérêt international. À partir de 1932, l'Assemblée de la SDN fit prêter à tous les fonctionnaires entrant en fonction un serment de loyauté à l'égard de la Société et d'indépendance vis-à-vis de leur propre gouvernement. La notion de fonction publique internationale était consacrée.

L'assistance technique

Avec la Société des Nations s'est aussi développé un élément nouveau et révolutionnaire des relations internationales : l'assistance technique. La terminologie est encore floue : on parle de « coopération non politique », de « coopération économique et sociale », mais la pratique s'instaure bel et bien. Toutes les commissions et organisations techniques de la SDN s'engagent dans des missions d'assistance mettant des experts à la disposition des gouvernements qui en font la demande pour la réalisation de tâches précises. Ces missions d'assistance technique donnent à l'organisation genevoise la dimension universelle qui lui manque dans le domaine de la sécurité. L'Organisation d'hygiène de la SDN aide les administrations sanitaires d'un grand nombre de pays en Asie et en Amérique latine. L'Organisation économique et financière lance des emprunts pour aider au reclassement des réfugiés en Grèce et en Bulgarie, aide à la restauration financière en Autriche et en Hongrie, réalise des réformes monétaires en Estonie. Les plus grosses opérations ont lieu en Chine, entre 1931 et 1940, où tous les organes techniques de la SDN sont présents pour apporter une aide massive et sans précédent.

Cette présence de la SDN comme nouvel acteur sur la scène mondiale relativise quelque peu l'image parfois brouillonne et mondaine de ses activités. Elle introduit également un personnage nouveau dans les rapports internationaux : l'expert technique. Plus généralement, elle s'accompagne d'une participation accrue des acteurs privés dans la coopération multilatérale.

La solidarité internationale

À partir de la deuxième moitié du XIXe siècle, les associations privées internationales avaient connu un essor remarquable (la création du Comité international de la Croix-Rouge date de 1863). À la veille de la Première Guerre mondiale, elles étaient cinq fois plus nombreuses que les organisations intergouvernementales. Ces ancêtres des organisations non gouvernementales (ONG) poursuivaient, comme aujourd'hui, des objectifs divers (professionnels, scientifiques, humanitaires, syndicaux, politiques). Un grand nombre d'entre elles cherchait néanmoins à bâtir des réseaux internationaux de solidarité pour influencer ou contrer la politique des États. Si certaines s'inscrivaient clairement dans le champ de la contestation du système capitaliste (les deux premières Internationales ouvrières, 1864 et 1889), d'autres militaient en faveur de causes plus ciblées (contre l'esclavage, pour les droits de vote des femmes, pour le désarmement et la paix, etc.). Le trait commun à cet ensemble hétérogène résidait dans une forme diffuse d'internationalisme : une conception assez vague de l'unité des hommes et des femmes de tous les pays et la remise en cause de la toute-puissance des États-nations dans le domaine politique, économique et social. Cette idéologie supranationale ne pouvait que rencontrer la sympathie de la SDN. En se présentant comme le forum de « l'opinion publique internationale », l'organisation genevoise allait donner une forte impulsion à la création d'organisations non gouvernementales et renforcer les liens entre la coopération privée et la coopération publique. La pratique fut courante dans les domaines techniques (association de professionnels et de représentants étatiques dans les commissions spécialisées). Elle fut plus exceptionnelle dans le domaine humanitaire : on confia ainsi en 1921 l'assistance aux réfugiés, initialement due à des initiatives privées, à un haut-commissaire de la SDN (Fridtjof Nansen), assisté conjointement par une Commission intergouvernementale et par un Comité consultatif des organisations privées.

La coopération publique-privée fut surtout remarquable dans l'histoire et la composition de l'Organisation internationale du travail (OIT). Les organisations ouvrières et les conférences syndicalistes alliées qui se tinrent tout au long de la Première Guerre mondiale jouèrent un rôle déterminant dans la création de cette institution. La Fédération américaine du travail (*American Federation of Labour*), appuyée par la CGT française et les syndicats britanniques, se montra particulièrement influente et obtint que la Conférence de la paix de 1919 établisse, dès sa seconde séance, une Commission de la législation internationale du travail, chargée de créer une institution permanente intégrée dans la Société des Nations. L'objectif était d'améliorer la condition des ouvriers et d'assurer la protection légale des travailleurs : une façon de montrer que le capitalisme était réformable en guise de réponse à la révolution bolchevique. Dans l'esprit de Samuel Gompers, le puissant leader de l'AFL, qui présidait la Commission, il s'agissait aussi d'uniformiser les conditions de travail de façon à réduire la concurrence entre les travailleurs et les distorsions salariales exacerbées par la compétition internationale.

La création de l'Organisation internationale du travail a fait partie du règlement de paix de 1919-1920 et la constitution de l'OIT a été insérée dans le traité de Versailles. Les États-Unis y participèrent sans pour autant adhérer à la SDN. L'OIT fut donc plus proche d'une certaine conception de la représentation universelle que l'institution à laquelle elle était rattachée. Sous la direction d'une personnalité de forte envergure, Albert Thomas, son secrétariat (le Bureau international du travail, BIT) eut un rayonnement considérable.

Outre son statut et son histoire originale, l'OIT présente une nouveauté majeure pour l'époque : elle permet la représentation directe des catégories sociales intéressées [Louis, 2016]. La composition de l'OIT est tripartite : à côté des représentants gouvernementaux siègent les représentants des employeurs et les représentants des travailleurs. Cette structure rompt de façon radicale avec les formules classiques de représentation diplomatique. Là encore, on peut y voir une volonté de réagir aux événements révolutionnaires en Russie en répondant à la « question sociale » d'une manière originale, mais strictement réformiste. Cette forme organisationnelle est restée exceptionnelle.

L'expérience accumulée par la SDN et ses différents organes techniques a été considérable. Elle sera largement prise en compte dans l'élaboration des nouveaux schémas imaginés entre 1942 et 1945 par les nations en guerre contre l'Axe pour reconstruire un ordre politique, économique et social dans l'après-guerre. Comme l'écrit Robert Kolb, maître d'œuvre d'un savant commentaire du Pacte de la Société des Nations : « La Société constitue le point de départ d'un système de sécurité mondiale et d'une action politique à vocation universelle. En ce sens la Société a été le terrain préparatoire incontournable pour les Nations Unies » [Kolb, 2015, p. 4].

L'ONU et la consécration du multilatéralisme

Presque toutes les grandes organisations internationales que nous connaissons aujourd'hui ont été fondées entre 1945 et 1960. Cette période constitue une phase de construction et d'institutionnalisation tout à fait exceptionnelle, avec un effort sans précédent d'organisation du monde. Celui-ci a été porté par une croyance forte dans les vertus du multilatéralisme et s'incarne principalement dans la création de l'Organisation des Nations unies.

Le multilatéralisme comme projet politique

Entendu au sens habituel, le multilatéralisme est une méthode de coordination des conduites entre trois acteurs ou plus. Il se distingue à la fois du bilatéralisme qui vise des conduites définies entre deux parties seulement et de l'unilatéralisme par lequel une partie définit seule les éléments de sa conduite. Mais cette approche nominale n'est pas suffisante. Le substantif (multilatéralisme) ajoute une dimension supplémentaire à un simple mode particulier de concertation (multilatéral). Le multilatéralisme est également une politique et en tant que telle un ensemble d'actions animé par quelques principes généraux et poursuivant la réalisation de certains objectifs [Ruggie, 1992 ; Badie et Devin, 2007 ; Petiteville, 2009]. La technique et la politique ne se sont pas toujours confondues : si le caractère multilatéral des négociations internationales est ancien, le multilatéralisme est plus récent.

Le mot « multilatéralisme » n'apparaît qu'après la Seconde Guerre mondiale, dans le vocabulaire états-unien. Jusqu'alors on parlait d'action collective ou concertée. Il surgit dans une conjoncture particulière, avec une acception bien précise, pour définir les caractéristiques du nouveau système mondial de coopération que les États-Unis entendent mettre en place : un ordre international plus libéral économiquement et plus efficace politiquement. Le multilatéralisme inspire ainsi, en 1944, la création du Fonds monétaire international (FMI) et celle de la Banque internationale pour la reconstruction et le développement (BIRD). Il oriente également le régime du commerce prévu par le Gatt en 1947. Il est bien sûr au cœur de l'ONU comme nouvelle organisation mondiale chargée du maintien de la paix et de la sécurité internationales.

La notion de multilatéralisme se trouve donc étroitement liée à la politique étrangère des États-Unis de l'après-guerre [Luck, 1999]. Sur le plan intérieur, elle est utilisée par l'administration américaine comme programme pour contrer les aspirations isolationnistes toujours présentes dans une partie de l'opinion et comme instrument pour justifier des engagements militaires lointains au nom de valeurs universelles portées par l'Amérique. Sur le plan extérieur, elle vise à instaurer une sorte de gouvernance internationale regroupant autour des États-Unis les pays disposés à adopter une coopération de type libéral et démocratique.

On peut noter que l'expression n'a pénétré en France qu'au début des années 1960 et qu'elle était liée à deux initiatives des États-Unis, l'une stratégique, l'autre économique. Le projet de « Force de dissuasion multilatérale » lancé par le président Kennedy en réplique à la force française autonome et comme solution au problème du contrôle nucléaire au sein de l'Organisation du traité de l'Atlantique nord (Otan) fit l'objet d'un grand débat dans les années 1963-1964. Fallait-il accepter de verser les moyens français dans une force « multilatérale » sous commandement américain de l'Otan ? À la même époque, le Kennedy Round entamé dans le domaine commercial (1964) allait faire admettre, pour la première fois, le caractère authentiquement « multilatéral » des négociations tarifaires. Jusqu'à cette négociation, les conférences tarifaires entre les parties contractantes au Gatt s'organisaient pays par pays et produit par produit. Désormais, ces discussions allaient intéresser l'ensemble des pays développés du monde occidental et porter sur la totalité des produits inclus dans la négociation.

Progressivement, l'adjectif « multilatéral » s'est transformé en substantif. « Multilatéral » et « multilatéralisme » sont entrés dans le langage courant et ont acquis la même signification. Avec l'arrivée sur la scène internationale des nouveaux pays décolonisés, ils sont devenus des termes généraux définissant la coordination de l'action internationale entre le plus grand nombre.

Dans cette consécration des mots, deux idées plus précises sont tenues pour globalement partagées.

D'une part, la méthode multilatérale est jugée profitable. Sur le long terme, les gains de la coopération de tous avec tous paraissent plus robustes que les succès momentanés d'initiatives unilatérales ou d'accords bilatéraux. La responsabilité imputée à la politique du chacun pour soi dans la catastrophe de la Seconde Guerre mondiale a joué un grand rôle dans cette conviction. Le multilatéralisme est, en effet, un jeu continu et répété, ce que l'on appelle un jeu « itératif ». Il se déroule dans le temps et les coups ne sont pas joués une fois pour toutes. Tous les participants sont appelés à se revoir. Aucun ne peut prétendre gagner chaque fois dans tous les domaines, mais, dans la longue durée et selon les dossiers, chacun peut espérer un jour gagner quelque chose. La pratique multilatérale introduit entre les participants ce que Robert Keohane a appelé une « réciprocité diffuse ». Elle donne en quelque sorte plus d'importance à l'avenir qu'au présent [Axelrod, 1992]. La répétition du jeu bien connue de toutes les grandes organisations internationales où la même pièce semble éternellement recommencée est un facteur de réassurance : aucun participant n'a intérêt à s'en aller ou à faire cavalier seul. Le perdant d'hier peut être le gagnant de demain et réciproquement. Même si le statut des gains recherchés par les joueurs est débattu (gagner ensemble – gain absolu – ou faire mieux que l'adversaire – gain relatif –, ce qui a évidemment des conséquences sur l'attachement à la coopération [Kébabdjian, 1999, p. 228-253]), le multilatéralisme a semblé aux États la moins mauvaise des méthodes de coopération.

D'autre part, le multilatéralisme est accepté comme un ensemble de valeurs souhaitables : la paix plutôt que la guerre, la justice plutôt que les inégalités, la sécurité collective plutôt que la compétition des puissances, la liberté des échanges plutôt que le protectionnisme et l'autarcie. Le multilatéralisme est un discours sur des valeurs universelles et indivisibles : la paix, la justice, la sécurité, la liberté, le développement... Tous ces idéaux sont revendiqués dans les chartes des grandes organisations internationales et régulièrement rappelés lors de leurs réunions solennelles. Aucun ne s'arrête aux frontières et aucun ne peut être réalisé de manière individuelle. Tous sont liés et communs à l'humanité.

On peut s'interroger sur les raisons qui poussent les États à souscrire, au moins formellement, à ces idéaux alors que leurs pratiques en sont souvent bien éloignées. L'existence d'un ordre de grandeurs commun facilite le rapprochement : plus les objectifs sont généraux, moins les intérêts particuliers sont froissés. Il est donc de bonne politique de construire une coopération multilatérale en annonçant des objectifs ambitieux que nul ne peut atteindre. En ce sens, les idéaux sont fonctionnels, même s'ils portent en eux de sérieuses contradictions et conduisent, en pratique, à de nombreuses désillusions. Idéalisme et multilatéralisme sont inséparables. La question du contenu de l'idéalisme (pourquoi ces idéaux plutôt que d'autres ?) est d'ordre historique. Il a fallu deux guerres mondiales pour que la paix devienne un objectif en soi ; c'est la Guerre froide et la décolonisation qui ont fait du développement un objectif majeur du multilatéralisme contemporain ; c'est l'hégémonie des États-Unis et des pays occidentaux au XXe siècle qui ont élevé la liberté, la démocratie et les droits de l'homme au rang de valeurs universelles. Si le multilatéralisme est un mot qui consacre un moment particulier de la coopération internationale, ses idéaux sont également historiquement situés.

À partir de 1945, le multilatéralisme va s'imposer comme le mode dominant de la coopération internationale. Entre promesses d'avantages et nobles objectifs, il s'agira, officiellement, de mieux coordonner les politiques nationales, idéalement de les rapprocher, pour rendre le monde plus sûr et plus juste. Initialement, c'est une affaire d'États. Elle s'incarne principalement dans des organisations intergouvernementales dont le multilatéralisme est à la fois la méthode de fonctionnement et l'idéologie. L'Organisation des Nations unies en est le meilleur exemple.

L'Organisation des Nations Unies et son « système »

Loin de freiner la marche en avant de la coopération intergouvernementale, la Seconde Guerre mondiale a accéléré la multiplication des organisations internationales. Dès 1941, et pendant toute la guerre, les administrations des puissances alliées ont préparé un maillage institutionnel très serré de la vie internationale qui devait permettre, la paix revenue, de prolonger l'alliance du temps de guerre pour organiser de façon concertée le secours aux populations, le relèvement des économies européennes en ruine et la reconstruction d'un ordre mondial pacifique et plus stable.

La reconstruction

Au lendemain de Pearl Harbour, les États-Unis avaient entrepris de faire adopter par toutes les nations engagées dans la guerre contre les puissances de l'Axe une « Déclaration des Nations unies » (1er janvier 1942) par laquelle les gouvernements signataires s'engageaient à poursuivre le combat jusqu'à la victoire finale, sans conclure d'armistice ou de paix séparée, et à construire un système de sécurité après la guerre. Cette déclaration d'alliance signée par 26 nations allait donner son nom à la future organisation mondiale. Mois après mois, nonobstant la fureur des combats, les conférences alliées ont réuni experts et fonctionnaires pour jeter les bases de l'organisation d'après-guerre. En réalité, celle-ci ne part pas de rien. Elle peut s'appuyer sur les nombreux réseaux d'acteurs de la coopération internationale « technique » qui se sont consolidés dans le sillage de la SDN (l'Organisation Économique et Financière de la SDN, l'Institut international de la coopération intellectuelle, l'Institut international de l'agriculture, etc.).

- La conférence des ministres alliés de l'éducation se réunit périodiquement à Londres, à partir de 1942, pour tenter de venir en aide aux nations dont le système d'éducation a été détruit : elle préfigure l'Unesco (Organisation des Nations unies pour l'éducation, la science et la culture).
- En mai-juin 1943, les États-Unis convoquent à Hot Springs (Virginie) une grande conférence pour discuter des problèmes généraux de l'alimentation et de l'agriculture dans l'après-guerre : elle crée une commission intérimaire, ébauche de la future FAO (*Food and Agriculture Organization* – Organisation pour l'alimentation et l'agriculture, OAA).
- Dès janvier 1942, des pourparlers entre la Grande-Bretagne, les États-Unis, l'URSS et la Chine jettent les bases d'une organisation internationale pour aider au relèvement des pays dévastés par la guerre : la création de l'UNRRA est décidée à Washington en novembre 1943 (*United Nations Relief and Rehabilitation Administration*).
- Une conférence internationale du travail se réunit à New York en 1941 au terme de laquelle l'OIT se met résolument au service des Alliés. Trois ans plus tard, l'OIT adopte (le 10 mai 1944) la célèbre « Déclaration de Philadelphie », véritable charte sociale pour le monde occidental (l'URSS et les pays du bloc de l'Est ne feront partie de l'OIT qu'en 1954, après la mort de Staline). Ce texte affirme pour la première fois dans une résolution internationale le caractère inséparable du social et de l'économie et la primauté du premier sur la seconde. Il énonce, également pour la première fois, le principe de la protection internationale des droits de l'homme et met l'accent sur l'interdépendance et la nécessaire solidarité entre les peuples riches et des peuples pauvres. La Déclaration affirme que ses principes doivent s'appliquer partout, y compris dans les territoires coloniaux : « Leur application aux peuples qui sont encore dépendants aussi bien qu'à ceux qui ont atteint le stade où ils se gouvernent eux-mêmes intéresse l'ensemble du monde civilisé ». Avec le vocabulaire de l'époque, ce texte résume bien les espérances du moment et les valeurs que le monde occidental prétend incarner.
- Trois mois plus tard, en juillet 1944, la conférence de Bretton Woods (New Hampshire) définit les principes devant régir les rapports économiques, monétaires et financiers. Composée de 44 pays (dont l'URSS qui refusera par la suite d'adhérer aux deux organisations créées) et dominée par les délégations états-unienne et britannique, cette conférence adopte les statuts du FMI et de la BIRD. Le système retenu entérine la nouvelle

hégémonie américaine : il fait du dollar « *as good as gold* » la monnaie internationale et donne aux États-Unis des privilèges exorbitants.
- Enfin, les propositions de Dumbarton Oaks (du nom d'un hôtel particulier situé à Washington DC, automne 1944) et la conférence de San Francisco (avril-juin 1945) parachèvent l'œuvre entreprise en créant un nouveau système de sécurité collective confié à l'Organisation des Nations unies (51 États fondateurs).

On connaît désormais bien les travaux préparatoires ayant conduit à l'adoption de la Charte des Nations unies et les conditions dans lesquelles s'est déroulée la Conférence de San Francisco [Schlesinger, 2003]. L'accord final n'était pas acquis. Staline, qui n'oubliait pas que l'URSS avait été exclue de la SDN, ne s'était rallié qu'en octobre 1943 au principe d'une nouvelle organisation internationale chargée de la sécurité collective et Churchill préférait penser l'ordre mondial sur des bases régionales.

Objectifs et structures

Dans l'esprit du président Roosevelt (sous-secrétaire à la Marine dans l'administration du président Wilson) et de ses collaborateurs, il ne s'agissait pas de renier l'expérience de la SDN, mais de bâtir une organisation plus efficace dans la défense de la paix. La nouvelle Organisation des Nations unies reflète cette volonté. Souligné dès le préambule de la Charte, l'objectif central de l'Organisation est de « maintenir la paix et la sécurité internationales ». À ce titre, l'« usage de la force des armes » fait l'objet d'une interdiction générale sauf « dans l'intérêt commun ». Le principe de la sécurité collective est donc réaffirmé. Sa responsabilité principale est confiée à un directoire de grandes puissances (le Conseil de sécurité) dont les décisions sont obligatoires pour tous les membres de l'Organisation et qui est doté à cette fin de pouvoirs spécifiques (notamment militaires). Rappelons que dans le Pacte de la SDN, le Conseil et l'Assemblée générale avaient une compétence identique sans disposer de pouvoirs contraignants.

La structure de l'ONU

L'ONU comprend six organes principaux prévus par la Charte et un grand nombre d'organes subsidiaires créés par les organes principaux, essentiellement par l'Assemblée générale et le Conseil économique et social.

L'Assemblée générale

Elle se compose de tous les États membres des Nations unies. Chaque membre y est représenté par une délégation composée, officiellement, de cinq délégués au plus. En pratique la taille des délégations est très variable selon les capacités diplomatiques des États.

L'Assemblée générale tient une session par an qui se réunit à partir du 3e mardi de septembre et dure aussi longtemps que l'exige l'ordre du jour (quatre mois environ, la tendance est à l'extension). Elle peut être convoquée en sessions extraordinaires. Elle désigne son président pour chaque session et élit son bureau.
L'Assemblée générale comporte six grandes commissions : désarmement et sécurité (1), questions économiques et financières (2), questions sociales, humanitaires et culturelles (3), questions politiques spéciales (4), questions administratives et budgétaires (5), questions juridiques (6).
Chaque membre de l'Assemblée générale dispose d'une voix.
Les décisions sur les questions importantes (énumérées par l'art. 18 de la Charte) sont prises à la majorité des deux tiers des membres présents et votants. Les autres décisions sont prises à la majorité simple. En pratique, le recours au consensus est fréquent tant que les textes ne sont pas politiquement sensibles (v. infra, p. 90-92)
L'Assemblée générale discute, étudie, attire l'attention du Conseil de sécurité sur les situations pouvant mettre la paix en danger, mais elle ne prend pas de décisions obligatoires. Elle n'émet que des recommandations.

Le Conseil de sécurité

Cet organe restreint se compose de 15 membres, cinq membres permanents désignés par la Charte : Chine, France, Russie (ex-URSS), Royaume-Uni, États-Unis ; dix membres non permanents élus pour deux ans par l'Assemblée générale, renouvelés chaque année pour moitié et choisis selon : a) leur contribution au maintien de la paix et de la sécurité internationales et aux autres fins de l'Organisation, b) une « répartition géographique équitable » entre groupes régionaux (Afrique, Asie, Europe orientale, Amérique latine et Caraïbes, Europe occidentale et autres États).
Le Conseil de sécurité est un organe permanent. Chaque membre du Conseil est représenté par un ambassadeur, représentant permanent. Les débats sont organisés par un règlement intérieur établi par le Conseil. La présidence est assurée par rotation selon l'ordre alphabétique (en anglais) et change chaque mois.
Les décisions portant sur des questions de procédure sont prises par un vote affirmatif de neuf voix. Les décisions sur toutes les autres questions sont prises « par un vote affirmatif de neuf de ses membres dans lequel sont comprises les voix de tous les membres permanents » (art. 27) ; c'est ce que l'on appelle le « droit de veto » des membres permanents.
Le Conseil de sécurité est le seul organe des Nations unies qui prenne des décisions obligatoires pour tous les membres de l'Organisation (art. 25). Il a la responsabilité principale du maintien de la paix et de la sécurité internationales. En cas de différend, il peut recommander des modes de solution pacifiques (chap. VI). En cas d'agression ou de menace d'agression, il peut mettre en œuvre une action militaire et prendre des sanctions économiques (chap. VII).

Le Conseil économique et social

Il se compose de 54 membres élus par l'Assemblée générale pour trois ans avec renouvellement par tiers chaque année. Les cinq Grands sont toujours réélus de facto.
L'Ecosoc vote des recommandations à la majorité simple. C'est un organe consultatif. Il a créé un nombre considérable d'organes subsidiaires. Il est censé assurer la coordination

de toutes les activités du « système » de l'ONU sur les sujets économiques, sociaux et la protection des droits de l'homme. En fait, il n'a jamais pu y parvenir. Depuis 2012, la création d'un « Forum politique de haut niveau pour le développement durable » vise à renforcer son action dans les domaines social, économique et environnemental.

Le Conseil de tutelle

Cet organe politique composé selon la Charte des cinq membres permanents du Conseil de sécurité et d'un nombre d'États administrants égal à celui d'États non administrants a eu un rôle historique pour faciliter l'émancipation des peuples sous tutelle. Le régime des tutelles ayant disparu, le Conseil réduit aux cinq membres permanents n'existe plus en pratique. On a parlé parfois de le ranimer pour faire face au problème des États en situation d'effondrement ou de reconstruction politique. La création, en 2006, de la Commission de consolidation de la paix (organe subsidiaire de l'Assemblée générale) semble avoir mis un terme à ce débat.

Le Secrétariat

Le Secrétaire général est le plus haut fonctionnaire de l'Organisation. Il est nommé par l'Assemblée générale sur recommandation du Conseil de sécurité. En fait, les cinq membres permanents du Conseil jouent un rôle déterminant. De plus en plus de voix s'élèvent pour réclamer un processus électoral pluraliste (plusieurs candidatures) et transparent (auditions publiques des candidats).
Son mandat est de cinq ans.
Le Secrétaire général peut attirer l'attention du Conseil de sécurité sur toute affaire qui, à son avis, pourrait mettre en danger le maintien de la paix et de la sécurité internationales (art. 99 de la Charte).
Le personnel est nommé par le Secrétaire général. Les postes à responsabilité élevée sont soumis à un principe de répartition géographique. Depuis 1997, le Secrétaire général est assisté d'un vice-secrétaire général.
Selon l'article 100 de la Charte, les fonctionnaires internationaux ne doivent accepter aucune instruction de leur gouvernement ou d'une autorité extérieure à l'Organisation. En cas de différend avec l'Organisation, ils peuvent avoir recours au tribunal administratif des Nations unies.

La Cour internationale de justice

La CIJ est l'organe judiciaire principal des Nations unies. Ses 15 juges sont élus pour 9 ans, à la majorité absolue, par l'Assemblée générale et le Conseil de sécurité. Ils doivent faire preuve d'indépendance et d'intégrité. Leur mandat est renouvelable.
Seuls les États ont compétence pour se présenter devant la Cour. Celle-ci rend alors un arrêt.
La Cour ne peut connaître d'un différend que si les États en cause ont accepté sa compétence, notamment par le système de la déclaration facultative (art. 36.2 du Statut de la Cour) : 71 États sur 193 en 2015. La décision de la Cour n'est obligatoire que pour les parties en litige (117 jugements depuis 1946).
La Cour a également une compétence consultative au profit de tous les organes et les institutions spécialisées des Nations unies. Elle rend alors un avis (27 depuis 1946).

Un système ?

Autour des organes permanents de l'ONU, 15 institutions dites spécialisées organisent la coopération intergouvernementale dans les secteurs technique, intellectuel, social et économique. Ces institutions spécialisées sont créées par des accords gouvernementaux. Beaucoup résultent de la transformation des anciennes unions administratives comme l'Union postale universelle ou l'Union internationale des communications, ou bien héritent des attributions des offices, bureaux ou comités existant antérieurement : l'Organisation mondiale de la santé, par exemple. Leur structure est généralement tripartite : une assemblée ou conférence générale où siègent les représentants de tous les États membres et votant selon le principe « un État – une voix » ; un conseil ou comité exécutif où siègent un nombre restreint d'États et parfois des personnalités indépendantes choisies pour leurs compétences ; un secrétariat ou bureau permanent dirigé par un secrétaire ou directeur général. Le nouveau système se veut plus centralisé que celui existant *de facto* avant la guerre. La Charte des Nations unies précise que les institutions spécialisées sont « reliées » à l'ONU (art. 57) et que le Comité économique et social de l'ONU (Ecosoc) peut conclure des accords avec ces institutions fixant les conditions dans lesquelles chacune sera reliée à l'Organisation ; ces accords sont soumis à l'approbation de l'Assemblée générale (art. 63 § 2).

Entre 1945 et 1960, treize organisations signent ainsi un accord de liaison avec l'ONU pour entrer dans la catégorie des institutions spécialisées de l'Organisation :

Accords de liaison entre l'ONU et les institutions spécialisées

Organisation internationale	Création	Accord avec l'ONU
UIT	1932 (ex-UTI, 1865)	1949
UPU	1878	1947
OMM	1878	1951
OIT	1919	1946
FAO	1945	1946
FMI	1945	1947
BIRD (Banque mondiale)	1945	1947
Unesco	1946	1947
OACI	1947	1947
OMS	1948	1948
OMI (ex-OMCI jusqu'en 1975)	1948	1958
SFI (affiliée à la Banque mondiale)	1956	1956

AID (affiliée à la Banque mondiale)	1960	1960
ONUDI	1966	1979
OMPI	1967	1974
FIDA	1977	1978
OMT	1970	2003

L'organigramme diffusé par les services de l'ONU (voir encadré) donne l'impression d'une construction rationnelle, maîtrisée et déconcentrée[1] Il dessine un système avec une autorité centrale à vocation générale à laquelle seraient reliées des organisations sectorielles couvrant les principaux aspects des échanges internationaux. Cette image est fausse.

Contrairement à ce qui est dit parfois en rationalisant *a posteriori* l'énorme activité déployée en quelques années, la construction de la « famille » des Nations unies n'a pas répondu à un schéma d'ensemble bien défini, inspiré par une vision doctrinale précise. Elle s'est faite au coup par coup, au gré des impulsions bureaucratiques et, plus tard, en fonction des revendications politiques des nouveaux entrants. Au beau milieu d'un conflit mondial, les responsables des grandes puissances alliées n'avaient pas le loisir d'envisager la coopération d'après-guerre dans tous les domaines et dans tous leurs détails. Une fois accepté le principe d'une organisation chargée de la sécurité collective et fixées les grandes lignes de sa charte constitutive, le reste fut dominé par des logiques bureaucratiques. Les administrations nationales spécialisées à l'intérieur de chaque gouvernement avaient pris l'habitude de se rencontrer au temps de la SDN. Elles continuèrent pendant la guerre et mirent au point les instruments nécessaires à la coopération dans leurs domaines propres sans regarder au-delà. Par la suite, les accords de liaison passés entre l'ONU et les institutions spécialisées marquèrent le souci de ne pas rester en marge du grand mouvement de réorganisation qui se dessinait ; ils ne manifestèrent en aucune façon l'acceptation d'un lien de subordination à une quelconque autorité centrale.

1. On prendra soin de distinguer les institutions spécialisées des programmes, fonds et autres organismes de l'ONU.

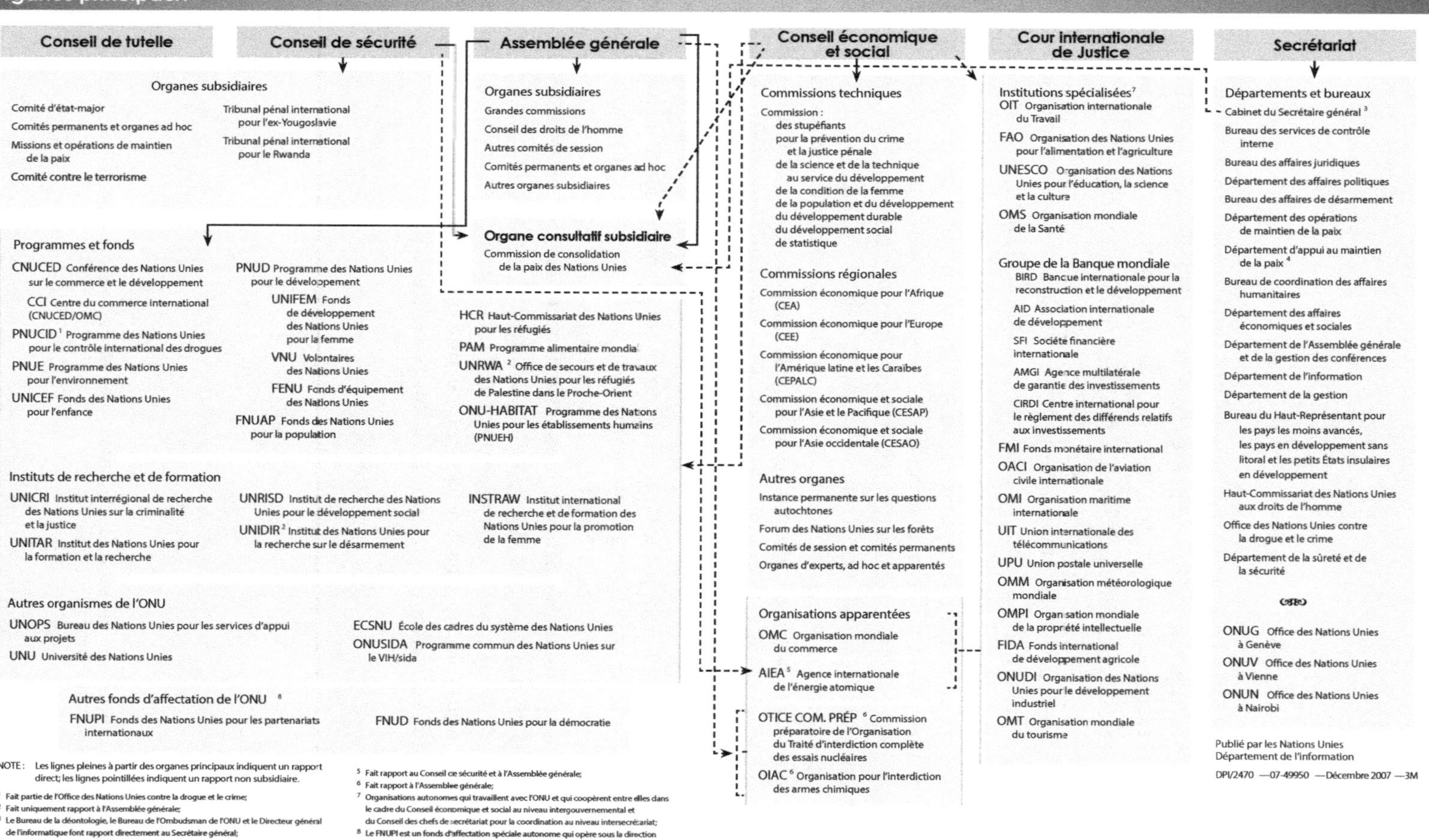
Le système des Nations Unies
Organes principaux
Conseil de tutelle
Conseil de sécurité
Assemblée générale
Conseil économique et social
Cour internationale de Justice
Secrétariat
Organes subsidiaires
Comité d'état-major
Comités permanents et organes ad hoc
Missions et opérations de maintien de la paix
Comité contre le terrorisme
Tribunal pénal international pour l'ex-Yougoslavie
Tribunal pénal international pour le Rwanda
Organes subsidiaires
Grandes commissions
Conseil des droits de l'homme
Autres comités de session
Comités permanents et organes ad hoc
Autres organes subsidiaires
Organe consultatif subsidiaire
Commission de consolidation de la paix des Nations Unies
Programmes et fonds
CNUCED Conférence des Nations Unies sur le commerce et le développement
CCI Centre du commerce international (CNUCED/OMC)
PNUCID [1] Programme des Nations Unies pour le contrôle international des drogues
PNUE Programme des Nations Unies pour l'environnement
UNICEF Fonds des Nations Unies pour l'enfance
PNUD Programme des Nations Unies pour le développement
UNIFEM Fonds de développement des Nations Unies pour la femme
VNU Volontaires des Nations Unies
FENU Fonds d'équipement des Nations Unies
FNUAP Fonds des Nations Unies pour la population
HCR Haut-Commissariat des Nations Unies pour les réfugiés
PAM Programme alimentaire mondial
UNRWA [2] Office de secours et de travaux des Nations Unies pour les réfugiés de Palestine dans le Proche-Orient
ONU-HABITAT Programme des Nations Unies pour les établissements humains (PNUEH)
Instituts de recherche et de formation
UNICRI Institut interrégional de recherche des Nations Unies sur la criminalité et la justice
UNITAR Institut des Nations Unies pour la formation et la recherche
UNRISD Institut de recherche des Nations Unies pour le développement social
UNIDIR [2] Institut des Nations Unies pour la recherche sur le désarmement
INSTRAW Institut international de recherche et de formation des Nations Unies pour la promotion de la femme
Autres organismes de l'ONU
UNOPS Bureau des Nations Unies pour les services d'appui aux projets
UNU Université des Nations Unies
ECSNU École des cadres du système des Nations Unies
ONUSIDA Programme commun des Nations Unies sur le VIH/sida
Autres fonds d'affectation de l'ONU [8]
FNUPI Fonds des Nations Unies pour les partenariats internationaux
FNUD Fonds des Nations Unies pour la démocratie
Commissions techniques
Commission :
des stupéfiants
pour la prévention du crime et la justice pénale
de la science et de la technique au service du développement
de la condition de la femme
de la population et du développement
du développement durable
du développement social
de statistique
Commissions régionales
Commission économique pour l'Afrique (CEA)
Commission économique pour l'Europe (CEE)
Commission économique pour l'Amérique latine et les Caraïbes (CEPALC)
Commission économique et sociale pour l'Asie et le Pacifique (CESAP)
Commission économique et sociale pour l'Asie occidentale (CESAO)
Autres organes
Instance permanente sur les questions autochtones
Forum des Nations Unies sur les forêts
Comités de session et comités permanents
Organes d'experts, ad hoc et apparentés
Organisations apparentées
OMC Organisation mondiale du commerce
AIEA [5] Agence internationale de l'énergie atomique
OTICE COM. PRÉP [6] Commission préparatoire de l'Organisation du Traité d'interdiction complète des essais nucléaires
OIAC [6] Organisation pour l'interdiction des armes chimiques
Institutions spécialisées [7]
OIT Organisation internationale du Travail
FAO Organisation des Nations Unies pour l'alimentation et l'agriculture
UNESCO Organisation des Nations Unies pour l'éducation, la science et la culture
OMS Organisation mondiale de la Santé
Groupe de la Banque mondiale
BIRD Banque internationale pour la reconstruction et le développement
AID Association internationale de développement
SFI Société financière internationale
AMGI Agence multilatérale de garantie des investissements
CIRDI Centre international pour le règlement des différends relatifs aux investissements
FMI Fonds monétaire international
OACI Organisation de l'aviation civile internationale
OMI Organisation maritime internationale
UIT Union internationale des télécommunications
UPU Union postale universelle
OMM Organisation météorologique mondiale
OMPI Organisation mondiale de la propriété intellectuelle
FIDA Fonds international de développement agricole
ONUDI Organisation des Nations Unies pour le développement industriel
OMT Organisation mondiale du tourisme
Départements et bureaux
Cabinet du Secrétaire général [3]
Bureau des services de contrôle interne
Bureau des affaires juridiques
Département des affaires politiques
Bureau des affaires de désarmement
Département des opérations de maintien de la paix
Département d'appui au maintien de la paix [4]
Bureau de coordination des affaires humanitaires
Département des affaires économiques et sociales
Département de l'Assemblée générale et de la gestion des conférences
Département de l'information
Département de la gestion
Bureau du Haut-Représentant pour les pays les moins avancés, les pays en développement sans littoral et les petits États insulaires en développement
Haut-Commissariat des Nations Unies aux droits de l'homme
Office des Nations Unies contre la drogue et le crime
Département de la sûreté et de la sécurité
ONUG Office des Nations Unies à Genève
ONUV Office des Nations Unies à Vienne
ONUN Office des Nations Unies à Nairobi
Publié par les Nations Unies Département de l'information
DPI/2470 —07-49950 —Décembre 2007 —3M
NOTE : Les lignes pleines à partir des organes principaux indiquent un rapport direct; les lignes pointillées indiquent un rapport non subsidiaire.
1 Fait partie de l'Office des Nations Unies contre la drogue et le crime;
2 Fait uniquement rapport à l'Assemblée générale;
3 Le Bureau de la déontologie, le Bureau de l'Ombudsman de l'ONU et le Directeur général de l'informatique font rapport directement au Secrétaire général;
4 Par exception, le Secrétaire général adjoint d'appui au maintien de la paix se rapporte directement au Secrétaire général adjoint des opérations de maintien de la paix;
5 Fait rapport au Conseil de sécurité et à l'Assemblée générale;
6 Fait rapport à l'Assemblée générale;
7 Organisations autonomes qui travaillent avec l'ONU et qui coopèrent entre elles dans le cadre du Conseil économique et social au niveau intergouvernemental et du Conseil des chefs de secrétariat pour la coordination au niveau intersecrétariat;
8 Le FNUPI est un fonds d'affectation spéciale autonome qui opère sous la direction du Vice-Secrétaire général de l'ONU. Le Conseil consultatif du FNUD recommande des propositions de financement de projets au Secrétaire général pour approbation.

Les institutions spécialisées disposent donc d'une grande autonomie. Leur liaison avec l'ONU se limite souvent à la simple transmission d'un rapport général qui, parfois, ne contient même pas les informations les plus sensibles (sur l'éclatement du système budgétaire onusien [Larhant, 2016]). Chacune a son siège, sa composition propre, tantôt plus vaste, tantôt plus restreinte que celle de l'ONU, son budget alimenté par les contributions de ses membres et parfois des ressources propres, son mode de fonctionnement fixé dans son acte constitutif. Leurs interlocuteurs sont en priorité les départements ministériels intéressés dans chaque État. Cette spécialisation poussée engendre un tel éclatement de la coopération multilatérale qu'il est parfois difficile à un État de défendre une ligne politique cohérente en parlant d'une même voix dans toutes ces institutions.

De toutes les fictions entretenues par l'organigramme des Nations unies, l'appartenance des institutions de Bretton Woods au système de l'ONU est la plus fallacieuse. Tout distingue ces institutions de l'Organisation mondiale. Le FMI et la Banque mondiale[1] ont des ressources propres, un système de vote pondéré proportionnel à la fraction de capital souscrit, des conditions particulières d'adhésion (les membres de la Banque mondiale doivent être préalablement admis au FMI), un régime spécifique de recrutement, de promotion et de rémunération de leur personnel. Leurs interlocuteurs auprès des gouvernements sont les fonctionnaires des Finances, une élite puissante et traditionnellement à part dans toutes les administrations nationales, qui détermine les orientations des Affaires étrangères beaucoup plus souvent que l'inverse. Les institutions de Bretton Woods sont soumises à leurs actionnaires. Elles fonctionnent sans se soucier des débats onusiens et des états d'âme de l'Assemblée générale de l'ONU ; et lorsque la collaboration s'est enfin établie, dans les années 1980, elle a surtout marqué le ralliement de l'ONU et des institutions spécialisés aux prescriptions du Fonds et de la Banque.

Si l'on prend le mot « système » au sens rigoureux du terme, c'est-à-dire un ensemble d'éléments tel que toute modification d'un élément entraîne la modification du tout, l'ensemble ainsi constitué n'est pas un système. Plusieurs grandes agences travaillent de façon autonome directement avec les opérateurs privés intéressés, fortes de leur « expertise » et de leur spécificité, en particulier, les organisations techniques (UPU, OMM, etc.). Certaines organisations sont plus proches les unes des autres par leur structure, leur mode de fonctionnement, par leur « régime commun » de promotion et de rémunération de leurs fonctionnaires, leur culture bureaucratique. Ce sont celles auxquelles on pense lorsque l'on

1. La Banque mondiale est un groupe de cinq institutions dont les deux plus importantes sont : la BIRD, créée en 1944 (*supra*, p. 222-224) et l'Association internationale de développement (AID/IDA) fondée en 1960 pour aider les pays les plus pauvres avec des dons et des prêts sans intérêt.

parle de la « famille » des Nations unies : OIT, Unesco, FAO, OMS... Le Fonds monétaire international et la Banque mondiale forment entre eux une autre « famille », influente et légèrement condescendante, les « institutions de Bretton Woods », qui s'apparentent plus aux autres organisations financières internationales qu'aux agences de l'ONU.

Dès cette première période, presque tous les secteurs de la coopération internationale sont donc entrés dans la compétence de l'une ou de l'autre des institutions des Nations unies. La séparation entre les affaires politiques, confiées à l'ONU, et les domaines sectoriels, confiés aux institutions spécialisées, obéit à des considérations de commodité pour les administrations intéressées ou à des logiques d'influence de certains États, non à une logique intellectuelle d'ensemble. Comme on pouvait s'y attendre, l'interdépendance entre les problèmes a très rapidement soulevé des questions de coordination, d'autant que les organes principaux de l'ONU ont multiplié les « organes subsidiaires » dès 1946. Fonds, programmes, conseils et commissions rattachés à l'Assemblée générale ou à l'Ecosoc ont rapidement proliféré et constitué, avec les institutions spécialisées, un réseau d'une redoutable complexité [Bertrand, Donini, 2015]. Le Conseil des chefs de secrétariat des organismes des Nations unies (CCS) est le mécanisme principal et le plus ancien, de coordination entre toutes les entités reliées au « système ». Dirigé par le Secrétaire général, il fournit des informations intéressantes mais ne supervise la cohérence qu'en des termes très généraux.

Avec la création de l'Organisation des Nations unies, une nouvelle impulsion est donnée au développement des organisations internationales. Depuis les premières unions administratives jusqu'aux organisations mondiales et régionales en passant par les institutions spécialisées et les associations internationales privées, le paysage s'est singulièrement étoffé. L'hétérogénéité de l'ensemble est à la mesure de son importance. Sans lui, on ne peut plus penser les relations internationales contemporaines.

Chapitre 3

Typologies et approche globale

La quantité et la diversité des organisations internationales représentent un défi à la synthèse. Toute classification générale se révèle nécessairement approximative. S'agissant des organisations intergouvernementales qui sont privilégiées ici, cette approximation s'étend à la définition de leurs frontières. Plus généralement, c'est la signification globale du phénomène des organisations internationales qui est en débat.

Un classement incertain

Des critères fragiles

Pour être utile à l'analyse, une véritable classification supposerait que des critères bien définis fussent identifiés et qu'à chacun de ces critères fussent associés des modes d'interaction particuliers entre les participants, d'une part, entre l'organisation et son environnement, d'autre part. Cette classification n'a jamais été établie ; elle est probablement impossible : aucun critère simple, isolé, n'est satisfaisant et la façon dont les critères multiples pourraient se combiner n'est pas vraiment connue[1]. Mais comme il faut bien trouver un ordre pour décrire les organisations les unes après les autres, des classifications ont été proposées par commodité à partir de quelques critères rudimentaires :

– *La composition* : organisations intergouvernementales lorsque les membres sont des États, organisations non gouvernementales (ONG) lorsque les participants sont des personnes ou des associations privées. Rappelons que les ONG n'ont pas nécessairement une « vocation

1. Les juristes éprouvent les mêmes difficultés à définir les OI comme des « catégories stables » [Lagrange *in* Lagrange et Sorel, 2013, p. 35-70].

internationale » (compétences et/ou capacités). On parle volontiers en France des organisations de solidarité internationale (OSI) pour désigner les organisations internationales non gouvernementales (*International Non-Governmental Organizations*, INGOS) à but non lucratif et les distinguer des organisations privées économiques à but lucratif (*Business International Non-Governmental Organizations*, BINGOS). La distinction entre gouvernemental et non gouvernemental n'est pas toujours très nette. Bon nombre d'ONG fonctionnent grâce à un financement public (national ou non) substantiel (50 % ou plus de leurs budgets), et très rares sont celles qui peuvent se passer entièrement de l'aide publique. L'autonomie est donc toujours fragile. Mais réciproquement, les gouvernements dépendent souvent de l'expertise et du savoir-faire des ONG, de telle sorte que les relations sont faites de rivalité autant que de collaboration. Les relations entre les Organisations intergouvernementales et non gouvernementales ont connu des développements remarquables (v. *infra*, p. 147-158).

- *La dimension* : universelle lorsque l'organisation a la vocation d'accueillir tous les États existant au sens du droit international (ex. : ONU) ; régionale lorsqu'elle est composée des seuls États appartenant à un espace géographique déterminé (ex. : UE, OEA, UA, ASEAN) ; restreinte lorsqu'elle ne réunit qu'un nombre limité d'États partageant les mêmes caractéristiques (ex. : OCDE). Ici, ce sont les frontières qui ne sont pas toujours très claires, notamment s'agissant du régional. On y reviendra dans la section suivante.
- *L'étendue des activités* : générale lorsque l'organisation exerce une compétence non spécialisée ; sectorielle lorsque l'organisation a pour vocation de faciliter la coopération dans un secteur particulier. Les premières seraient plutôt politiques (ONU), les secondes plutôt techniques (institutions spécialisées : OMS, FAO, etc.). Une distinction très fragile, là encore, entre le politique et le technique.
- *La nature des activités* : normative ou opérationnelle, d'intégration ou de coopération. Certaines organisations se bornent à faciliter l'harmonisation des comportements en fournissant un cadre de discussion et des moyens pour négocier un accord sur des normes communes (ex. : CNUCED, OCDE). D'autres engagent des actions qu'elles décident elles-mêmes, selon leurs propres modalités avec leurs propres moyens (ex. : FMI, Banque mondiale). Certaines organisations visent à l'« intégration » des politiques dans la mesure où les États membres abandonnent une partie de leurs compétences au profit d'institutions communes dotées de pouvoirs propres dont les décisions s'appliquent directement dans les États membres (ex. : Union européenne) ; d'autres se contentent d'organiser les échanges sans prétendre éroder les souverainetés (ex. : ASEAN). En fait, rares sont les organisations qui se concentrent exclusivement sur la

formulation de programmes sans participer à leur mise en œuvre ; quant à la distinction entre « coopération » et « intégration », elle n'est nullement tranchée en pratique : l'Union européenne, par exemple, faisant coexister en son sein des mécanismes de coopération intergouvernementale et des dispositifs supranationaux.

En bref, toutes ces classifications construisent des sous-ensembles composés d'objets hétérogènes sommairement regroupés que l'on peut indifféremment faire passer d'une catégorie à l'autre suivant la période, les sujets à l'ordre du jour, l'équilibre des forces en présence : où classer le FMI, l'UE, l'OSCE ? Le principe des classements repose sur des distinctions incertaines (entre public et privé, régional et global, normatif et opérationnel, politique et technique) qui ne reflètent pas la réalité vécue par les organisations où les activités et les dimensions sont le plus souvent mêlées.

Identification et changement

Le croisement de critères proposé par certains auteurs ne débouche pas sur des typologies plus satisfaisantes dans la mesure où le choix des critères est contestable : il en va notamment de l'opposition entre les catégories d'intergouvernemental et de supranational ou entre celles d'« organisations de programme » et d'« organisations opérationnelles » [Rittberger et Zangl, 2003, p. 11-12]. Il faut donc probablement abandonner la recherche de la typologie idéale et se contenter d'une grille de lecture plus globale permettant d'offrir quelques éléments d'identification communs aux organisations internationales existantes. Autour de la distinction classique – et fragile – entre structure et fonction, on croisera ainsi l'ensemble des critères habituels pour définir le profil de l'organisation. À défaut de typologie générale convaincante, on disposera de questions à poser et, le cas échéant, d'éléments de comparaison.

Identifier les organisations internationales

Structures				**Fonctions**			
Composition		Dimension		Compétence		Autorité	
gouvernementale	*non gouvernementale*	*générale*	*limitée*	*générale*	*limitée*	*forte*	*faible*

Si les tentatives de classement ou d'identification sont toujours frustrantes, c'est que l'identité des organisations internationales doit être également saisie dans le mouvement : certaines organisations sont plus gouvernementales que d'autres, mais davantage non gouvernementales dans certaines conjonctures ; certaines sont plus contraignantes que d'autres, mais moins contraignantes dans certaines circonstances, etc. Les variations, les évolutions, en bref, le changement des organisations internationales est un aspect fondamental de l'analyse [Nay, Petiteville, 2011]. Si le label est toujours le même, la composition, le fonctionnement, les activités ou les priorités ne restent jamais identiques. L'ONU des années 1950 ne ressemble pas à celle des années 1960 qui est très différente de celle des années 1990 [Devin, Placidi-Frot, 2011].

On peut distinguer schématiquement deux types de changement.

Le premier concerne les changements de nature stratégique qui affectent la constitution de l'organisation : sa composition, ses règles de fonctionnement, son mandat. L'élargissement géographique, de nouvelles dispositions relatives aux modalités de vote, de nouveaux objectifs, réorientent explicitement les missions de l'organisation et leur signification. L'admission à l'ONU et dans les institutions spécialisées d'une quarantaine d'États nouveaux au cours des années 1960 renforce ainsi l'importance des questions économiques et sociales et bouleverse les anciennes majorités. Les élargissements successifs de la Communauté européenne s'accompagnent également de nouveaux arrangements institutionnels et de nouvelles politiques communes : Communauté économique européenne (CEE), Communauté(s) européenne(s) et Union européenne (UE) témoignent des transformations d'une même aventure européenne depuis les Traités de Rome (1957). Mais le changement de dénomination des organisations internationales, plutôt rare depuis 1945 (outre l'UE, on retiendra le remplacement de l'Organisation de l'Unité Africaine par l'Union africaine en 2002), n'est pas l'essentiel. Des réformes significatives peuvent s'opérer sous le même label. Lorsqu'en 1954, la Conférence générale de l'Unesco décide que les « personnes qualifiées » représentant les États membres siégeant au Conseil exécutif seront désormais des délégués du gouvernement et de l'État dont ils sont les ressortissants, la réforme traduit clairement un renforcement du contrôle intergouvernemental de l'organisation au détriment de « la solidarité intellectuelle et morale de l'humanité » sur laquelle doit être bâtie la paix (Acte constitutif, 1946). L'Unesco n'a pas changé de nom, mais elle n'est plus tout à fait la même.

Le second type de changement est de nature incrémentale. Il renvoie à des transformations graduelles liées aux effets de microdécisions, à l'autonomie de certains organes ou aux routines bureaucratiques. L'habitude prise par le Secrétaire général des Nations unies de s'entourer de représentants, d'envoyés et de conseillers spéciaux (110 en 2015 dont près de 40 % pour l'Afrique) a permis ainsi le développement de nouvelles capacités d'action et le renforcement de la visibilité du Secrétariat général dans les affaires internationales. L'autonomie créatrice des juridictions internationales est également un moteur du changement : que l'on songe à la portée des décisions de la Cour internationale de justice (CIJ) et de la Cour pénale internationale (CPI) sur la conduite des États, ou au rôle intégrateur de la Cour de justice des communautés européennes qui n'était nullement prévu à l'origine.

Comme tout système organisé, l'organisation internationale se transforme. Elle répond à de nouvelles demandes, s'adapte aux imprévus, valorise certains organes plutôt que d'autres, selon les périodes. La notion de configuration rend bien compte de cette plasticité des groupes sociaux [Elias, 1991a]. Leur identité n'est jamais fixe, pas plus que celle inscrite dans la Charte d'une organisation internationale. L'identification doit se penser dans la durée.

Le cas des organisations régionales

Dans le mouvement de croissance des organisations internationales depuis 1945, les organisations intergouvernementales régionales occupent une place particulière. Leur développement a suivi un rythme soutenu bien qu'inégal et leur contribution à l'ordre international suscite des interprétations contradictoires.

Une dynamique séquentielle

Que les échanges au sein d'une région géographique donnée soient plus nombreux qu'entre des régions éloignées est un phénomène aisément compréhensible, tout du moins tant que les distances sont difficiles à franchir. Dans une certaine mesure, les économies nationales se sont construites autour d'une forme de régionalisme économique parallèlement à un processus politique qui imposait l'État comme « organisation régionale ». On perçoit ainsi combien la « région » est une notion évolutive dont les contours relèvent d'une désignation plus politique que géographique. La Charte des Nations unies qui reconnaît « l'existence d'accords et d'organismes régionaux » et leur possible contribution au maintien de la paix et de la sécurité internationales (chapitre VIII) ne donne d'ailleurs aucune définition de la « région » et opte délibérément pour une approche souple et extensive.

Néanmoins, la proximité géographique peut conserver une pertinence pour distinguer parmi les organisations internationales celles qui sont principalement ou partiellement fondées sur des relations de voisinage (organisations régionales ou « quasi régionales » [Nye, 1971] et celles qui ne les sont pas (D8, OCDE, MNA, OCI, Opep). L'argument géographique permet donc d'exclure ce qui n'est manifestement pas régional, mais ne fixe pas précisément les frontières de ce qui en relève. C'est là une convention fragile qui débouche nécessairement sur des classements discutables.

Principales organisations intergouvernementales régionales et sous-régionales à vocation politique, économique et/ou militaire (2015)

Europe	Asie-Pacifique	Afrique	Afrique du Nord Moyen-Orient	Amériques
Co. E (1949) Otan (1949) NC (1952) UEO (1954) CEE/CE/UE (1957) AELE (1960) OSCE (1994, ex-CSCE, 1973) BERD (1991) **CEI** *(1991)* EEE (1992) BSEC (1993) OCEMN (1992) **GUAM** (1996) **AC** (1996) **ODKB** (2002) **UPM** (2008) **UEEA** (2015) **NDB BRICS** (2015)	SCPS (1997, ex-CPS, 1947) BAD (1966) ASEAN (1967 et ASEAN + 3, 1997 et ASEAN + 6, 2007) FIP (2000, ex-FPS, 1971) SAARC (1983) COI (1984) APEC (1989) **CEI** *(1991)* SPREP (1995) **GUAM** (1996) IOR-ARC (1997) BIMSTEC (2004, ex-BISTEC, 1997) OCS (2001) **ODKB** (2002) BAII (2014) **UEEA** (2015) **NDB BRICS** (2015)	BCEAO (1962) EAC (1967-1977 ; 2001) UA (2002, ex-OUA, 1963) BAD (1964) SACU (1969) BOAD (1973) CILSS (1973) CEDEAO (1975) CEEAC (1980) IGAD (1996, ex-IGADD, 1986) SADC (1992) OHADA (1993) UEMOA (1994, ex-UMOA, 1963) CEMAC (1994, ex-UDEAC, 1964) COMESA (1994) CEN-SAD (1998) G5 Sahel (2014) **NDB BRICS** (2015)	LA (1945) CCG (1981) UMA (1989) **UPM** (2008)	OEA (1948) OEAC (1951) BID (1959) SICA (1991, ex-MCAC, 1960) ALADI (1980, ex-ALALE, 1960) CARICOM (1973, ex-CARIFTA, 1965) CAN (1996, ex-PA, 1969) Groupe de Rio (1986) Mercosur (1991) ALENA (1994) SPREP (1995) **AC** (1996) ALBA (2005) UNASUR (2008) CELAC (2010, ex-groupe de Rio, 1986) AP (2011) **NDB BRICS** (2015)

Liste des sigles

AC : Conseil de l'Arctique
AELE : Association européenne de libre-échange
ALBA : Alternative bolivarienne pour les Amériques
ALADI : Association latino-américaine d'intégration
ALALE : Association latino-américaine de libre-échange
ALE : Accord de libre-échange canado-américain
ALENA : Accord de libre-échange nord-américain
AP : Alliance du Pacifique
APEC : Coopération économique pour l'Asie-Pacifique
ASEAN : Association des nations de l'Asie du Sud-Est
ASEAN +3 : ASEAN plus Chine, Japon et Corée du Sud
ASEAN +6 : ASEAN +3 plus Australie, Nouvelle-Zélande et Inde
BAD : Banque africaine de développement. Banque asiatique de développement
BAII : Banque asiatique d'investissement pour les infrastructures
BCEAO : Banque centrale des États de l'Afrique de l'Ouest
BERD : Banque européenne pour la reconstruction et le développement
BID : Banque interaméricaine de développement
BIMSTEC : Initiative du golfe du Bengale pour la coopération économique et technique multisectorielle
BESC : Organisation de coopération économique de la mer Noire
BISTEC : Bangladesh, India, Sri Lanka, Thailand Economic Cooperation
BOAD : Banque ouest-africaine de développement
CAEM : Conseil d'assistance économique mutuelle (Comecon)
CAN : Communauté andine
CARICOM : Communauté caribéenne
CARIFTA : Association caribéenne de libre-échange
CCG : Conseil de coopération des États arabes du Golfe
CE : Communauté européenne
CEDEAO : Communauté économique des États de l'Afrique de l'Ouest
CEE : Communauté économique européenne
CEEAC : Communauté économique des États de l'Afrique Centrale
CEI : Communauté des États indépendants
CELAC : Communauté d'États latino-américains et des Caraïbes
CEMAC : Communauté économique et monétaire de l'Afrique centrale
CEN-SAD : Communauté des États sahélo-sahariens
CILSS : Comité inter-États de lutte contre la sécheresse au Sahel
CoE : Conseil de l'Europe
COI : Commission de l'Océan Indien
COMESA : Marché commun de l'Afrique orientale et centrale
CPS : Communauté du Pacifique Sud
CSCE : Conférence sur la sécurité et la coopération en Europe
D-8 : Developing-8 countries
EAC : Communauté économique de l'Afrique de l'Est
EEE : Espace économique européen
FIP : Forum des îles du Pacifique

FPS : Forum du Pacifique Sud
GUAM : Organisation pour la démocratie et le développement
IGAD : Autorité intergouvernementale pour le développement
IGADD : Autorité intergouvernementale sur la sécheresse et le développement
IOR-ARC : Association pour la coopération régionale dans l'océan Indien
LA : Ligue des États arabes (Ligue arabe)
MCAC : Marché commun d'Amérique centrale
Mercosur : Marché commun des pays de l'Amérique du Sud
MNA : Mouvement des non-alignés
NC : Conseil nordique
NDB BRICS : Nouvelle banque de développement des BRICS
OCDE : Organisation de coopération et de développement économiques
OCEMN : Organisation de coopération économique de la mer Noire
OCI : Organisation de la conférence islamique
OCS : Organisation de coopération de Shanghai
ODKB : Organisation du traité de la sécurité collective (alliance militaire de la CEI)
OEA : Organisation des États américains
OEAC : Organisation des États d'Amérique centrale
OHADA : Organisation pour l'harmonisation en Afrique du droit des affaires
Opep : Organisation des pays exportateurs de pétrole
OSCE : Organisation pour la sécurité et la coopération en Europe
Otan : Organisation du traité de l'Atlantique Nord
OUA : Organisation de l'Unité africaine
PA : Pacte andin
SAARC : Association de coopération régionale d'Asie du Sud
SACU : Union douanière d'Afrique australe
SADC : Communauté de développement de l'Afrique australe
SCPS : Secrétariat général de la Communauté du Pacifique
SICA : Système d'intégration centre-américaine
SPREP : Secrétariat du Programme régional océanien de l'environnement
UA : Union africaine
UDEAC : Union douanière des États de l'Afrique centrale
UE : Union européenne
UEEA : Union économique eurasienne
UEMOA : Union économique et monétaire ouest-africaine
UEO : Union de l'Europe occidentale
UMA : Union du Maghreb arabe
UMOA : Union monétaire ouest-africaine
UNASUR : Union des nations sud-américaines
UPM : Union pour la Méditerranée

Avec les limites d'une telle présentation, on compte une soixantaine d'« organisations régionales » intergouvernementales en 2015, soit un ensemble hétérogène de « communautés internationales partielles » comprenant des zones économiques de libre-échange, des organisations de coopération politique plus ou moins formelles, des unions économiques et politiques plus ou moins intégrées, des banques régionales de développement et deux alliances militaires (Otan et ODKB). Il s'agit des organisations les plus visibles. Le nombre total est probablement beaucoup plus élevé : le *Yearbook of International Organizations* en recense 175 en 2006 soit plus de 72 % des OIG cette année-là [Union of International Associations, 2007, p. 33]. On mesure ainsi l'importance du fait organisationnel régional et sous-régional dans le système international contemporain.

Depuis 1945, deux vagues de création d'organisations régionales et sous-régionales se sont succédé. La première s'inscrit dans le contexte de la Guerre froide, principalement pendant les années 1950-1970. La logique principale est celle d'un renforcement des indépendances (LA, OUA) et/ou d'une mobilisation politique, militaire ou économique (CoE, Otan, CEE) de sous-ensembles régionaux au sein de l'espace bipolaire. Hormis deux disparitions marquantes (CAEM et Pacte de Varsovie), la plupart des organisations régionales se sont maintenues ou transformées après la fin de la bipolarité. Ce premier régionalisme de type défensif n'a guère connu d'approfondissement majeur à l'exception de la construction européenne dont la dynamique d'intégration a été la plus poussée. La création de nouvelles organisations régionales (ou la redynamisation des anciennes) ouvre une deuxième phase de régionalisme (ou néorégionalisme) parallèlement à la chute du communisme et à l'accélération de la mondialisation des échanges. Une vingtaine d'organisations est créée en dix ans (1989-1999). La logique régionale constitue ici un mode d'insertion de certaines économies nationales dans le marché mondial (Mercosur, ASEAN + 6, Alliance du Pacifique) et/ou un instrument d'autonomisation politique et économique dans un monde multipolaire (OCS, ALBA, UEEA, NDB, BAII), en affichant parfois des priorités environnementales (SPREP, AC) et/ou un instrument d'autonomisation politique dans un monde multipolaire (OCS, ALBA). Les développements de ces organisations régionales nouvelles sont encore peu aboutis. Leur fonctionnement s'apparente plus à celui de forums qu'à celui d'organisations supranationales.

À l'instar des alliances, les organisations régionales répondent à un double souci de protection et de compétition. Même si les individus, les sociétés ou les forces du marché concourent souvent aux constructions régionales, les processus demeurent massivement interétatiques. Les liens de voisinage sont activés ou réactivés suivant des séquences tantôt dominées par des objectifs défensifs, tantôt par des objectifs compétitifs. La différence d'accent est souvent difficile à distinguer dans la mesure où ces formes de solidarités partielles ont toujours plusieurs fonctions et se prêtent à autant d'usages qu'il y a de participants.

Régional et mondial : une articulation problématique

En reconnaissant l'existence d'accords ou d'organismes régionaux en vue de maintenir la paix et la sécurité internationales, tout en les subordonnant au respect des buts et principes de l'ONU et à celui des décisions du Conseil de sécurité, la Charte a retenu un compromis prudent entre les partisans de l'universalisme et les défenseurs du régionalisme [Albaret, 2007]. Il en va de même des règles du Gatt puis de l'OMC : elles admettent les accords commerciaux régionaux (ACR), mais sous des conditions dont l'interprétation a toujours suscité de nombreuses divergences [Gherari, 2008]. La vision générale semble avoir constamment balancé entre une certaine méfiance à l'égard d'un régionalisme trop exclusif et l'hypothèse optimiste d'une complémentarité réussie entre le multilatéralisme régional et le multilatéralisme global.

S'agissant du maintien de la paix et de la sécurité internationales, la mise en œuvre de mesures coercitives militaires par des organismes régionaux relève clairement de l'autorisation du Conseil de sécurité (article 53 de la Charte des Nations unies). En revanche, il est généralement admis que les sanctions économiques et diplomatiques ne nécessitent pas l'aval du Conseil. À plusieurs reprises, notamment depuis les années 1990, le Conseil de sécurité a autorisé et/ou délégué à des organismes régionaux (Otan, CEDEAO, UE, UA) le droit de faire usage de la force militaire lorsque celui-ci paraissait nécessaire pour maintenir, rétablir ou imposer la paix (Bosnie-Herzégovine, Sierra Leone, Liberia, Afghanistan, République démocratique du Congo, Somalie, Darfour, Tchad-République centrafricaine). Néanmoins, à y regarder de plus près, certaines interventions « régionales » se sont déroulées sans autorisation du Conseil de sécurité (celle de l'Otan contre la Yougoslavie, 1999) ou avec une autorisation ex-post (Sierra Leone, Liberia, 1997 ; Somalie, 2007). Très souvent le Conseil « approuve » ou « soutient », ce qui ne manque pas de soulever la question d'une autonomisation croissante du rôle des organisations régionales (et de leurs pays leaders) dans le maintien de la paix et de la sécurité. Le développement de l'interrégionalisme (encore limité mais significatif, UE-UA, UE-ASEAN) pourrait également aller dans ce sens. Jusqu'à présent, la plupart des opérations s'appuyant sur des organisations régionales (UA) ou sous-régionales (CEDEAO) concernent l'Afrique. Ces organisations ont renforcé leurs mécanismes d'intervention sans renvoyer nécessairement à ceux de l'ONU (le droit d'intervention reconnu par l'article 4 (h) de l'Acte constitutif de l'UA ne mentionne pas l'article 53 de la Charte des Nations unies). Il est vrai qu'en pratique (financement, logistique), ces organisations régionales restent très dépendantes de l'Organisation mondiale ou d'autres organisations régionales

(UE, Otan). Il n'en demeure pas moins que des indices d'autonomisation existent et qu'ils comportent des risques de contradictions en matière de doctrine de paix et de sécurité entre le plan mondial et régional (v. *infra*, p. 202-203).

En matière commerciale, la croissance des accords régionaux (plus de 300 accords notifiés à l'OMC depuis 1995) soulève également le problème de leur compatibilité avec le multilatéralisme commercial global. En fait, ces accords (de moins en moins régionaux et de plus en plus bilatéraux) sont censés être examinés par l'OMC, mais ce mécanisme de vérification n'a pas vraiment fonctionné et le risque de l'affaiblissement du multilatéralisme commercial global est réel (tandis qu'à son tour, cet affaiblissement nourrit la croissance desdits accords).

En résumé, si l'échelon régional semble répondre aux intérêts des États, sa complémentarité avec le multilatéralisme au niveau mondial est loin d'être acquise. L'hypothèse optimiste est possible. Mais à l'instar du nationalisme, le patriotisme régional n'est pas exempt de dangers : les frontières ont seulement été repoussées. L'exaltation d'une « identité régionale » peut aussi prendre des formes discriminantes (du point de vue politique, économique et culturel) susceptibles de miner la laborieuse construction d'un multilatéralisme universel.

De l'international au mondial

Depuis plus d'un siècle, le développement des organisations internationales peut-il se prêter à une conceptualisation d'ensemble ? Il est fréquent de parler de « communauté internationale » voire de « société mondiale » pour évoquer les multiples liens qui se sont tissés entre les différents États et leurs sociétés. Les images qui en découlent sont souvent trompeuses et il est facile de moquer leur caractère superficiel. Mais il est trop simple d'en rester là. Avec toutes leurs imprécisions, parfois conscientes et calculées, les expressions désignant un ensemble d'acteurs censé agir collectivement traduisent une réalité internationale nouvelle. Les organisations internationales en sont la meilleure illustration.

Entre société et communauté

Les États (ou toute autre forme d'organisation politico-territoriale souveraine : cités, empires, etc.) n'ont jamais existé indépendamment les uns des autres. Ils se sont construits les uns par rapport aux autres dans une relation de compétition sinon de guerre [sur l'Europe, voir

Tilly, 1992]. En ce sens, les États ont toujours formé un système compétitif plus qu'une société à proprement parler. Pour autant, l'univers international n'a jamais été celui d'une guerre permanente de tous contre tous. « L'École anglaise » des relations internationales (Martin Wight, Hedley Bull, Adam Watson, notamment) a bien montré que le système des États s'est toujours accompagné de règles, de normes et d'institutions que les États reconnaissaient entre eux et qu'ils avaient intérêt à maintenir [Dufault, 2007]. Dans un livre éponyme, Bull a parlé de « société anarchique » pour désigner cette combinaison de désordre et d'ordre, de poussées anarchiques et de tendances sociétaires, que l'on retrouve dans toute l'histoire des relations internationales [Bull, 1977]. L'intérêt de cette approche consiste à écarter l'incompatibilité des contraires et à souligner leurs chevauchements et leurs tensions. En tout système interétatique, il existe au moins un embryon de société internationale.

C'est ici que les organisations intergouvernementales prennent leur importance. Non seulement elles témoignent de cette société des États, mais elles la renforcent. Si les États se dotent des ressources de l'organisation, c'est pour stabiliser des règles communes. À leur tour, ces règles et les organes qui les gèrent (les États membres et le personnel de l'organisation) offrent plus de prévisibilité dans les relations et encouragent la coopération. Bien entendu, cette perspective interactionniste ne débouche pas mécaniquement sur un cercle vertueux. Même si l'analyse empirique montre que l'appartenance aux organisations internationales favorise les conduites coopératives, ceci n'exclut pas les actes belliqueux [Russett et Oneal, 2001]. Néanmoins un travail de socialisation est à l'œuvre et sans qu'il soit nécessaire de postuler une grande autonomie des organisations internationales, celles-ci produisent du lien entre leurs membres : des relations à motivations mixtes, faites de conflit et de coopération, qui confortent globalement l'existence de la société internationale. Un peu à la manière de la théorie de la structuration d'Antony Giddens qui explique la constitution de la société par le fait que « le moment de la production de l'action est aussi un moment de reproduction » [Giddens, p. 75], la société internationale est produite par ses acteurs qui sont en retour façonnés par elles. Les organisations internationales sont au cœur de cette « fabrique ». Depuis la seconde moitié du XIXe siècle, ce sont elles qui ont développé et consolidé ce qui passe pour la société internationale.

Initialement, il s'agit d'une société d'États. Ceux-ci en sont les acteurs principaux. L'ordre qu'ils représentent est associé à celui d'une collectivité organisée : chaque État possède un gouvernement et exerce une autorité sur un espace géographique délimité et sur une partie bien définie de la population. L'État est censé détenir le monopole de la violence légitime, établir les règles du jeu international, veiller à leur application, en assumer la responsabilité, punir ou extrader ceux qui ne s'y plieraient pas.

Mais cette vision interétatique de la société internationale a évolué. Les principes les mieux établis sont remis en cause : les notions de souveraineté et de non-ingérence se voient ébranlées sans qu'aucune construction solide n'apparaisse en échange. Les États ont de moins en moins le moyen de contrôler les ressources financières et militaires considérables circulant sur la scène internationale et dont les effets déstabilisateurs sur des sociétés fragilisées peuvent se produire à tout moment. Les règles ne sont plus seulement issues de la pratique des États. Des forces privées de toute nature y concourent, soit en s'invitant aux négociations (ONG, BINGOS), soit en édictant leurs propres règles (associations internationales professionnelles, fédérations sportives internationales, etc.). Parallèlement à l'ouverture des organisations intergouvernementales aux ONG, la société internationale ne peut donc plus être considérée comme une société exclusivement d'États.

Élargie, la société internationale n'est pas pour autant une communauté. On reprend ici la célèbre distinction entre « communauté » et « société ». Proposée d'abord par Ferdinand Tönnies (*Gemeinschaft/Gesellschaft*) et reprise plus tard par Max Weber (*Vergemeinschaftung/Vergesellschaftung* que l'on traduit par « communalisation »/« sociation »), cette dualité traduit le phénomène de dépersonnalisation des liens sociaux qui a accompagné le développement industriel et qui impressionnait si fort les sociologues allemands à l'orée du XXe siècle. La « communauté » caractérise les relations sociales fondées sur un esprit de groupe et sur le sentiment subjectif, affectif, d'appartenir à une même collectivité. Elle exprime une solidarité naturelle entre gens qui se comprennent : la famille, les communautés villageoises en sont les exemples classiques. Dans ces relations, la règle sociale procède de la coutume, des mœurs, de la religion. Par opposition, la « société », selon Tönnies, ou la « sociation », selon Weber, correspond à des relations artificielles entre individus qui se retrouvent dans des liens d'association nombreux sans avoir le sentiment d'appartenir à la même collectivité. La relation sociale est alors fondée sur un compromis d'intérêts ou une coordination d'intérêts rationnellement motivée. La norme procède d'un libre accord entre intéressés, à la fois opposés et complémentaires, en vue de la poursuite de leurs intérêts respectifs.

Au vu de ces deux idéaux types des relations humaines, la société internationale, dominée par les logiques d'intérêt et de puissance, mérite bien son nom. Les États y négocient leurs arrangements avec le concours ou la résistance de nombreux acteurs privés : des compromis émergent, tous marqués par le rapport des forces qui s'est installé à un moment donné. Mais la réalité est un peu plus complexe. Des éléments de solidarité se mêlent aux marchandages. Un processus de « communalisation » s'active et laisse poindre, bien que vaguement et non sans contestation, un sentiment d'appartenance mutuelle et la conviction d'appartenir à un seul et même monde : des causes communes (pour le respect du droit ou la protection des droits de l'homme), des biens communs (la paix, l'environnement), s'inventent progressivement comme de nouveaux ressorts de la coopération internationale. Le mouvement est fragile, mais il existe [Devin, 2014].

La société internationale est donc certainement moins qu'une communauté, mais elle est un peu plus qu'une société. Les organisations internationales (gouvernementales et non gouvernementales) en sont à la fois les artisans et les représentants.

Organisation internationale et ordre mondial

Rien n'interdit de prendre acte de l'augmentation du nombre des acteurs des relations internationales et de conclure que la scène s'est élargie à la dimension d'une société mondiale. John Burton l'a proposé dès la fin des années 1960 [Burton, 1972], mais, sous sa plume, la notion est restée assez floue et controversée. D'une part, il s'agit surtout d'une image. Celle-ci évoque un espace étendu d'interactions entre un nombre croissant d'acteurs : le modèle de « la toile d'araignée » (*cobweb*), opposé au célèbre « modèle des boules de billard » (Arnold Wolfers) représentant un système d'action strictement interétatique [Devin, 2013]. Une façon de souligner la complexité grandissante du monde, sans en discuter précisément l'architecture. D'autre part, la société mondiale de Burton définit une orientation politique. Elle est une occasion de sortir du tête-à-tête entre États et d'encourager une coopération tournée vers les « besoins humains » (*human needs*). Le message est clairement prescriptif. Il anticipe le discours des organisations internationales sur la « sécurité humaine » et soulève d'ailleurs les mêmes objections de la part de ceux qui n'y voient que des propositions idéalistes.

À la condition de réintroduire nos observations précédentes sur la société internationale et d'éviter une approche trop normative, la notion de société mondiale nous semble tout de même recevable. Elle désigne plus qu'une configuration mondiale d'acteurs (étatiques et non étatiques). Elle y ajoute une dimension organisée (précisément celle offerte par les organisations internationales) qui facilite la coordination et les compromis. Elle peut parfois également s'élever à des formes de « conscience commune » et présenter des aspects communautaires.

C'est une société polycentrique. Probablement est-ce là l'origine des réticences les plus fortes à parler de société mondiale : l'absence d'une autorité centralisée. Mais l'une n'implique pas nécessairement l'autre. Il peut y avoir une société mondiale sans ordre mondial. Tout du moins sans ordre global, unifié et hiérarchisé. Si les organisations internationales ont largement contribué à la construction d'une société mondiale, elles ne sont pas parvenues à créer un ordre mondial. Comme le « système » des Nations unies l'illustre, les relations interorganisationnelles demeurent régies par un principe d'autonomie. Le Conseil de sécurité lui-même n'est qu'une autorité ponctuelle (en cas de menace à la paix et à la sécurité internationales) subordonnée à l'unanimité des cinq membres permanents. Les organisations internationales ne répondent pas à une logique d'ensemble, mais à des intérêts sectoriels et à des objectifs variables selon les conjonctures. Les chevauchements de compétences et le « patriotisme d'institution » se conjuguent à la résistance des États pour freiner l'émergence d'un système hiérarchique.

Entre des poussées d'unité et des tendances à la fragmentation, le monde des organisations internationales révèle une pluralité d'ordres partiels. L'absence de mutualisation des contentieux (entre le commercial et le social ; entre le social et l'environnemental ; entre l'environnemental et le droit des peuples, des communautés ou des individus ; entre la sécurité et les droits de l'homme, etc.) n'est pas une simple question technique. Elle traduit surtout l'extraordinaire difficulté à définir des priorités collectives et à les hiérarchiser. Le polycentrisme du monde des organisations internationales ressemble ainsi à l'image de la société mondiale qu'il contribue à construire et dont il reflète aussi les insuffisances, les faiblesses et les défaillances.

Partie II

Le rôle des organisations internationales

Installées dans le paysage des relations internationales depuis près de deux siècles, les organisations internationales ont toujours été pensées comme des créations faites pour servir. En pratique, cette observation soulève deux questions distinctes. D'une part, une interrogation sur *les fonctions* des OI : à quoi servent ces organisations ? D'autre part, une réflexion sur *les usages* des OI : comment s'en sert-on ? D'un point de vue méthodologique, ces deux questions doivent être envisagées de manière complémentaire. S'en tenir uniquement à l'analyse des fonctions reviendrait à « chosifier » les OI indépendamment des acteurs qui les font vivre. Mais s'attacher exclusivement aux usages des OI surestimerait la liberté des acteurs qui doivent composer avec des cadres préalablement définis et des objectifs officiels. Parler du « rôle des OI » vise donc à la fois la contribution de ces organisations au fonctionnement du système international et la part de stratégie des acteurs qui y participent.

Plusieurs approches théoriques ont cherché à expliquer et à interpréter le rôle des OI sur la scène internationale. Ces conceptions générales méritent un premier détour pour éclairer les points qui font débat.

Chapitre 1

Des approches théoriques à renouveler

Les controverses théoriques sur le rôle des OI ont nourri une littérature abondante dont les conclusions ne sont guère décisives (pour une présentation [Rittberger et Zangl, 2003, p. 14-24] et [Petiteville, 2009, p. 57-77]). Souvent présentées comme des oppositions entre écoles, les positions ne paraissent pas nécessairement exclusives les unes des autres d'un point de vue empirique. Il s'agit surtout d'explications partielles qui tournent autour de questions récurrentes. Toutes peuvent trouver leur place dans une interprétation sociohistorique plus globale.

Entre autonomie et dépendance

La première question qui revient sans cesse dans le débat sur le rôle des OI consiste à savoir si l'on peut considérer les OI comme des acteurs à part entière dans les relations internationales. Par hypothèse, toutes les théories des relations internationales [Battistella, 2009 ; Reus-Smit et Snidal, 2008 ; Roche, 2008 ; Macleod et O'Meara, 2007] peuvent être sollicitées pour faire valoir leur point de vue, mais la question occupe une place particulière au sein des courants du libéralisme, d'une part, et du réalisme, d'autre part.

Libéralisme et fonctionnalisme

Historiquement, la création des OI sera d'abord activement encouragée par des penseurs inscrits dans une « tradition libérale » [Ashworth, 1999]. Le terme manque de précision, mais il vise un courant d'idées selon lequel les imperfections de la société internationale peuvent être corrigées par des mécanismes de régulation institutionnalisés [Macleod et O'Meara, 2007, p. 96 ; Doyle, 1986]. La perception d'un monde de plus en plus

« interdépendant » à l'heure de la première mondialisation, puis de la Première Guerre mondiale et de la crise économique des années 1930, conforte la conviction que la régulation internationale est à la fois une nécessité sociale et un impératif politique [Devin, 2008 a ; De Wilde, 1991]. Tant pour répondre au développement du bien-être des peuples que pour domestiquer les ardeurs guerrières des souverainetés nationales, l'organisation internationale s'impose comme un recours nécessaire. Léon Bourgeois, Albert Thomas, Ramsay Muir, Georges Scelle, Norman Angell, Leonard Woolf, David Mitrany sont les principaux représentants de ce courant « libéral » (en fait, plus proche du solidarisme français et du travaillisme anglais que de l'orthodoxie libérale). Tous seront d'actifs partisans de la SDN [Guieu, 2008]. Hommes d'action autant que de réflexion, ils exerceront parfois de hautes responsabilités au sein des nouvelles organisations (Léon Bourgeois, premier président de la SDN ; Albert Thomas, premier directeur général du Bureau international du travail – BIT). Comme penseurs, ils souligneront la contribution positive des organisations internationales au rapprochement entre les peuples et à la paix entre les États.

David Mitrany occupe ici une place centrale. Son principal ouvrage publié en 1943 deviendra le point de ralliement de ce qu'il est convenu d'appeler le fonctionnalisme dans les études de science politique des relations internationales [Mitrany, 1943]. Tirant les leçons des échecs d'une organisation globale comme la SDN, Mitrany ne pose pas la question de la forme idéale de la société internationale, mais celle de ses fonctions essentielles. Il ne part pas de l'intérêt des États, mais des besoins de leurs populations. Il convient donc d'identifier les problèmes devant être résolus pour assurer les besoins de la vie quotidienne – transports, santé, communication, alimentation, développement industriel, etc. –, et d'organiser le libre jeu des interdépendances et des interactions tantôt par l'intervention des pouvoirs publics, tantôt par celle des acteurs privés, tantôt par une association du public et du privé. L'organisation du pouvoir ne doit plus se faire sur une base territoriale, mais varier selon le type d'activités : « Chaque fois, la nature et l'étendue du problème détermineront la forme adéquate de l'institution ». Portée par l'interdépendance croissante du monde moderne, la coopération fonctionnelle aura tendance à s'imposer aux États. Les individus impliqués dans des réseaux de coopération déplaceront petit à petit leurs attentes : ils se tourneront moins vers l'État et davantage vers des organisations internationales taillées sur mesure pour satisfaire leurs besoins spécifiques. L'habitude de coopérer l'emportera sur les divisions idéologiques, politiques et territoriales. Les nationalismes seront érodés, la guerre deviendra improbable.

Les hypothèses de David Mitrany ne se sont pas entièrement vérifiées. Un réseau très dense de coopération fonctionnelle a bien été constitué, mais la politisation des relations internationales n'a pas fléchi. Le changement d'attitude annoncé chez les individus impliqués dans la coopération internationale demeure fragile et contesté. Pourtant, lorsque l'on considère l'enchevêtrement des économies européennes et l'avènement d'une véritable « communauté de sécurité » qui s'en est suivie entre les membres de l'Union européenne, les intuitions mitraniennes paraissent pertinentes. En lançant la CECA (Communauté européenne du charbon et de l'acier), Jean Monnet, Robert Schuman et Konrad Adenauer s'inspiraient de la même conviction. Mitrany sera plus réservé à l'égard de la CEE (Communauté économique européenne) qu'il jugeait trop générale et trop orientée vers l'intégration politique pour être « fonctionnelle ». Quoi qu'il en soit, sa vision « fonctionnaliste », très nouvelle à l'époque, a eu un retentissement considérable et reste toujours d'actualité [Devin, 2008 b].

S'affranchissant des postulats de Mitrany – la prétendue divisibilité des questions relatives au bien-être social et des questions politiques –, les néofonctionnalistes (Ernst Haas, Leon Lindberg, Joseph Nye, en particulier) ont emprunté au fonctionnalisme la recherche d'une méthode de coopération non coercitive, mais en privilégiant l'échelon régional et le rôle des élites dans une succession d'engrenages – l'effet de *spill over* – menant à l'intégration politique. En quelque sorte, le néofonctionnalisme apparaît comme « une théorisation de la méthode Monnet » [Schowk, 2005, p. 56]. Au-delà du succès variable de ces thèses, en fonction des phases de *stop and go* si caractéristiques de la Construction européenne, et du débat serré avec les fonctionnalistes reprochant aux « néo » de rester prisonniers de logiques souverainistes [Devin, 2008 a], ce qui doit nous retenir ici c'est la commune importance accordée par ces auteurs aux organisations internationales dans la dynamique de coopération.

« Classiques », « fonctionnalistes » ou « néofonctionnalistes », toutes ces approches qualifiées de « libérales » ont, en effet, pour point commun de considérer les OI comme des acteurs dotés d'une relative autonomie vis-à-vis des États, susceptibles de transformer leurs relations et leurs attentes réciproques. En un sens, les OI sont des machines à fabriquer de l'interdépendance entre les États : elles accentuent l'enchevêtrement de leurs intérêts, favorisent le rapprochement de leurs élites, l'imbrication de leurs administrations nationales et la définition de coopérations communes. Créées le plus souvent par les États, elles constituent l'instrument de leur rapprochement, à court terme, et de leur dépassement, à plus long terme. On comprend donc que dans l'esprit de cette tradition libérale, les OI sont non seulement nécessaires parce qu'elles répondent à des besoins communs, mais également souhaitables parce qu'elles jouent un rôle actif dans le développement de la coopération et de la paix. Constat empirique et jugement normatif sont étroitement mêlés.

Réalisme et néoréalisme

C'est en réaction aux thèses libérales, affaiblies par l'impuissance de la SDN et la montée des périls totalitaires, que s'impose une variété d'approches qualifiées de « réalistes » [Giesen, 1972]. Pour les tenants du réalisme, la question n'est pas de savoir pourquoi il faut coopérer, mais plutôt pourquoi la coopération internationale est impossible. En guise de « réalisme », il s'agit donc moins, initialement, d'une « théorie » que de quelques propositions générales issues d'un ensemble d'universitaires et d'experts appartenant à une génération marquée par le même contexte des années 1930, puis de la Guerre froide.

Le fondement de cette orientation réaliste réside dans une conception compétitive de la vie internationale : celle d'une lutte dominée par les États et leurs rivalités de puissance. La recherche de la sécurité (par des politiques d'expansion et/ou de résistance) est permanente. Elle s'exprime à travers la poursuite agressive des intérêts nationaux dont les débordements guerriers ne sont contenus que par une forme de stabilisation précaire : l'équilibre des puissances (*balance of power*). Dans ces conditions, les OI ne sont que des arènes dans lesquelles se prolonge la compétition interétatique. Leurs caractéristiques, leur action, leur influence sont soumises au jeu des rapports de force entre États. Elles n'ont qu'un rôle mineur sur la scène internationale, et lorsqu'elles disposent d'une certaine visibilité, ce n'est pas comme acteurs s'exprimant au nom d'une communauté, mais comme instrument au service de politiques égoïstes [Mearsheimer, 1994-1995].

Cette conception dite « intergouvernementaliste » des OI demeure largement répandue parmi les universitaires, les diplomates et dans l'opinion. Il est assez communément admis que les OI sont des instruments dépendants de ce que les États auront décidé d'en faire. Leur qualité d'acteurs des relations internationales n'est pas vraiment reconnue, même si cet intergouvernementalisme s'exprime avec plus ou moins de nuances.

Les premiers auteurs réalistes (Edward H. Carr et Georg Schwarzenberger au Royaume-Uni, Reinhold Niebuhr et Hans Morgenthau aux États-Unis, Raymond Aron en France) avaient été marqués par l'échec de la SDN, puis par la division du monde en deux blocs. Ils ne voyaient dans les organisations internationales que des constructions superflues fondées sur l'illusion d'une communauté internationale qui n'existait pas.

Leur scepticisme était total. En effet, de deux choses l'une : soit les intérêts des États sont conflictuels, leurs marchandages débouchent sur un jeu à somme nulle qui reflète les rapports de domination, et les organisations internationales ne servent à rien ; soit les intérêts sont concordants, l'harmonie préexiste, et les organisations ne sont pas nécessaires.

On retrouve à peu près la même appréciation chez Kenneth Waltz, principal inspirateur du néoréalisme dans les années 1970 [Waltz, 1979]. En posant le principe de la structure anarchique du système international, Waltz a tendance à durcir les positions des réalistes « classiques » et notamment, s'agissant des organisations internationales, à souligner leur totale subordination vis-à-vis des États les plus puissants [Waltz, 2000].

À ce stade, entre « Libéraux » et « Réalistes », la question de l'autonomie ou de la dépendance des organisations internationales est inépuisable. Elle rappelle celle du rôle des « superstructures » dans la théorie marxiste : reflet des rapports de classes ou autonomie relative ? Les débats ont été considérables et les réponses contradictoires. De fait, il ne semble pas que les sciences sociales puissent répondre de manière générale et définitive à la question de l'autonomie d'un construit social quel qu'il soit. Par hypothèse, celui-ci est le produit de conditions sociales historiquement situées, mais, par le seul fait d'exister avec ses effets propres, il ne saurait refléter exactement les réalités qui le précédaient. Il s'agit donc *à la fois* d'une variable dépendante et indépendante. Il en va de même pour les organisations internationales. Aucune théorie ou (plus modestement) conception générale ne peut résoudre l'énigme : la part de l'autonomie ou de la dépendance des OI vis-à-vis des États est une question principalement empirique.

C'est dans cet esprit qu'il faut situer les travaux de certains auteurs néoréalistes sensibles à la prolifération des OI, à la construction de l'Europe communautaire et à l'ébranlement de l'hégémonie américaine à partir des années 1970 (parmi ces auteurs, Robert Keohane, Joseph Nye, Stephen Krasner, sont les plus connus). Nuançant les approches les plus abruptes du réalisme et du néoréalisme, ces auteurs, qualifiés d'« institutionnalistes néolibéraux », admettent que diverses formes d'incitation peuvent conduire les États à coopérer dans un monde caractérisé par une « interdépendance complexe » [Keohane et Nye, 2001]. Toutefois, en réhabilitant le rôle des organisations internationales, ils ne lui accordent guère plus d'autonomie. Ils déplacent surtout le débat sur un nouveau terrain : non plus sur celui de l'effectivité des OI, mais sur celui de leur raison d'être.

Entre intérêts et valeurs

La seconde question récurrente dans la plupart des études sur les organisations internationales porte sur la nature de ce type d'organisation : s'agit-il d'un agencement particulier d'intérêts ou d'un foyer de valeurs communes ? Là encore, toutes les approches théoriques ont des préférences, mais la polarisation est la plus marquée entre l'institutionnalisme néolibéral, d'une part, et le constructivisme, d'autre part.

L'institutionnalisme néolibéral

Pour les auteurs institutionnalistes néolibéraux, les OI existent. Elles gagnent même en importance à mesure que les relations internationales deviennent de plus en plus « interdépendantes ». Plus que jamais, le système international apparaît comme un monde d'intérêts : divergents (ce qui rapproche l'institutionnalisme néolibéral du réalisme), mais aussi convergents (ce qui l'en distingue). Pour faciliter leurs négociations autour de ces intérêts convergents, les États se sont donné des OI [Keohane, 1989]. Celles-ci sont donc les créations intéressées des États, destinées à servir leurs intérêts « convergents », c'est-à-dire plus ou moins partagés : qu'il s'agisse d'éviter l'aggravation d'une situation dont les préjudices seraient plus coûteux que ceux de la coopération ou qu'il s'agisse de promouvoir des objectifs dont les intéressés attendent des bénéfices partagés. Cette approche repose sur une hypothèse issue de la théorie économique des institutions (Richard Coase) et reprise par la sociologie des organisations (J. March) : les organisations constituent un moyen de réduire les coûts de transaction liés aux imperfections du marché économique (et du jeu politique). Une fois créées, ces organisations ont un « pouvoir de marché » : elles influencent la manière dont les acteurs économiques (et politiques) définissent leurs intérêts. Par là même, elles influent sur le fonctionnement du marché (et du jeu politique).

À partir des années 1980, l'institutionnalisme néolibéral a connu un succès académique certain, notamment grâce à sa notion de « régime international ». Selon Krasner, on appelle régime « un ensemble de principes, de normes, de règles et de procédures de décision, implicites ou explicites, autour desquels les attentes des acteurs convergent dans un domaine spécifique » [Krasner, 1983, p. 1]. Cette définition est à peu de chose près celle des institutions dans la conception institutionnaliste néolibérale. La démarche et les arguments sont identiques : les régimes (institutions) ont l'avantage de donner une structure relativement stable aux échanges (internationaux) dans un secteur donné, de permettre aux acteurs de prévoir leurs comportements respectifs et d'accroître leur information mutuelle.

La notion de régime a fait couler beaucoup d'encre. La définition a été contestée [Strange, 1983]. Le rapport des régimes et des organisations internationales a été discuté. Des programmes de recherche ont été lancés pour savoir comment identifier un régime lorsqu'il pouvait y en avoir un ; pourquoi il apparaissait dans certains domaines et non dans d'autres ; pourquoi il engendrait certaines formes institutionnelles plutôt que d'autres. Dans une communauté scientifique étroite et très sensible aux modes, la notion de régime a été le point de passage obligé des internationalistes pendant une dizaine d'années, jusqu'à ce qu'une certaine désaffection se manifeste face au flou persistant de sa définition et son faible apport à l'analyse des organisations internationales. Son principal mérite est d'avoir attiré l'attention sur les relations entre le formel et l'informel et d'avoir rappelé que les organisations internationales ne sont qu'un élément parmi d'autres dans un système d'interactions complexes où les négociations et autres marchandages se déroulent à travers des canaux multiples et hétérogènes. Toutes les organisations internationales sont des régimes, mais tous les régimes ne donnent pas naissance à des organisations internationales (ainsi en va-t-il, par exemple, des nombreux accords multilatéraux sur l'environnement [AME] qui forment autant de régimes sans constituer, pour l'instant, une organisation internationale). Pour le reste, l'apport des régimes demeure mince. La notion ne répond à aucune des questions que l'on se pose sur les organisations internationales et comporte un certain nombre d'inconvénients.

Les auteurs tentant de donner une validation empirique au concept de « régime » ont eu tendance à considérer les problèmes comme résolus : il existe des règles considérées comme valables autour desquelles les attentes des acteurs convergent. On a ainsi parlé de « régime » du Gatt, de « régime » des droits de l'homme, de « régime » monétaire et financier, comme si ces principes n'étaient pas l'objet d'une confrontation permanente et de stratégies toujours conflictuelles. En outre, ce modèle, très proche de celui du « choix rationnel », suppose l'existence de règles connues qui forment le contexte stratégique à l'intérieur duquel les acteurs vont optimiser leur comportement pour atteindre leurs objectifs. Cette conception néglige l'analyse des processus de négociation et de décision ainsi que la redéfinition des objectifs en cours de partie : trop abstraite, elle présuppose, à l'aide de la théorie des jeux, que les acteurs ont, dans tous les cas, un intérêt à coopérer. Enfin, on peut reprocher à la « théorie des régimes » un certain conservatisme. Elle ne s'intéresse pas au contenu des règles ni à leurs modes de production. Les régimes sont établis par les pays puissants – ou par une puissance hégémonique, bien que celle-ci ne soit pas une condition nécessaire [Keohane, 1984] – et ils sont censés bénéficier à tous pourvu qu'ils assurent une certaine « stabilité ».

Grâce aux débats ainsi soulevés, l'approche institutionnaliste néolibérale a incontestablement redonné toute sa légitimité aux études sur les organisations internationales. Marginalisées par le réalisme dominant, elles sont (re)devenues centrales dès lors que « la coopération internationale » a été réadmise comme une part essentielle de la compréhension des relations internationales. Néanmoins, les organisations internationales ont conservé un statut quelque peu étriqué. D'une part, si elles ne reflètent pas exactement des rapports de force, elles ne constituent pas pour autant des acteurs en soi ; facteurs d'influence, elles n'ont pas d'autonomie propre. Sur cette question, nos auteurs occupent une position d'entre-deux qui n'est pas toujours très claire, mais qui demeure très en retrait de celle des libéraux « classiques » et des fonctionnalistes. D'autre part, les organisations internationales ne représentent que les sous-produits des calculs intéressés des États (ce qui peut expliquer aussi la position réservée de nos auteurs à l'égard de l'autonomie des OI, bien que les libéraux « classiques » et les fonctionnalistes partagent le même point de vue sans en tirer les mêmes conséquences). La création des OI, à l'instar de toute initiative en faveur de la coopération internationale, repose sur un calcul des coûts et des bénéfices de l'action entreprise par ses promoteurs. Fonctionnement et maintien des OI sont une affaire d'avantages : on discutera avec les Réalistes des mérites comparés des gains absolus ou relatifs dans l'intérêt à coopérer [Grieco, 1988], mais sans jamais quitter le terrain d'une sociologie assez sommaire de l'intérêt et de l'utilité. Les organisations internationales sont donc réduites à des agences de coordination des intérêts. C'est sur cette conception restrictive que porte le débat.

Le constructivisme

Issu principalement du constructivisme sociologique (ou constructionnisme social [Ian Hacking, 2001]), le constructivisme appliqué à l'étude des relations internationales connaît un certain essor académique depuis les années 1990. Au-delà de la variété des approches, parfois confondantes pour le néophyte, se dégage l'hypothèse que les « réalités internationales » (l'État, la paix, la guerre, la coopération, le terrorisme, etc.) sont indissociables des idées, des normes et des valeurs qui les ont construites. Réciproquement, ces « structures idéationnelles » façonnent l'identité des acteurs et par conséquent la façon dont ils perçoivent leurs intérêts et conduisent leurs actions [O'Meara, 2007 a].

L'analyse de ce travail de structuration interactive n'est pas d'une nouveauté radicale. Issue d'une longue tradition sociologique (de l'École de Chicago à Anthony Giddens), son application aux études internationales relativise les « découvertes » des constructivistes. En revanche, des questions fortes sont posées (sur le rôle des normes, la construction des identités ou la perception des situations), souvent négligées par les courants réaliste et institutionnaliste-libéral, et vis-à-vis desquelles les OI occupent une place de choix. En effet, celles-ci ne sont plus considérées comme le simple reflet passif des intérêts des États, mais comme des constructions orientées par des valeurs et des normes communes qui, à leur tour, influencent et transforment les perceptions et les conduites des États. En tant que diffuseurs de normes et lieux d'apprentissage, les OI, entendues comme des « bureaucraties » relativement autonomes, participent pleinement au changement international [Barnett, Finnemore, 2004]. Elles établissent des espaces interactifs de sens au sein desquels les États (qui restent les acteurs majeurs pour la plupart des constructivistes) cherchent à tenir leur rôle par un travail incessant d'ajustement de leurs identités et de leurs intérêts. Les OI sont ainsi au cœur d'une forme d'intentionnalité collective faite de multiples échanges, plus ou moins conflictuels et jamais entièrement stabilisés.

L'attention que les constructivistes portent aux OI a été particulièrement soulignée par John Gerard Ruggie, éminent professeur de relations internationales (Columbia, puis Harvard), auteur constructiviste influent et successivement conseiller pour la planification stratégique auprès du Secrétaire général des Nations unies (1997-2001) et représentant spécial du Secrétaire général pour la question des droits de l'homme, des sociétés transnationales et des autres entreprises (2005-2011). Sans négliger les jeux de puissance et d'intérêt, Ruggie tire de son expérience onusienne la confirmation que « l'organisation internationale affecte, même si seulement occasionnellement ou à la marge, la façon dont les États définissent et redéfinissent [leurs intérêts et leurs préférences] » [Ruggie, 1998, p. XII]. En d'autres termes, ni les intérêts ni les identités ne peuvent être donnés une fois pour toutes. Contrairement aux approches (néo)réalistes et (néo)libérales qui tendent à en faire des facteurs explicatifs, Ruggie (et nombre d'auteurs constructivistes) les considère comme des sous-produits des interactions internationales. L'approche constructiviste suggère donc de s'interroger sur ce qui « préstructure » les États et le système international (des règles « constitutives » et des facteurs « idéationnels ») plutôt que de s'en tenir seulement à ce qu'ils donnent à voir (des règles de « régulation » et des comportements « utilitaires »). Les contributions des OI acquièrent ainsi un rôle majeur : à la fois parce qu'elles sont « régulatrices », ce qui est une observation courante, mais surtout parce qu'elles sont « constitutives » des préférences et des intérêts des États.

Incontestablement, l'approche constructiviste est avec celle des libéraux « classiques », la contribution théorique qui valorise le plus la place des OI dans le fonctionnement et la compréhension des relations internationales. Mais, pour le constructivisme, l'importance des OI tient moins à leur autonomie relative *vis-à-vis* des États qu'aux relations d'interaction qu'elles instaurent *entre* les États. En revanche, bien que les mots utilisés soient différents, les deux courants soutiennent que les OI sont des agents d'influence et non de simples agences d'intérêt.

Plus généralement, quel bilan peut-on tirer de ce rapide examen des principales approches théoriques des OI ?

D'une part, les explications proposées ne sont que partielles dans la mesure où elles s'attachent principalement à des aspects particuliers des OI : tantôt leur autonomie ou leur nature, tantôt leurs rôles ou leurs fonctions. Nous ne disposons pas d'une théorie générale des OI. Bien des questions soulevées sont stimulantes et appartiennent désormais à un questionnaire de recherche obligé pour tous ceux qui veulent étudier les OI. Mais aucune synthèse ne s'impose de ces grilles de lecture disparates qu'il faudrait toujours prendre soin de replacer dans le contexte historique de leur production, qu'il s'agisse du poids des conjonctures et/ou des rivalités académiques. Rien n'interdit *a priori* de combiner les observations de courants opposés (l'autonomie peut être « relative », les intérêts des États peuvent être « influencés », les idées peuvent être « constitutives », etc.), mais la pertinence de ces combinaisons ne s'éprouvera vraiment que sur le terrain empirique : l'enquête sociohistorique est décisive.

D'autre part, chacune des approches théoriques retenues ici conserve ses points aveugles et ses faiblesses. La remarque vaut surtout comme avertissement méthodologique : choisir un point de vue, c'est aussi discuter ses conceptions implicites. Les Libéraux « classiques », les Fonctionnalistes et les Néolibéraux accordent ainsi une valeur très positive aux effets de « l'interdépendance », sans jamais définir précisément la notion ou, plus exactement, en la confondant la plupart du temps avec celle d'interaction [Devin, 2008 a]. De leur côté, les Réalistes estiment, par exemple, que la question de la solidarité internationale est secondaire (à l'exception de sa forme sécuritaire : les alliances), mais sans le démontrer. Avec les Néolibéraux, ils privilégient une conception rationnelle de l'acteur, en négligeant toute la dimension symbolique de la politique internationale. Quant à l'approche constructiviste, elle peine à démontrer la relation exacte entre les idées et les intérêts : les premières sont censées façonner les seconds, mais la proposition manque singulièrement d'interactivité ; en bonne logique interactionniste, les intérêts devraient aussi aiguillonner les idées et les représentations. Comment démêler ces relations croisées sinon par une enquête sociologique classique à laquelle le haut degré d'abstraction du constructivisme n'est pas toujours très utile ? Il n'est pas dit que l'on puisse répondre à toutes ces interrogations, mais il est préférable de savoir qu'elles existent.

Enfin, les contributions théoriques à l'analyse des OI se présentent le plus souvent comme des tentatives d'explication, dans le temps présent, de ce que sont et de ce que font les organisations internationales. La démarche est intéressante, mais elle demeure toujours un peu frustrante faute de recul historique. On aimerait disposer de travaux plus nombreux sur l'histoire des OI, sur leur genèse, leur institutionnalisation, leurs transformations (pour des éléments de bibliographie [Kott, 2011]) et sur l'histoire des relations entre les États et certaines OI (pour la France [Smouts, 1979 a ; Placidi, 2008]). En bref, l'inscription dans la durée (on hésite à parler de « temps long » pour l'histoire des OI qui est à peine bicentenaire), est une condition nécessaire pour saisir l'évolution des OI et proposer une interprétation plus globale de ce fait social international.

Pour une perspective « évolutionnelle »

On doit au sociologue Norbert Elias d'avoir tiré la notion d'« évolution » de son ornière téléologique (« l'évolutionnisme ») pour en faire un objet d'investigation sociologique. Entre un monde indéchiffrable et un ordre prédéterminé, il se peut qu'il existe des logiques d'action, des principes de structuration, qui introduisent une certaine cohérence dans l'apparent désordre des œuvres humaines. Elias nous aide à penser le changement, et ici le changement international. Les OI y occupent-elles une place ? Comment l'interpréter ?

Une dynamique sociohistorique

À l'instar d'autres systèmes sociaux, les systèmes internationaux qui se sont succédé au cours de l'histoire peuvent se présenter sous la forme de « configurations ». Ce concept central chez Elias renvoie à la « figure toujours changeante que forment les joueurs » [Elias, 1991 a, p. 157]. Dépassant le double écueil de l'atomisme et du collectivisme sociologique, la configuration constitue un regard global sur les hommes *et* leurs relations dans un espace donné. « Toujours changeante », elle se transforme sans finalité déterminée, mais avec des orientations probables. Celles-ci obéissent à des dynamiques configurationnelles (c'est-à-dire propres au

« jeu » considéré), susceptibles d'être analysées par ce qu'Elias appelle une « méthode sociogénétique rétrospective ». L'exercice consiste à privilégier le processus d'évolution en ne séparant pas une configuration donnée de celle qui l'a précédée. Soumise à « différents degrés de possibilité ou de probabilité », l'évolution sociale est relativement orientée, de telle sorte qu'une configuration contient en germe les développements « probables » de la configuration qui suivra. Rien n'est irréversible. Dans « l'organisation de la succession », des ruptures imprévues sont possibles. Les processus sociaux ne sont pas planifiés, mais ils demeurent tout de même « dirigés » (ainsi en va-t-il du « processus de civilisation ») [Elias, 1973, 1991 b].

Une configuration est donc toujours en mouvement : un résultat en devenir. Engendrée par une configuration précédente et engendrant une configuration suivante, elle se confond avec un processus social de longue durée. Telle est l'organisation singulière de « l'évolution sociale ».

La démarche de cette sociologie « évolutionnelle » est stimulante. Elias en propose un début d'application aux relations internationales en expliquant les transformations de la scène internationale par un processus de resserrement des relations d'interdépendance et une poussée vers un niveau supérieur d'intégration [Elias, 1991 c ; Devin, 1995]. De ce point de vue, la dynamique à l'œuvre n'est pas fondamentalement différente de celle qui travaille l'évolution des sociétés et la construction de l'État (tout du moins dans l'histoire occidentale [Elias, 1975]). Elle relève d'un double processus de différenciation et d'intégration : à mesure que les individus exercent des fonctions de plus en plus différenciées, ils sont en même temps de plus en plus dépendants les uns des autres. Il en va de même, au plan global, des sociétés et de leurs relations dans la mesure où ce changement d'échelle n'est rien d'autre qu'un allongement des chaînes d'interdépendance entre les individus. Cette approche modifie sensiblement l'analyse que l'on peut faire du « changement international » – une question relativement ignorée par la littérature académique et pensée principalement en termes de ruptures, de séquences ou de cycles (Gilpin, Holsti, Modelsky). Avec la sociologie éliasienne, le changement international s'apparente plus à un mouvement continu (même si irrégulier) de densification et de complexification des « liens d'interdépendance »[1]. Ce ne sont pas les idées et les rapports de force dominants qui structurent et orientent le changement ou, plus exactement, ceux-ci sont englobés dans

1. Cette expression est à prendre de manière paradigmatique, comme un réseau de relations dans lequel chaque relation ne s'explique que par l'ensemble du réseau. Elias ne s'attarde pas sur les différents types d'interdépendance, ni sur la distinction entre interdépendance et intégration [Devin, 2008 a ; 1995].

un ensemble anonyme plus vaste de mécanismes d'interdépendance qui échappent largement aux acteurs.

Cette perspective rappelle des observations d'Émile Durkheim sur le « milieu social » qu'il paraît pertinent de mettre en relation avec le « milieu international ». Pour Durkheim, « deux séries de caractères » semblent susceptibles d'exercer « une action sur le cours des phénomènes sociaux » [Durkheim, 1983] : d'une part, le nombre des unités sociales (ou le « volume de la société ») et, d'autre part, « le degré de concentration de la masse » (ou « la densité dynamique »). Le premier facteur est au cœur des explications classiques (et souvent réalistes) du changement international : une variation du nombre des acteurs (étatiques ou non), liée aux guerres générales ou à d'autres recompositions (décolonisation, implosion d'États multinationaux, mondialisation des échanges), entraîne des transformations dans le fonctionnement du système international (nouvelles instances, nouvelles règles). Le second facteur permet d'aller plus loin. Par « densité dynamique », il faut en effet comprendre un processus de resserrement des individus au sein d'une société qu'il n'y a aucune raison de ne pas étendre aux sociétés entre elles : « La densité dynamique peut se définir, à volume égal, en fonction du nombre d'individus qui sont effectivement en relations non pas seulement commerciales, mais morales ; c'est-à-dire qui non seulement échangent des services ou se font concurrence, mais vivent d'une vie commune » [p. 112-113]. À l'instar du « milieu social », le « milieu international » serait donc soumis à un double resserrement : « matériel » et « moral ». Le premier marchant d'ordinaire du même pas que le second sans toutefois qu'il y ait identité systématique [p. 113].

Qu'il s'agisse des effets de la densité dynamique (Durkheim) ou de l'extension des liens d'interdépendance (Elias), on admettra ici que l'évolution sociale internationale se caractérise par un maillage de plus en plus serré des relations entre tous les acteurs (États, sociétés, individus). L'histoire du système international contemporain, constitué autour des États européens au cours des XVIe et XVIIe siècles, va dans ce sens. La création et les transformations des OI en constituent le principal révélateur.

Une interprétation des organisations internationales

Sans interaction, ni interdépendance entre les différents éléments d'un ensemble (c'est-à-dire sans « système »), il n'y a pas à rechercher une coordination à plusieurs. *A contrario*, plus les relations systémiques sont étendues et intenses, plus les arrangements internationaux risquent d'avoir un caractère organisé.

Avec la construction des États européens, les relations internationales (intereuropéennes) ont d'abord pris la forme d'un système copartageant fait d'alliances matrimoniales, de compétitions guerrières et de compensations territoriales. Les principaux instruments de régulation résidaient, comme dans les temps plus anciens, dans des dispositifs encore peu codifiés de représentation diplomatique et dans la négociation de traités, bilatéraux le plus souvent (les traités de Westphalie constituent ici une exception fameuse). C'est avec le lent passage de sociétés à dominante agraire à des sociétés industrielles que s'amorcent une extension et une accélération des échanges. La première révolution industrielle touche successivement l'Angleterre au milieu du XVIIIe siècle et la France au début du XIXe siècle. Avec la défaite des armées napoléoniennes, les principales puissances européennes recherchent, pour des raisons différentes, un ordre politique international plus prévisible. En Angleterre et en France, l'alternance de phases de libre-échange et de protectionnisme témoigne de cette sensibilité accrue des gouvernements aux transformations de l'environnement politique et économique. On l'a déjà dit, bien qu'à peine institutionnalisé, le Concert européen, issu du Congrès de Vienne, est une étape essentielle dans l'organisation des relations internationales. Sous certains aspects, le Congrès lui-même est encore une œuvre d'Ancien Régime avec ses marchandages territoriaux en Europe. Mais en codifiant des règles diplomatiques (l'ordre des préséances), en proclamant des principes généraux (contre la traite, pour la liberté de navigation fluviale) et en définissant le périmètre du système international « civilisé », il annonce une entreprise résolument nouvelle : le Concert européen en constitue le directoire épisodique. Il est probablement abusif de lui imputer « la paix de cent ans » (l'expression est de Karl Polanyi ; elle vise l'absence de guerre générale entre 1815 et 1914 [Polanyi, 1983]). Certes, des embrasements ont été évités (crise franco-anglaise de 1840), mais la politique d'équilibre de l'Angleterre parallèlement à l'affaiblissement de la Russie (après la guerre de Crimée), de l'Autriche-Hongrie (devant les succès prussiens) et de la France (après la défaite de 1870) semble avoir joué un rôle plus déterminant. Quoi qu'il en soit, le Concert européen témoigne et s'accompagne d'une nouvelle densité des interactions entre les États et même entre les sociétés (v. *supra*, sur le développement des unions administratives internationales et des mouvements de solidarité privés). Après la Première Guerre mondiale, la SDN confirme et amplifie la tendance en offrant les services d'une organisation politique intergouvernementale permanente. Bien que l'expérience n'ait pas été concluante, le principe de l'action concertée n'est nullement remis en cause après 1945. Bien au contraire, la montée des périls est interprétée, rétrospectivement, comme imputable à un manque de régulations communes dans un monde qui rétrécit sans cesse. Sous l'égide des États-Unis, on multiplie les instances de coordination pour promouvoir un ordre international plus libéral économiquement (institutions financières et commerciales) et plus efficace politiquement (le Conseil de sécurité des Nations unies). L'ONU et son « système » sont ainsi conçus dans l'esprit de faire plus et mieux que la SDN. Dans le prolongement et depuis plus de soixante-dix ans maintenant, le mouvement se poursuit : de nouvelles organisations internationales (intergouvernementales et non gouvernementales) suivent la croissance des échanges et des flux de toutes natures. Les objectifs se diversifient, les priorités changent, les formes se modifient. À aucun moment les OI n'ont constitué un quelconque stade ultime de la coopération internationale. Elles traduisent seulement un moment particulier de cette coopération qui s'exprime selon des formules historiquement situées. De ce point de vue, il n'y a aucune raison de considérer que les formes et les fonctions du multilatéralisme onusien sont indépassables.

Survolée depuis le XVIIe siècle, cette lente construction d'institutions internationales peut évoquer un mouvement d'évolution lui-même marqué par les étapes d'un long processus d'apprentissage ; les expériences les plus tragiques (les deux guerres mondiales) provoquant une poussée de mobilisation en faveur d'institutions plus contraignantes. Cette vue d'ensemble rejoint également l'idée éliasienne d'un mouvement général d'intégration de l'humanité passant d'unités sociales petites et différenciées à des unités sociales de taille plus importante, plus différenciées et plus complexes. À ce titre, bien que la perspective soit encore difficile à imaginer (mais déjà pensable pour l'Union européenne), les grandes OI (au plan régional et mondial) pourraient bien préfigurer ces nouvelles « unités de protection » que les États modernes ont mis plusieurs siècles à incarner.

On est ici loin des critiques habituelles selon lesquelles l'histoire des OI ne serait qu'une suite de répétitions ratées. Ainsi en irait-il de la SDN et de l'ONU où, dans les deux cas, l'organisation mondiale reposerait sur les mêmes présupposés (la sécurité comme « bien commun »), les mêmes recettes (un directoire de grandes puissances et une confiance dans les vertus du fonctionnalisme) et la même paralysie (l'impossible « sécurité collective »). Pour certains auteurs, ce sont précisément les leçons de ces échecs qui n'ont pas été tirées [Bertrand, Donini, 2015].

La perspective tracée par la sociologie de Norbert Elias est en quelque sorte plus réaliste. Elle s'attache à saisir et à interpréter les différences, si minimes et imparfaites soient-elles pour les contemporains qui ne maîtrisent guère leurs développements. Elle propose de penser les grandes OI comme un moment particulier dans le processus plus général d'intégration croissante de l'humanité. Pour autant, l'avenir n'est pas tracé.

L'évolution sociale n'est ni programmée, ni irréversible : des reculs et des régressions demeurent toujours possibles. Mais sur le très long terme, une évolution sociale probable se dégage. Dans ces conditions, bon nombre de critiques sont mal ciblées, ce qui ne veut pas dire qu'elles ne sont pas justifiées au moment où elles sont exprimées. L'imperfection de l'ONU, par exemple, n'est guère contestable. Mais elle n'a de sens que par rapport aux faiblesses de sa devancière ou aux initiatives embryonnaires des périodes précédentes. Le regretter n'empêche pas d'agir, tout en sachant que l'avènement d'« institutions centrales » correspondant à « la réalité du réseau d'interdépendances planétaires » peut prendre « plusieurs siècles » [Elias, 1991 c, p. 294].

Chapitre 2

Une fonctionnalité controversée

En abandonnant la perspective sociohistorique, les OI retournent à leur qualité d'objets politiques pris dans le tumulte des controverses. Tout autant célébrées que critiquées, elles enthousiasment et déçoivent, comme si ce qui était annoncé ne pouvait jamais se réaliser. Parmi les multiples causes de désillusion (des idéaux irréalisables, des acteurs égoïstes, etc.), c'est la constitution et le fonctionnement des OI qui suscitent couramment le plus de scepticisme et concentrent le plus spontanément les critiques. Au cœur des débats figurent les trois pôles de ce que nous appellerons le « triangle de la fonctionnalité » : la *représentativité* des OI, leur *légitimité* et leur *efficacité*. Ces trois pôles, plus ou moins interdépendants, ne peuvent pas être objectivés une fois pour toutes. Ils demeurent dépendants des perceptions changeantes des acteurs concernés, notamment des États, à la fois juges et parties, et dont les positions ne sont jamais désintéressées.

La composition

L'appartenance aux OI ne se pose pas dans les mêmes termes selon le type d'organisation et selon le type d'organes propres à chacune des organisations (organes pléniers, exécutifs, administratifs ou juridictionnels). La question de la représentativité ne s'y décline pas non plus de la même façon.

Des critères d'appartenance variables

Pour les organisations à vocation universelle et générale, telles les organisations de la famille des Nations unies, le choix est relativement simple. La seule utilité qui ne leur soit pas contestée est celle de forum (tout du moins dans les organes pléniers). Leur universalité est leur légitimité. Tous les candidats y sont accueillis de façon quasi automatique quelles que soient leur taille et leur effectivité.

Cette marche vers l'universalité ne s'est pas faite sans à-coups. Minée par les divisions politiques, l'extension de la SDN n'avait pas été concluante : 23 retraits contre 15 admissions nouvelles entre 1921 et 1939. L'institution et la composition du Conseil de sécurité renforceront la crédibilité de l'ONU et favoriseront son universalisation, mais dans un contexte polarisé et non sans difficultés.

Entre 1946 et 1955, l'admission de nouveaux membres au sein d'organisations à vocation universelle était un enjeu symbolique fort dans la Guerre froide. Aux Nations unies, où l'admission se fait par décision de l'Assemblée générale sur recommandation du Conseil de sécurité (art. 4 de la Charte), l'Union soviétique multipliait les veto pour empêcher toute admission nouvelle tant que les « démocraties populaires » (Hongrie, Roumanie, Bulgarie) ne seraient pas admises. La situation ne fut débloquée qu'en 1955 par un *package deal* permettant l'entrée simultanée de seize nouveaux membres : les candidats soutenus par l'URSS et des candidats acceptables par l'Ouest. À partir des années 1960, la décolonisation et l'afflux massif de nouveaux États (17 sont entrés en 1960) ont transformé la composition des organisations mondiales et modifié les majorités dans les assemblées plénières. Les quelques exigences de fond posées par la Charte pour l'admission de nouveaux États ont été balayées : être un État pacifique, accepter les obligations de la Charte, être capable de les remplir et disposé à le faire (art. 4). Quantité de nouvelles entités politiques sont entrées aux Nations unies alors que la faiblesse de leurs ressources, l'exiguïté de leur territoire et le petit nombre de leurs habitants laissaient douter de leur qualité effective d'État souverain. Ce problème des micro-États fut discuté quelque temps à la fin des années 1960 et au début des années 1970. Un comité spécial fut créé par le Conseil de sécurité, diverses solutions furent proposées pour éviter qu'un pullulement de petites unités politiques, chacune dotée d'une voix, ne vienne fausser le mécanisme des assemblées plénières et notamment de l'Assemblée générale de l'ONU. Les micro-États furent encouragés à se fédérer ou bien à renoncer à certains droits de vote. Ces initiatives restèrent sans lendemain. Depuis 1991 et l'éclatement de l'URSS, l'ONU s'est enrichie de 34 nouveaux membres dont les trois États baltes, la Géorgie, huit républiques de la CEI, les États issus de l'ex-Yougoslavie, mais aussi les deux Corées, Saint-Marin, Andorre, Monaco, la Suisse et plusieurs micro-États insulaires du Pacifique (Palaos, Kiribati, Nauru, Tonga, Tuvalu). Le Soudan du Sud est le dernier État à avoir été admis (2011). Avec le Saint-Siège et l'Autorité palestinienne, non-membres, mais disposant tous deux d'une mission permanente d'observation au siège de l'ONU[1], l'universalité est pratiquement atteinte, pour autant que l'on s'accorde sur sa définition : celle des États reconnus par les membres de l'Organisation (et notamment par les plus influents). Ainsi Taïwan demeure à l'écart en raison de l'opposition d'une majorité d'États dont les cinq membres permanents du Conseil de sécurité. L'universalité est une affaire de convention politique tout comme l'était hier le périmètre des « nations civilisées » [Gong, 1984]. Il n'existe ainsi aucun critère permettant de fixer une limite aux processus d'émiettement et à celui d'admissions potentielles d'États divisés ou d'ensembles issus de sécessions contestées (République turque de Chypre du Nord, République du Karabagh, République moldave de Transnistrie, Kosovo, Abkhazie, Ossétie du Sud, etc.).

À cette représentation des États, les OI à vocation universelle ajoutent, avec des statuts moindres (observateurs, membres consultatifs, etc.), celle d'autres organisations intergouvernementales partenaires et, désormais, celle d'organisations non gouvernementales : respectivement près d'une centaine et plus de quatre mille aux Nations unies.

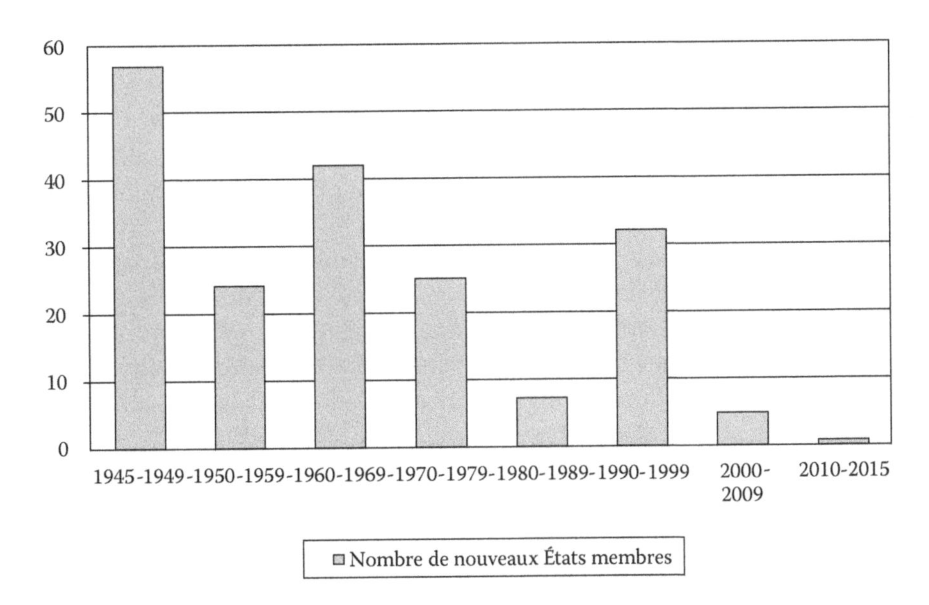

L'évolution des adhésions à l'ONU 1945-2015[2]
(193 États membres en 2015)

1. La Palestine, simple observateur depuis 1974, bénéficie désormais (comme le Vatican) du statut (non prévu par la Charte) d'« État non membre observateur » accordée par l'Assemblée générale le 29 novembre 2012.

2. Liste des États membres disponible sur le site de l'ONU, http://www.un.org/fr/members/index.shtml

S'agissant des organisations régionales ou à vocation spécialisée, la composition et l'élargissement sont soumis à des conditions politiques plus exigeantes. La cooptation et la part de l'idéologie y sont importantes : les nouveaux venus doivent faire la démonstration qu'ils sont aptes à remplir les obligations, respecter les principes et partager les objectifs qui réunissent les membres fondateurs. Ainsi en va-t-il notamment des institutions financières internationales, FMI et Banque mondiale, et de deux grandes organisations régionales, l'Union européenne et l'Organisation du traité de l'Atlantique nord (Otan).

En théorie, tous les États, quel que soit leur système politique, peuvent adhérer à la BIRD (dispositif central du groupe de la Banque mondiale) et au FMI. Mais l'adhésion à la BIRD requiert une adhésion préalable au Fonds monétaire international (art. 2, section 1 des statuts de la Banque). Cela suppose d'accepter le code de conduite du Fonds (notamment les obligations concernant les régimes des changes) et les conditions d'admission fixées par le Conseil des gouverneurs. En principe, une majorité simple suffit pour admettre un nouvel État, mais il faut un quorum comportant la majorité des gouvernements disposant des deux tiers des voix. Avec 16,74 % des voix (en 2015), les États-Unis disposent d'un fort pouvoir d'influence sur la décision (par exemple, en 2009, c'est la ratification par les États-Unis du quatrième amendement des statuts du FMI, proposé en 1997, qui permet enfin au Fonds de procéder à des allocations spéciales de DTS, v. *infra*, p. 220-221).

Une « résolution d'appartenance » fixe la quote-part initiale du nouveau membre au capital du FMI et les modalités d'insertion du pays dans le système monétaire international. Le montant de la quote-part détermine notamment le nombre de voix dont disposera le nouvel État. L'entrée au FMI et à la BIRD signifie une adhésion à l'économie de marché et aux principes d'organisation sociale qui lui sont liés. Elle signifie également que le pays est jugé digne de recevoir une assistance financière pour la transformation de ses structures.

Jusque dans les années 1980, la plupart des pays du bloc communiste étaient restés en dehors du système de Bretton Woods. L'URSS avait assisté de façon passive à la conférence de 1944 et n'avait jamais ratifié les accords. La Tchécoslovaquie figurait parmi les membres fondateurs, mais elle avait dû se retirer en 1954. Seule la Roumanie, qui se targuait d'une certaine indépendance vis-à-vis de Moscou dans ses relations extérieures avait adhéré en 1972. Un début de rapprochement commença avec l'entrée de la Hongrie en 1982, puis de la Pologne en 1986, lorsque ces pays s'engagèrent dans une réforme économique desserrant quelque peu le carcan de la planification centrale. La chute du communisme, puis la désagrégation de l'Empire soviétique précipitèrent l'élargissement vers l'Est. En 1990, la Tchécoslovaquie, la Bulgarie, l'Albanie demandaient puis obtenaient leur adhésion. En 1992, l'entrée des quinze États successeurs de l'URSS avec la Croatie, la Slovénie, Saint-Marin, la Suisse confirmait la stature mondiale des institutions de Bretton Woods. Leur modèle de « bonne gouvernance » économique et financière triomphait avant de montrer ses très sérieuses limites et de susciter de fortes contestations (mouvements sociaux et défiance politique des États non occidentaux qui s'estiment mal représentés : à commencer par les BRICS qui annoncent la création d'une Banque de développement et d'un Fonds de réserve commun en 2014 et, surtout, la Chine qui lance, avec succès, la même année, la Banque asiatique d'investissement pour les infrastructures - BAII). En 2015, le FMI et la BIRD comptaient 188 membres. Le montant total des quotes-parts du Fonds représentait environ 360 milliards de dollars avec une capacité de prêt dépassant les 800 milliards de dollars. Quant aux engagements du groupe de la Banque mondiale, ils atteignaient 61 milliards de dollars au cours de l'exercice 2014 (des chiffres à comparer avec le budget de l'ONU, v. *infra*, p. 109)

Pour l'Union européenne et pour l'Otan, deux organisations qui n'ont pas vocation à l'universalité, les nombreuses demandes d'adhésion qui leur sont adressées sont plutôt perçues comme un défi. Elles témoignent, certes, de leur pouvoir d'attraction, mais elles les obligent surtout à repenser leur constitution et leurs missions.

Selon l'article 49 du traité sur l'Union européenne modifié par le traité de Lisbonne, « tout État européen » qui respecte les « valeurs [...] de l'État de droit » (liberté, démocratie, égalité respect des droits de l'homme, pluralisme, non-discrimination, tolérance, justice, solidarité, égalité hommes-femmes) peut demander à devenir membre de l'Union. Autant dire que ces critères sont à la fois si exigeants et si généraux qu'ils se prêtent à toutes les interprétations et laissent la décision d'admission à l'appréciation souveraine des États membres. Les critères dits de Maastricht fondés sur des indicateurs économiques (prix, finances publiques, taux de change, taux d'intérêt à long terme) ne sont pas plus décisifs puisqu'ils connaissent des dérogations au sein même des États membres. Quant au respect des « acquis communautaires », ils font l'objet d'adaptations négociées qui sont au cœur des marchandages conduisant aux adhésions nouvelles.

Depuis 1957, sept élargissements se sont succédé (1973, 1981, 1986, 1995, 2004, 2007, 2013) faisant passer la Communauté économique européenne (CEE) puis l'Union européenne (à partir de 1993) de 6 à 28 membres. Ces élargissements ont eu au moins trois effets.

En premier lieu, ils ont confirmé que les frontières de l'Union européenne n'étaient pas définies une fois pour toutes et que leur tracé relevait d'un projet politique imparfaitement planifié, plutôt que d'une logique géographique inévitable. En un sens, chaque nouvelle adhésion politise un peu plus une aventure qui s'est présentée pendant longtemps sous une forme principalement économique (le Marché commun puis le Marché unique et quelques politiques communes). En second lieu, les élargissements se sont systématiquement accompagnés d'« approfondissements », c'est-à-dire à la fois de dispositifs visant à assurer un développement économique solidaire pour maintenir l'unité du nouvel ensemble (fonds structurels et fonds de cohésion) et de réformes destinées à adapter les institutions afin de satisfaire aux nouveaux équilibres politiques (modes de votation, répartition des postes et des sièges dans les institutions, redéfinition des champs de compétences). Les adhésions nouvelles génèrent donc un processus d'ingénierie institutionnelle permanent, ce qui, en troisième lieu, impose un coût politique et financier aux États membres qu'ils ne sont pas nécessairement prêts à payer. Leurs hésitations renforcent ainsi le caractère largement indéterminé de la construction européenne.

S'agissant de l'Otan, la disparition du bloc soviétique a d'abord ébranlé son identité. Après un temps d'observation et d'hésitation, les États-Unis ont ensuite fortement appuyé l'élargissement de l'organisation aux anciens ennemis du Pacte de Varsovie : en dix ans (1999-2009), ce sont 13 pays d'Europe centrale et orientale (PECO) qui ont été admis, suscitant l'irritation croissante de la Russie. De nouveaux candidats ne cessent de se déclarer (Géorgie, Ukraine, Macédoine, etc.), un « partenariat pour la paix » offre des collaborations souples jusqu'aux confins de l'Asie centrale (pays de la CEI, notamment) et un « dialogue méditerranéen » regarde vers l'Afrique. L'Otan est ainsi prise entre sa vocation régionale et des ambitions mondiales dont elle n'a pas les moyens. Ses missions sont devenues difficiles à interpréter. Les nouveaux « concepts stratégiques » de « gestion de crise » ou de « réaction rapide » semblent tournés vers le développement de missions de maintien de la paix. Mais cette orientation demeure fragile et incertaine. Non seulement elle n'est pas toujours autorisée par les Nations unies (intervention au Kosovo en 1999), mais, en outre, elle implique des engagements armés contestés et des dépenses de défense que les pays membres (et notamment les plus récents) n'ont pas toujours la volonté ni les moyens d'honorer (notamment en Afghanistan depuis 2003 et en Libye en 2011).

Du point de vue de leur composition, les élargissements parallèles de l'UE et de l'Otan ont renforcé les liens entre les deux organisations.

En 2015, sur les 28 États de l'UE, 22 sont membres à part entière de l'Otan (l'Autriche, la Finlande, l'Irlande et la Suède adhèrent seulement au « partenariat pour la paix » ; seuls Chypre et Malte demeurent en dehors de l'organisation militaire). Néanmoins, cette arithmétique n'est pas entièrement significative. La nature politique de la coopération entre les deux organisations reste, en effet, mal définie et controversée. En particulier, la construction d'une défense européenne autonome est accueillie avec réserve par les États-Unis et par plusieurs membres de l'UE (dont le Royaume-Uni et la plupart des PECO) qui estiment que la garantie militaire la plus crédible repose sur l'engagement américain. Malgré la très forte composante européenne de l'Otan, le rôle leader des États-Unis fait toute la différence.

La composition des OI est donc soumise à des critères d'appartenance très variables selon les moments et les organisations. Certaines organisations, conçues dans l'unanimisme, s'en tiennent à des critères politiques très généraux (ONU, OSCE) ; d'autres, créées dans des contextes plus conflictuels ou polarisés, imposent, au moins officiellement, des règles politiques plus précises : adhésion à la démocratie de type libéral (UE, Otan), non-alignement (MNA), existence d'une majorité musulmane (OCI), etc. Les critères économiques sont, quant à eux, rarement détachés d'un modèle de gouvernance de type libéral que défendent les membres les plus puissants des organisations concernées (institutions financières internationales). Ces critères peuvent être politiquement décisifs. Ainsi en va-t-il de l'adhésion à l'OCDE où le candidat doit satisfaire aux « instruments juridiques » de l'organisation (ses principes, ses décisions et les obligations qui en découlent), à l'instar des candidats à l'UE qui doivent négocier âprement « l'acquis communautaire ».

Les fonctionnaires internationaux

La composition des organisations internationales s'entend aussi comme un ensemble d'agents spécialisés dévoués aux missions définies par les chartes constitutives. Introduite par la SDN, la fonction publique internationale a connu des évolutions remarquables.
En premier lieu, un nouvel acteur s'est imposé sur la scène internationale : le plus haut fonctionnaire des grandes organisations. À l'Otan, le Secrétaire général préside le Conseil de l'Atlantique nord et le Comité des plans de défense, qu'ils se réunissent à l'échelon ministériel ou à celui des représentants permanents. Il préside également les comités militaires où siègent les chefs d'état-major ou leurs représentants. Dès 1956, il s'est vu habilité à prendre des initiatives et exercer ses bons offices pour tout différend opposant les membres de l'Alliance, ce qui lui donne un rôle politique non négligeable. Ainsi Javier Solana (1995-1999) ou Jaap de Hoop Scheffer (2004-2009) ont-ils joué un rôle important dans la redéfinition des missions de l'Alliance, leur extension « hors zone » et le concours prêté aux Nations unies.

Au sein de l'Union européenne, le premier président de la Commission, Walter Hallstein, a donné immédiatement à sa fonction une importance qui a fait de ce poste un élément clé de la construction européenne. Nul ne s'étonne désormais de voir le président de la Commission participer aux sommets du G8, donner son avis sur les grands problèmes du monde et tenter d'influence le processus de construction communautaire.

À l'ONU, le premier Secrétaire général, Trygve Lie (de Norvège, 1946-1953), a conquis le droit de s'adresser aux organes délibérants de l'ONU et de prendre des initiatives sur la base très ténue que l'article 99 de la Charte donne au pouvoir du secrétaire général : « Le secrétaire général peut attirer l'attention du Conseil de sécurité sur toute affaire qui, à son avis, pourrait mettre en danger le maintien de la paix et de la sécurité internationales ». Le second Secrétaire général Dag Hammarskjoeld (de Suède, 1953-1961) a donné à sa fonction un prestige considérable. Il s'est imposé avec succès comme « médiateur en chef » dans de nombreux conflits. Il a fait admettre la notion de diplomatie préventive et le droit du Secrétaire de procéder à des enquêtes et d'envoyer des représentants spéciaux à cet effet. Il a défini les conditions de mise en œuvre des premières opérations de maintien de la paix. Il s'est affirmé comme une autorité politique sur la scène internationale, avant de mourir dans un accident d'avion, dans des conditions mystérieuses, en se rendant au Congo où l'ONU se trouvait en difficulté dans une opération contestée. Ses successeurs (U Thant, K. Waldeim, J. Perez de Cuellar, B. Boutros-Ghali, K. Annan, Ban Ki-moon) ont géré cet héritage avec plus ou moins de panache, mais tous ont pris soin de défendre les prérogatives du Secrétaire général comme acteur sur la scène internationale, son droit de présence, de parole et d'initiative. Kofi Annan (1997-2006), personnalité charismatique et profondément engagée dans la « rénovation des Nations unies », tant au plan administratif que politique [Devin, 2006], obtiendra le prix Nobel de la paix en 2001.

En second lieu, les fonctionnaires internationaux constituent un groupe aux statuts de plus en plus divers. Mieux vaut parler d'agents dans les organisations intergouvernementales [Geslin, 2013]. On dénombre environ 200 000 (dont un peu plus de 9 % de Français, soit la deuxième nationalité représentée après celle des États-Unis[1]). La nomination à titre permanent, fondement de l'indépendance des fonctionnaires (principe rappelé à l'article 100 de la Charte des Nations unies), a largement vécu. Les titulaires d'un poste permanent sont encore la règle au sein de l'Union européenne (67 % des 33 000 fonctionnaires et agents de la Commission, 2015), mais ont connu un net déclin, dans la plupart des OI, depuis les années 1990 au profit de contrats précaires, souvent financés sur des fonds extrabudgétaires. Procédures managériales, recherche d'efficacité, restrictions budgétaires, le Secrétariat des Nations Unies ne compte que 17 % de titulaires permanents, sur un ensemble de 41 426 agents sous contrat, contre 78 % de contrats à durée déterminée et 5 % d'emplois temporaires [ONU, AG, 2014]. Paradoxalement, cette précarisation des emplois affecterait moins l'indépendance des

1. En 2015, les Français se répartissent comme suit : 1) 5000 participent au « système » des Nations unies ; 2) 4700 servent l'UE ; 3) Le reste des agents évolue dans les autres organisations (OTAN, OSCE, Conseil de l'Europe, Institutions financières internationales, Banques régionales de développement, etc.), voir le site internet du Ministère français des Affaires étrangères et du développement international.

personnels que leur loyauté envers l'Organisation [Coicaud, 2007]. Les contrats permanents n'ont, en effet, jamais empêché les relations d'influence avec les pays d'origine. La moindre stabilité des postes a surtout pour effet de réduire l'investissement personnel dans les projets à long terme de l'Organisation.
Les batailles politiques qui se livrent autour du choix des plus hauts fonctionnaires des OI illustrent bien l'importance qu'a prise la fonction publique internationale. Plus généralement, le recrutement des fonctionnaires internationaux demeure une question très sensible vis-à-vis de laquelle les États se dotent de véritables stratégies d'influence [David, 2008, Geslin, 2013]. Il n'en va pas seulement du prestige de tel ou tel État membre, mais également du fonctionnement des structures de coopération multilatérales et de leur représentativité.

Les enjeux de la représentativité

Aucune OI n'est suffisamment intégrée pour que ses membres abandonnent leur identité. Chacun réclame une représentation digne de ce qu'il prétend être, de telle sorte que tous construisent la représentativité de l'organisation comme une question politique. Être représenté à sa juste valeur (mais laquelle ?) est une affaire d'image et de pouvoir, un moyen de s'assurer une certaine influence dans le jeu collectif ou de bénéficier de certaines contreparties. Mais c'est aussi une façon de reproduire un certain état du système international et de ses rapports de force au sein de l'organisation tout en l'autorisant à parler au nom d'un collectif. La question de la représentativité se présente sous différents aspects.

• Au niveau général de la constitution de l'organisation, il s'agit de savoir qui doit participer pour que l'organisation soit représentative de ce qu'elle prétend être : mondiale, régionale, européenne, non alignée, islamique, panafricaine, etc. On a déjà vu que les frontières du régional ou de l'universel sont variables, relatives et relèvent en définitive, de conventions politiques. Il en va de même pour toutes les OI : elles incluent en excluant. Ainsi de l'ONU dont l'universalité pourtant très généreuse s'arrête aux portes des peuples autochtones et des minorités appartenant à des territoires non souverains ou occupés et qui se sont dotés d'une organisation internationale propre (l'Organisation des nations et des peuples non représentés, UNPO, 1991. 53 membres en 2015). Les Nations unies représentent des États souverains comme la plupart des OI étudiées dans ce livre : leur représentativité est avant tout de nature interétatique, même si les sociétés s'invitent de plus en plus dans le débat. La représentativité d'une organisation est donc fonction de l'objet qu'elle se donne et que ses membres ont défini à leur guise. Dans ce cadre conventionnel, on pourra admettre que l'absence d'un acteur jugé influent ou significatif affecte la *représentativité* de l'organisation et probablement aussi sa *légitimité* à parler au nom du collectif qu'elle voudrait incarner ainsi que sa capacité d'action (son *efficacité*). En d'autres termes, la représentativité intègre à la fois la question de la légitimité et celle de l'efficacité [Louis, 2016]. Le cas le plus célèbre demeure la non-participation des États-Unis aux organes principaux de la SDN. L'absence de la Chine, des États-Unis et de la Russie à l'Assemblée des États parties au Statut de Rome affecte également sérieusement la représentativité de la Cour pénale internationale (CPI) ; peut-être un peu moins sa légitimité, mais certainement son efficacité. Pour autant, la représentativité d'une organisation peut rester une qualité assez formelle, sans grande conséquence politique. L'appartenance d'Israël, de l'Inde et du Pakistan à l'Agence internationale de l'énergie atomique (AIEA) n'empêche pas ces trois puissances nucléaires de ne pas avoir signé le Traité de non-prolifération nucléaire (TNP, 1968) dont le contrôle est pourtant devenu une des activités principales de l'Agence [Behar, 2009]. En fin de compte, et à ce stade, la représentativité d'une organisation dépend de ce que ses membres en font.

• Au niveau intermédiaire du fonctionnement de l'OI, la question de la représentativité renvoie principalement à celle de la distribution du pouvoir au sein de l'organisation. Elle concerne les représentants des États membres. On parlera de représentativité politique. C'est un peu le talon d'Achille des OI à vocation universelle, la source de toutes les contestations, le point de départ des discours sur le « système vicié de gouvernance mondiale » [Stiglitz, 2006, p. 58]. Trois institutions mondiales sont particulièrement visées : le Conseil de sécurité des Nations unies et deux institutions financières internationales (le FMI et la Banque mondiale).

Malgré le principe d'une « répartition géographique équitable » entre les dix membres non permanents du Conseil de sécurité (art. 23.1 de la Charte des Nations unies), c'est la position prédominante des cinq membres permanents qui cristallise les critiques. Dès 1955, certains membres, hostiles au droit de veto des cinq, avaient réclamé, au nom de « l'égalité souveraine des États » (article 2.1 de la Charte), une révision de la Charte et un élargissement du Conseil. Néanmoins, le Comité créé à cet effet s'est enlisé, tout comme le Comité spécial qui lui a succédé en 1975 ainsi que les différents organes subsidiaires mandatés par l'Assemblée générale. La révision des équilibres institués en 1945, en particulier au sein du Conseil, demeure une tâche politiquement extrêmement sensible. En témoigne encore récemment l'échec des tractations entreprises au cours du Sommet mondial de septembre 2005. Les formules suggérées alors par le secrétaire général (augmentation des membres permanents sans droit de veto ou de membres semi-permanents pour atteindre un effectif de 24 membres, partagé en quatre groupes géographiques : Afrique,

Asie-Pacifique, Europe et Amériques) n'ont pas trouvé d'issue favorable (v. *infra*, p. 166). Il ne fait pas de doute pourtant que la nécessité d'une réforme en faveur d'une meilleure représentativité du Conseil de sécurité est de plus en plus pressante. La disparition du monde post-bipolaire a accru les demandes de participation à la décision. De grands pays développés comme l'Allemagne et le Japon, des puissances dites émergentes (Brésil, Inde, Afrique du Sud, notamment) et les représentants des pays les moins avancés (PMA) ne veulent plus rester à l'écart en se contentant d'exécuter sans décider. En 2015, parmi les vingt contributeurs principaux de troupes en uniforme aux opérations de maintien de la paix, seuls trois siégeaient au Conseil de sécurité (un membre permanent, la Chine, et deux membres non permanents, le Nigéria et la Jordanie). Si le Conseil de sécurité doit conserver un rôle central dans le maintien de la paix et de la sécurité internationales, la question de son élargissement restera à l'ordre du jour. À défaut, le déficit de *représentativité* du Conseil risque de miner sa *légitimité* et son *efficacité*.

Ce sont les mêmes maux que déplorent les observateurs des institutions financières internationales. Les standards de « bonne gouvernance » que ces organisations imposent à de nombreux pays sont définis par le club des pays les plus riches. D'autres défauts ont été soulignés (une confiance excessive dans le marché, un manque de transparence, une confusion des intérêts entre le personnel des institutions et les firmes privées, etc.), mais c'est le manque de représentativité des organes de décision qui revient régulièrement dans les critiques. Selon une procédure d'adhésion comparable au FMI et à la Banque mondiale, l'allocation de quotas (fondés approximativement sur la taille de l'économie du pays membre dans l'économie mondiale) détermine le nombre de droits de vote. Après les réformes relatives à la répartition des quotas et des droits de vote en 2008 et 2010, les pays du G7 (États-Unis, Japon, Allemagne, France, Royaume-Uni, Italie, Canada) conservent plus de 40 % des voix au FMI.

La *représentativité* touche à la perception du caractère « juste » (ou « démocratique ») que se font les États de l'organisation à laquelle ils participent. Elle est un élément fort de la *légitimité* conférée à l'organisation. Les équilibres sont difficiles à bâtir et toujours plus ou moins conflictuels. Même là où l'intégration est relativement poussée, comme au sein de l'Union européenne, la répartition des postes (à la Commission) ou des sièges (au Parlement) est au centre des batailles institutionnelles. Il n'y a pas de solution simple. Le principe « un État-une voix », retenu dans le fonctionnement des organes pléniers des organisations de la famille des Nations unies (à commencer par l'Assemblée générale de l'ONU), sert souvent de référence. Mais dans un collectif de grande taille, il menace la décision de paralysie et ne plaide guère pour l'*efficacité*. En définitive, la réalisation des trois pôles du triangle de la fonctionnalité constitue – au cœur de la coopération internationale – une œuvre instable et toujours en mouvement.

• Au niveau élémentaire des OI, celui de leurs agents et non plus celui des représentants de leurs membres, on mentionnera enfin la question de la représentativité des fonctionnaires internationaux (qui évoque celle de la « bureaucratie représentative » au plan national [Dolan, Rosenbloom, 2003]) . Officiellement, c'est le recrutement sur la base des compétences qui doit prévaloir mais, dans un souci de représentation acceptable par tous les États membres, il est fréquemment pondéré par une clé de répartition géographique ou nationale. Cette pondération est plus ou moins présente selon le degré d'intégration de l'organisation. L'Union européenne réserve ses recrutements aux ressortissants des États membres, mais dans ce cadre, il n'y a pas officiellement de quotas de postes en fonction des nationalités. La représentativité géographique des 33 000 fonctionnaires et agents de la Commission est ainsi assez déséquilibrée : la Belgique occupe 16,7 % des postes, la France 9,7 %, l'Italie 11,6 %, l'Allemagne 6,7 %, le Royaume-Uni 3,6 %, la Pologne 4,4 % (chiffres complets pour 2015 [Commission européenne, 2015]). Ce qui ne soulève pas de contestations majeures au sein de l'UE n'en irait pas de même au sein des organisations de la famille des Nations unies où la perception que les États ont de leur représentation est encore très liée au recrutement de « leurs » fonctionnaires internationaux.

Le principe de la répartition géographique intervient déjà à plusieurs reprises dans la composition de certains organes de l'ONU. Ainsi l'élection des dix membres non permanents du Conseil de sécurité doit-elle prendre en compte « une répartition géographique équitable » (art. 23.1), ce qui a conduit à une distribution des sièges en cinq grands blocs régionaux (Afrique : 3 ; Asie : 2 ; Amérique latine et Caraïbes : 2 ; Europe occidentale et autres : 2 ; Europe orientale : 1). Mais ce cas de figure relève encore de la représentativité d'organes composés par des *représentants des États membres*. Il n'en va plus tout à fait de même avec l'élection des *juges* à la CIJ. Leur indépendance vis-à-vis des États est requise et les juges sont choisis principalement sur des critères de probité morale, de compétence et de notoriété. Il n'en demeure pas moins qu'il est souhaité que « dans l'ensemble, la Cour [représente] les grandes formes de civilisation et les principaux systèmes juridiques du monde » (art. 9 du Statut de la CIJ[1]). Ce vœu s'est traduit par une distribution des judicatures selon

1. Une formulation que l'on retrouve à peu de choses près à l'article 36.8 du Statut de Rome de la Cour pénale internationale (qui, rappelons-le, ne fait pas partie de l'ONU).

un principe de répartition géographique comparable à celui retenu par le Conseil de sécurité (plus généralement, sur l'influence croissante du critère de représentation géographique dans la composition des juridictions internationales [Szurek, 2011]).

S'agissant de *fonctionnaires représentant l'Organisation*, leur indépendance statutaire devrait normalement libérer leur recrutement de toutes considérations géographiques. Officiellement, celui-ci s'opère sur des critères de compétence et d'intégrité, mais l'article 101 de la Charte rappelle « l'importance d'un recrutement effectué sur une base géographique aussi large que possible ». En fait, sur les 41 000 agents sous contrat avec le Secrétariat général en 2014[1], la répartition est inégalitaire : les États-Unis représentent 6,30 % de l'ensemble, la France 3,58 %, le Royaume-Uni 2,25 % tandis que l'Inde ne représente que 1,45 %, la Chine 1,09 % et le Brésil 0,43 %. C'est pour corriger ces inégalités et assurer « une répartition équitable » que, dès 1948, l'Assemblée générale a institué un mécanisme de « fourchettes optimales ». Un nombre moyen d'emplois souhaitable par État est calculé à partir d'un indice composé, par ordre croissant d'importance, de la taille de la population (5 %), du statut de membre (40 %) et de la quote-part dans les contributions obligatoires (55 %). Le nombre d'emplois concernés est limité : environ 3 000 sur les 41 000 offerts par le Secrétariat, mais il s'agit de postes à responsabilités élevées (administrateurs et fonctionnaires de rang supérieur) et plus de 50 % des titulaires sont détenteurs d'un contrat permanent, ce qui est très largement au-dessus de la moyenne. En 2014, selon la classification adoptée par le Secrétariat des Nations unies, les pays développés occupent près de 58 % de ces emplois et les pays en développement, 42 %. Les équilibres évoluent peu, mais les classements officiels entre les non-représentés (ceux des États membres dont les nationaux n'occupent aucun emploi soumis à la répartition géographique, 15 en 2014), les sous-représentés (inférieur à la fourchette, 38), ceux qui sont dans la fourchette (120) et les surreprésentés (supérieur à la fourchette, 20), sont des documents politiquement sensibles. Leur présentation occupe une bonne partie du rapport du Secrétaire général sur la composition du Secrétariat [ONU, AG, 2014]. En se combinant avec la question de la représentativité des fonctionnaires par genre, qui a pris une importance nouvelle depuis quelques années (34 % de femmes dans l'ensemble du personnel du secrétariat dont 41,4 % parmi les administrateurs

1. Les chiffres de 2014 ne comprennent pas les agents des autres « entités apparentées » (UNICEF, HCR, PNUD, ONU-Femmes, etc.) qui sont un peu plus de 33 000. En 2014, le Secrétariat et les « entités apparentées » se composent donc d'environ 75 000 agents [ONU, 2014]. Si l'on ajoute les effectifs du FMI (2 600) de la Banque mondiale (10 000), de l'AIEA (2560), de l'OMC (639), de l'OIAC (500), l'ensemble se monte à plus de 90 000 agents auxquels il faudrait ajouter les vacataires et consultants employés par chaque organisation (40 000 par le Secrétariat général en 2012-2013).

de rang supérieur et 45 % des emplois soumis à la répartition géographiques), la représentativité géographique du personnel des Nations unies peut se prêter à de nombreux marchandages.

La clause géographique (ou nationale) dans le recrutement des personnels des OI favorise une certaine forme de *représentativité* et corrige certainement des inégalités politiques. Ses défenseurs diront qu'elle sert donc également la *légitimité* de l'organisation. Ses détracteurs y verront plutôt le risque de privilégier une égalité formelle sur l'*efficacité*.

Organisations internationales et communautés linguistiques

Comme entités multinationales, les OI sont confrontées au problème très concret de la langue qui sera utilisée dans leurs enceintes. En général, plusieurs *langues officielles* sont retenues pour la communication des OI (éditions des documents officiels, accès aux sites internet) : 6 langues au sein des Nations unies (anglais, arabe, chinois, espagnol, français, russe) avec toutefois des exceptions (2 langues officielles à la CIJ : anglais et français) ; 3 langues à l'OMC (anglais, espagnol, français), 2 langues à l'OCDE (anglais, français), etc. À l'UE, la « représentativité linguistique » est forte (24 langues officielles) et elle demeure ouverte à l'UA (outre 6 langues officielles, toute langue africaine peut obtenir ce statut).

L'éventail se resserre lorsqu'il s'agit d'identifier les *langues de travail*. Si, officiellement, il peut exister encore un certain pluralisme grâce aux services de traduction (6 langues de travail à l'Assemblée générale et au Conseil de sécurité des Nations unies ; 5 langues de travail à la FAO, 24 langues de travail au Parlement européen, etc.), en pratique, l'anglais domine les échanges, le travail des secrétariats et même la rédaction d'un bon nombre de documents officiels.

Face à cette hégémonie de la langue anglaise dans les organisations multilatérales, on note assez peu de résistance de la part des autres espaces linguistiques organisés (la Communauté des États ibéro-américains, la Communauté des Pays de langue portugaise ou la Ligue des États arabes) à l'exception de l'Organisation internationale de la francophonie (OIF).

Au terme d'un long cheminement intégrant plusieurs institutions et réseaux francophones, la francophonie acquiert une dimension politique lors du premier Sommet de la Francophonie en 1986 à Versailles. Le système va s'étoffer, se rationaliser et devenir officiellement l'OIF avec l'adoption d'une nouvelle Charte de la francophonie en 2005. L'objectif de l'organisation (ses instances politiques et ses opérateurs) consiste à promouvoir un rôle actif de la Francophonie sur la scène internationale (http://www.francophonie.org/). En revendiquant 274 millions de locuteurs francophones dans le monde (2015) et 80 États adhérents, l'OIF apparaît à la pointe du combat contre le « monolinguisme » dans les OI. D'abord, en veillant à « assurer au quotidien la place du français » dans les organisations internationales à travers un programme d'actions concrètes (exiger des interprétations simultanées, éviter les réunions informelles sans interprétation, favoriser la présence de francophones aux postes de responsabilité, etc. [OIF, 2012]). À cet effet, La francophonie dispose d'une Assemblée des Fonctionnaires Francophones des Organisations Internationales (AFFOI). Ensuite, en montrant que

la langue française peut être une ressource utile pour l'efficacité opérationnelle des OI (ainsi pour les opérations de paix en territoires francophones [Ramel, 2012]). Mais, plus généralement et de manière moins défensive, il s'agit aussi d'afficher la volonté de servir « la diversité culturelle » au service du plus grand nombre : la Convention de l'UNESCO sur la protection et la promotion de la diversité des expressions culturelles (2005) est largement due à une initiative franco-canadienne relayée par la communauté des pays francophones. Cette convention reconnaît la nature spécifique des biens culturels. Elle leur accorde un droit à la protection au plan national parce qu'elle ne les réduit pas à leur valeur marchande : un texte dont la coexistence avec les accords de libre-échange a été contestée, ce qui a justifié le refus des États-Unis de le signer.
Sans sous-estimer l'apport de la Francophonie dans le débat sur le multilinguisme et la diversité culturelle, ni négliger le rôle que la diplomatie française peut tirer de ce vecteur d'influence, il faudrait la mobilisation de toutes les communautés linguistiques pour réduire le penchant des OI à l'unilinguisme et les risques de « la pensée unique » qui l'accompagne [Hagège, 2012].

La décision collective

Une organisation est une entité où se prennent des décisions : des choix sont effectués, des actions sont sélectionnées parmi une gamme d'options possibles. Choisir de ne pas choisir est aussi une décision. La particularité de l'OI par rapport à d'autres organisations réside dans le fait que la décision implique un grand nombre de participants et qu'elle est toujours collective. C'est le premier défi. Le second est relatif à la portée de ce qui a été décidé.

Le défi du nombre

Le constat est devenu banal. La croissance du nombre des acteurs gouvernementaux et non gouvernementaux a rendu les phénomènes internationaux beaucoup plus complexes. La décision collective internationale en est une illustration remarquable. Comme dans toute organisation, la décision s'entend comme un processus et non comme un événement isolé. Mais au sein des OI, les négociations se mènent nécessairement à des niveaux multiples et la tâche principale pour éviter le blocage du processus consiste à réduire la complexité.

La décision se construit au cours de nombreuses négociations. Celles-ci se déroulent schématiquement à trois niveaux : au sein des États membres, entre eux et, le cas échéant, avec d'autres acteurs internationaux (ONG, experts, entreprises, lobbies, etc.). En pratique, toutes les négociations sont mêlées. Les positions arrêtées par les délégations sur la base d'instructions nationales sont confrontées entre elles, mais constamment ajustées en fonction de la dynamique de la négociation : c'est la diplomatie « à double niveau » qui conduit les diplomates négociateurs à entretenir un lien permanent entre la négociation telle qu'elle se déroule au plan international et l'état des instructions au plan national [Putnam, 1988]. Lors de l'adoption de résolutions au Conseil de sécurité des Nations unies, les représentants des États membres (notamment ceux des cinq permanents) restent ainsi en étroit contact avec leur administration centrale et parfois en contact direct avec leur ministre ou avec le Chef de l'exécutif. Dans des collectifs de grande taille et sur des objets complexes, les négociations intergouvernementales peuvent durer plusieurs années (par exemple, les « rounds » ou cycles des négociations commerciales internationales ou les négociations sur le changement climatique dans le cadre de la Convention des Nations unies du même nom ; moins longs, mais tout aussi laborieux, les fameux « marathons européens » pour la négociation des prix agricoles au sein de l'Union européenne). La négociation globale en assemblée plénière est fréquemment fractionnée en plusieurs négociations sectorielles ou thématiques. L'idée directrice est de parvenir à un accord sous forme de conclusions donnant au président du groupe de travail un mandat pour préparer une documentation ou un projet de nature à faciliter les négociations et la décision entre les parties. Au fil de la négociation du cycle de Doha au sein de l'OMC, ces organes subsidiaires ont été très nombreux : Comité de l'agriculture, Conseil du commerce et des services, Groupe de négociation sur l'accès au marché (NAMA), Conseil des ADPIC (propriété intellectuelle), Groupe de négociation sur les règles de l'OMC, etc. Mais lorsqu'il reste trop formel, comme ce fut le cas durant le cycle de Doha, ce fractionnement demeure incapable à lui seul de définir les termes d'un accord global [Petiteville, 2014]. Il n'en demeure pas moins que la négociation multilatérale possède ses spécificités : elle pousse plutôt au compromis en favorisant la recherche d'intérêts convergents [Devin, 2014].

Parallèlement, les acteurs non gouvernementaux se mobilisent. De multiples manières, ils participent au processus décisionnel. Conviés comme experts, témoins ou représentants de certains intérêts lors d'auditions ou de sessions de travail, ils peuvent aussi s'inviter aux négociations. Ainsi la Coalition internationale des ONG pour la Cour pénale internationale suit-elle attentivement les débats de l'Assemblée des États parties ; son équipe sur le budget et les finances, par exemple, n'hésite pas à intervenir auprès des États pour les convaincre de donner à la Cour les moyens financiers suffisants d'exercer son mandat. Les grandes ONG internationales (Amnesty, Oxfam, Médecins sans frontières, etc.) ont des représentants permanents auprès de l'ONU pour appuyer le vote de certaines résolutions de l'Assemblée générale ou même éclairer les débats du

Conseil de sécurité lorsqu'elles y sont invitées. Il en va de même auprès de toutes les OI. Au sein de l'Union européenne, l'importance du processus décisionnel (compte tenu des règles contraignantes qui en sont issues) n'est ignorée d'aucun de ceux qui ont des intérêts à défendre à Bruxelles : entreprises, syndicats, services publics, gouvernements. Il leur faut posséder dans les détails non seulement l'équilibre résultant des traités entre les trois institutions de la Communauté européenne – Conseil, Commission, Parlement –, mais la façon dont se déroule le jeu institutionnel entre ces trois instances et comment s'élabore la décision à l'intérieur de chacune d'elles. D'où le développement formidable du lobbying autour des organes communautaires pour repérer le lieu et le niveau d'intervention pertinents et influer sur la décision [Courty, Devin, 2010].

• Parmi les acteurs qui participent officiellement à la décision, c'est la diversité des préférences individuelles qui l'emporte le plus souvent. Le degré d'homogénéité est rare, y compris au sein de l'Union européenne où les membres se réclament pourtant des mêmes valeurs. La tâche indispensable consiste donc à rapprocher les points de vue et à coordonner les attentes. Face au défi du nombre, il faut réduire la complexité. La procédure apparaît ici comme un ensemble de dispositifs tendant à simplifier le processus de négociation : secrétariat pour l'organisation, présidence, comités et sous-comités, organisation des débats, etc. L'objectif est de favoriser l'émergence d'un leadership, la négociation en petits groupes, la différenciation des rôles. Dans cette réduction de la complexité, le multilatéral devient souvent plurilatéral, voire bilatéral, avant de redevenir multilatéral en assemblée plénière. Certaines décisions sont officiellement organisées sur ce principe. Ainsi la décision d'admission d'un nouveau membre à l'OMC sera-t-elle précédée d'une série de négociations bilatérales avec les principaux membres de l'organisation avant que celle-ci ne statue collectivement. On parlera de « bilatéralisme multiple ». Plus centralisée est la procédure inverse, celle du « bilatéralisme collectif », qui consiste à ce que l'OI négocie en tant que telle avec un État particulier. L'Otan y recourt fréquemment pour déterminer le périmètre et le contenu de ses partenariats avec des pays non membres. L'Union européenne la pratique également pour réaliser ses élargissements et définir sa politique de voisinage. Le « bilatéralisme collectif » est particulièrement net dans le fonctionnement des institutions financières internationales. Chacun des pays demandant un aménagement de sa dette, un prêt, de nouvelles facilités, chacun des pays négociant un programme d'ajustement structurel se retrouve dans une négociation bilatérale le laissant seul en face d'une puissante machine collective : FMI, Banque mondiale, banques régionales, clubs de créanciers. Avec le « bilatéralisme multiple » et « collectif », on perçoit le caractère souvent asymétrique de ces dispositifs visant à réduire la complexité. C'est aussi le risque des arrangements informels qui tendent à faciliter la prise de décision : celle-ci se prépare entre pays leaders, entre délégations influentes, au détriment des délégations moins bien dotés, même si le secrétariat des organisations veille souvent à leur apporter un soutien logistique et une expertise technique. Les négociations à l'OMC ont ainsi rendu célèbres les « *green rooms* » (salles vertes), présidées par le directeur général de l'Organisation et réunissant 30 à 35 représentants de membres, mais aussi un foisonnement de réunions informelles aux formats multiples (réunions restreintes à une vingtaine de délégations, consultations informelles présidées par les présidents des principaux groupes de négociation, « confessionnaux » des présidents en tête à tête, etc.), sans parler des nombreuses réunions internes aux coalitions : groupe de Cairns (pays exportateurs de produits agricoles), G4 (Afrique du Sud, Brésil, Chine, Inde), G10 (pays importateurs de produits agricoles), G20 (leadership des pays émergents), G33 (pays en développement), G90 (Afrique, Caraïbes et PMA), UE, etc. Au cours de la relance des négociations commerciales du cycle de Doha en juillet 2008, le directeur général de l'OMC avait choisi de réunir les sept premières puissances commerciales (États-Unis, Union européenne, Australie, Chine, Brésil, Inde et Japon) pour préparer les termes d'un accord global (qui ne furent pas trouvés) : le cercle des « décideurs » s'élargissait (au-delà de la seule « quadrilatérale » : UE, États-Unis, Canada, Japon), mais plus de 140 pays restaient à l'écart. Il n'y a pourtant pas de solution miracle : la négociation de dossiers complexes à un grand nombre est difficile voire impossible. Le secrétariat de l'OI doit chercher à simplifier le processus de décision quitte à malmener sa *représentativité* et sa *légitimité* au nom de l'*efficacité*. Lors de la négociation du protocole de Carthagène (prévention des risques biotechnologiques, 2000), il fut ainsi décidé de faciliter le déroulement des discussions en ne faisant intervenir que les représentants d'alliances diplomatiques traditionnelles et d'autres groupes d'États dans le domaine de l'environnement et du développement (UE, JUSCANZ[1], groupe des 77, PECO, économies en transition, plus quelques indépendants). Au lieu d'être placé par ordre alphabétique, les délégués étaient regroupés par coalitions autour du président de séance. Cet arrangement (dit « arrangement de Vienne ») visait à gagner du temps, à clarifier les enjeux et à favoriser la formation d'alliances [Le Prestre, 2005, p. 210]. Mais la réduction de la complexité consiste aussi à se satisfaire d'un accord *a minima*. Pour obtenir, en décembre 2013, un accord commercial mondial, après douze années de blocage, la négociation du cycle de Doha a dû ainsi être réduite à trois sujets (facilitation des

1. Japon, États-Unis, Canada, Australie, Nouvelle-Zélande.

échanges, agriculture, aide au développement) soit environ 10 % du projet initial. Ici, avec un accord limité et assez vague, c'est moins l'*efficacité* de l'organisation (OMC) qui est recherchée que le maintien de sa *légitimité* à produire des normes commerciales mondiales.

Dans la diversité des conduites adoptées par les États membres au cours de ces négociations préalables à la décision, certains auteurs ont identifié des rôles types (pour des négociations sur la protection internationale de l'environnement, voir Porter et Brown cité par [Le Prestre, 2005, p. 99-102]) : États chefs de file, États suivistes (rôle d'appui), États balanciers, États bloqueurs. D'autres typologies ont été proposées [Cox, Jacobson, 1973]. La systématisation est délicate. Non seulement le rôle d'un État varie d'une négociation à l'autre, mais également au cours de la même négociation. Au cours des négociations du cycle de Doha, l'Inde a pu se présenter, tour à tour, comme un « État chef de file », parlant au nom des pays en développement et un « État bloqueur » dont l'exigence de clauses de sauvegarde aux importations agricoles a enrayé le processus en juillet 2008 avant d'être acceptée à l'arraché en décembre 2013 ; le Brésil, également « chef de file » dans les mêmes négociations, au nom des pays émergents, a surtout joué un rôle d'intermédiaire pour tenter de sauver le processus.

Le risque de l'insignifiance

Le formalisme inhérent à toute grande administration est accentué par le caractère multilatéral des organisations intergouvernementales et le respect du principe de « l'égalité souveraine » des États membres. Là où s'applique le dispositif « un État – une voix », la rationalité procédurale a tendance à l'emporter sur la rationalité substantielle. Dans les organisations de la famille des Nations unies où les phénomènes de groupe et de coalitions ont tendance à « déresponsabiliser » les acteurs individuels, l'enjeu du débat sur le fond finit souvent par être perdu de vue. La « Résolution assimilant le sionisme au racisme » en est une illustration fameuse. Par le jeu mécanique de la pression du nombre et sans grande réflexion sur les implications du vote, l'Assemblée générale l'adopte en 1975 et l'annule seize ans plus tard.

La machine onusienne est devenue si lourde que les véritables décisions sont concentrées entre les mains du Conseil de sécurité. Le Conseil économique et social (Ecosoc) n'a jamais coordonné avec autorité les activités économiques et sociales de l'ONU. Quant à l'Assemblée générale, elle multiplie les déclarations et les recommandations dans une relative indifférence. Au cours de sa 68e session (2013-2014), l'Assemblée générale a adopté 310 résolutions : fort peu sont des décisions à effet direct (hormis les décisions financières). Nombreuses sont celles où l'Assemblée « prie », « constate », « réaffirme », « encourage » et « recommande » sur les sujets les plus divers : de « l'édification d'un monde pacifique et meilleur grâce au sport et à l'idéal olympique » (6 novembre 2013) à la sauvegarde du climat mondial (20 décembre 2013), en passant par « l'amélioration de la sécurité routière mondiale » (10 avril 2014). La plupart de ces résolutions sont adoptées sans vote (80 % dans la session citée).

La pratique du consensus est fréquente dans les OI. On l'assimile souvent à leur inefficacité : d'un côté, il y aurait les organisations qui tranchent à la majorité et qui décident et, de l'autre, celles qui bavardent et se complaisent dans la rhétorique. En ce sens, le consensus serait une forme d'unanimité passive propre aux situations d'indifférence : les États membres accepteraient, sans opposition expresse, des décisions vidées de toute substance, réduite au plus petit dénominateur commun et dont ils savent bien qu'elles seront sans conséquence. Il est indéniable que ce cas de figure existe. Lorsque l'Assemblée générale des Nations unies adopte sans vote, comme dans le cas cité plus haut, une résolution sur « l'amélioration de la sécurité routière mondiale » ou sur « la mise en valeur des ressources humaines » (30 décembre 2013), le consensus est sans grande signification. Le texte en reste au stade des principes généraux et des vœux, ce qui n'est pas sans importance, mais peu mobilisateur comparé aux questions politiques qui font l'actualité : admettons donc que le consensus est largement passif. Il nous paraît, néanmoins, que cet exemple ne résume pas la situation générale.

D'une part, au sein même de l'Assemblée générale, d'assez nombreuses résolutions sont adoptées à la suite d'un vote (en moyenne 22 % sur la période 2007-2014 ; 20 % au cours de la session 2013-2014). Toujours dans notre exemple, ces résolutions sont toutes celles qui touchent à des questions politiques immédiates et sensibles : droits des Palestiniens et politique israélienne dans les territoires occupés ; situation des droits de l'homme dans certains pays (Abkhazie, Bélarus, Birmanie, Corée, Iran, Syrie), désarmement et non-prolifération nucléaire, commerce et développement. Ici, les clivages (souvent Nord-Sud, même si cette opposition est trop réductrice) sont marqués. Il y a un débat politique fort alors même que les résolutions ne sont pas contraignantes et souvent assez répétitives d'une année sur l'autre. Le consensus mou n'a pas entièrement envahi les grands forums intergouvernementaux.

D'autre part, le consensus peut être une condition que les États s'imposent à eux-mêmes pour prendre des décisions vis-à-vis desquelles ils ne veulent pas abandonner leurs prérogatives. L'unanimité requise peut être paralysante (ce qui a été maintes fois reproché à l'ONU), mais elle est jugée préférable à une anarchie de plus grande ampleur. Ainsi en va-t-il de l'unanimité des cinq permanents du Conseil de sécurité pour les décisions relatives au maintien de la paix et de la sécurité internationales ou de l'unanimité du Conseil de l'Union européenne pour les matières « non communautarisées » (PESC, fiscalité, notamment). En pratique, la règle est assouplie soit en considérant que l'abstention ne suffit pas à bloquer la décision (Conseil de sécurité, UE), soit par des réserves ou des déclarations d'interprétation, soit encore en admettant la formule du « consensus moins un » : la position négative est bien enregistrée, mais son titulaire renonce à son pouvoir de blocage. Inaugurée lors des négociations de la Conférence sur la sécurité et la coopération en Europe – CSCE, 1973-1975 –, la formule s'est étendue à d'autres OI (comme l'Agence internationale de l'énergie dans le cadre de l'OCDE). Il n'y a donc pas ici de consensus passif, mais des adhésions plus ou moins réservées.

Enfin, le consensus peut être souhaité pour des raisons fonctionnelles : créer les meilleures conditions pour l'application et le respect des décisions. On constate que, même là où la majorité peut imposer des décisions contraignantes, la recherche du consensus est toujours privilégiée (au sein du Conseil de l'Union européenne, par exemple). Ce consensus participatif est une réalité quotidienne dans les OI spécialisées. Celles-ci édictent des normes, par exemple, en matière de santé (OMS, *Codex Alimentarius*), de travail (OIT) ou de sécurité aérienne (OACI) : normalisation de la terminologie et de la nomenclature se rapportant au diagnostic, au traitement ou à la prophylaxie des maladies ; santé des consommateurs ; travail des enfants, contrôle des conditions de travail ; certification des aéroports, qualification des pilotes, enquête sur les accidents ; etc. Ces normes, préparées par des groupes d'experts et adoptées au terme d'un processus qui peut prendre plusieurs années, ne valent que si elles sont appliquées par les États. Il n'existe pas de mécanisme parfaitement contraignant et les États peuvent toujours s'opposer à l'entrée en vigueur d'une norme ou se soustraire aux contrôles. Le consensus est ici une condition de *l'efficacité* (ainsi en va-t-il également pour les milliers de normes techniques concernant les activités économiques les plus diverses et adoptées par l'Organisation internationale de normalisation – ISO – depuis 1947). Bien entendu, la nature de ces compromis ne doit pas être considérée naïvement. À force de concessions, certains textes deviennent d'interprétation très délicate et leur effectivité renvoie au contrôle de leur mise en œuvre (comme c'est souvent le cas des traités sur les droits de l'homme ou des traités sur le désarmement). Par ailleurs, le poids des États les plus influents, des grandes entreprises, des coalitions hégémoniques ou de la majorité joue souvent un rôle décisif dans le ralliement

« consensuel », mais le consensus n'est pas pour autant une unanimité de façade.

En fin de compte, le consensus mou ou l'adhésion passive sont liés à l'objet de la décision collective. Lorsqu'elles sont trop formelles et coupées de prolongements opérationnels, les délibérations débouchent au mieux sur des « décisions caoutchouc » (comme on parlait des « motions caoutchouc » au sein de la IIe Internationale, 1889-1914) : réduites à quelques principes généraux, sans portée pratique et acceptées dans l'indifférence. Nous pensons avoir montré que toutes les décisions des grandes organisations intergouvernementales ne s'y réduisent pas. Mais il est vrai que le risque de l'insignifiance est inévitable. Il renvoie à l'hétérogénéité du système international, à l'état somme toute peu avancé de la coopération internationale et au sentiment encore vivace qu'il est possible de s'en passer.

L'efficacité de l'action

Officiellement, les OI sont censées remplir des fonctions. La notion de « fonction » est d'une interprétation délicate : elle se prête à un biais objectiviste, comme si les fonctions pouvaient exister indépendamment des stratégies des acteurs qui les travaillent [Devin, 2007]. Cette mise en garde étant faite, nous retiendrons tout de même l'idée que l'on attend des organisations internationales gouvernementales qu'elles satisfassent certains besoins. Pour y répondre, les instruments ont eu tendance à se multiplier en rendant la tâche de leur évaluation de plus en plus difficile.

Fonctions principales et agences multiples

Dans la diversité de leurs activités, les OI poursuivent quatre missions principales.

• *Définir et stabiliser les droits de propriété des acteurs internationaux.* La stabilité des échanges suppose que ces droits ne soient pas définis de façon unilatérale par des acteurs en compétition, mais qu'ils soient fixés et reconnus d'une manière collective. Les toutes premières organisations internationales – les Commissions fluviales du Rhin et du Danube, les unions administratives – ont été créées dans cette perspective. Une grande partie des organisations internationales intergouvernementales a encore pour mission de définir l'étendue des droits de chacun ainsi que leurs modalités d'exercice en termes d'usage et de responsabilité, qu'il s'agisse de la mer (Organisation maritime internationale), de l'air (Organisation de l'aviation civile internationale), de l'espace et des télécommunications

(Union internationale des télécommunications), de la propriété intellectuelle (Organisation mondiale de la propriété intellectuelle), etc. La façon dont les grandes OI sont investies du rôle de gardiennes du droit relève aussi, pour partie, de ce type de service. L'ONU est censée faire respecter « l'égalité souveraine », « l'intégrité territoriale et l'indépendance politique de tout État » (art. 2 de la Charte). La Commission européenne est gardienne de la légalité communautaire et veille au respect des règles de la concurrence entre entreprises.

• *Gérer les problèmes de coordination.* De nombreux objets de négociation internationale concernent ce que nous appelons des « biens collectifs mondiaux ». Il s'agit, d'une part, de ce que la théorie économique définit comme des « biens publics » : des biens dont la consommation par les uns n'enlève rien aux autres. La paix, la pureté de l'air, la santé sont des biens qui restent disponibles quel que soit le nombre de ceux qui en bénéficient. Ce sont aussi des biens communs qui, par leur nature, peuvent profiter à d'autres consommateurs qu'au consommateur initial : l'absence de pollution radioactive, par exemple, ne bénéficie pas qu'aux seules puissances nucléaires. Les biens collectifs mondiaux comprennent, d'autre part, des biens dits « communaux ». Ceux-ci sont d'accès libre, tout comme les biens publics, mais ils s'en distinguent par le fait qu'ils sont rivaux, c'est-à-dire que leur consommation par les uns « diminue la capacité des autres d'en faire usage » (les ressources naturelles en général) [Le Prestre, 2005, p. 19-23].

Sans négliger le fait que le caractère plus ou moins collectif de ces biens est déterminé par les acteurs les plus puissants du système international [Smouts, 2002], leur mise à l'agenda des négociations internationales révèle des objectifs convergents (éviter une catastrophe nucléaire, empêcher des pollutions, enrayer la diffusion de maladies contagieuses, limiter les conflits, etc.). Les OI sont des lieux où, parmi les moyens inégaux, les intérêts contradictoires et les stratégies différentes, les acteurs tentent de coordonner leurs comportements.

En premier lieu, les OI réduisent le coût des échanges internationaux. Le Gatt (puis l'OMC), le FMI, l'OECE (puis l'OCDE) et toutes les organisations de libre-échange ont été créées à cette fin. Les organisations à vocation économique et commerciale cherchent à coordonner l'action des participants de façon à rendre moins lourd le coût de la circulation des biens et des monnaies. La marche en avant de l'Union européenne y trouve une de ses principales justifications.

Sur le plan diplomatique, les OI sont des lieux dans lesquels les petits pays qui n'ont pas les moyens d'entretenir un réseau diplomatique à l'échelle planétaire peuvent mener une grande partie de leur politique étrangère.

Le coût de certaines interdépendances est trop lourd pour être assumé seul. Aucun État ne peut prétendre résoudre individuellement les problèmes posés par les « biens collectifs », la paix, l'environnement, la santé mondiale, etc. On demande aux OI d'aider à partager le fardeau. Toute la problématique des opérations de maintien de la paix (OMP) est tributaire de ce genre de considérations : dans un monde où les menaces ne viennent pas seulement des guerres interétatiques mais aussi des conflits intra-étatiques, l'intervention attendue des OI est le moyen recherché par les grandes puissances pour partager une responsabilité qu'elles ne veulent pas assumer seules (au Liban, en Haïti, au Sahara occidental, en Côte d'Ivoire, au Soudan, etc.).

En second lieu, les OI réduisent les coûts de l'information. Aucun État ne pourrait réunir à lui seul la somme d'informations réunies par les OI dans les domaines de leur compétence : prévisions météorologiques, état de la démographie mondiale, situation alimentaire en Afrique, circulation des criquets pèlerins, réapparition du paludisme, exploitation de la main-d'œuvre enfantine, perspective de croissance, prolifération nucléaire, évasion fiscale, etc. Les OI augmentent la quantité d'informations mises à la disposition des acteurs publics et privés, à la fois sur l'état de la situation et sur ce que les autres acteurs font ou envisagent de faire. Elles peuvent également améliorer la qualité de ces informations. Une grande rivalité existe sur ce point entre les organisations et parfois entre les organisations, les États et les ONG. Par exemple, les travaux de la Banque mondiale, qui s'est autoproclamée le meilleur expert en matière économique sans être sérieusement contestée, ont éclipsé tous les autres dans les années 1980-1990. Le nombre et la qualité de leurs agents donnaient aux services de la Banque l'avantage sur maints services d'étude nationaux. La France dont « l'expertise » sur les pays d'Afrique francophone était restée longtemps sans équivalent, n'a pas résisté à cette concurrence : lorsqu'elle n'est pas dictée par des considérations échappant aux relations normales d'État à État, la politique de coopération française en Afrique s'appuie en grande partie sur des données élaborées par la Banque (ou par la Commission européenne).

L'impératif de qualité fait partie de l'image d'une organisation et par conséquent de son crédit. La CNUCED, par exemple, n'est plus vraiment une instance de négociation. Elle s'est transformée en un grand bureau d'études spécialisé dans les rapports internationaux entre le Nord et le Sud, rehaussant ainsi son statut par la bonne qualité de ses travaux qui, sur bien des points, la rendent compétitive avec la Banque mondiale. Il en va de même pour le « Département des Affaires économiques et sociales » du Secrétariat des Nations unies qui fait autorité en matière de statistiques économiques. L'OCDE, de son côté, fonctionne comme un *think thank* à l'usage des gouvernements développés.

Chacun sait, cependant, que la nature des informations données par une OI est tributaire de ses intérêts bureaucratiques et de son idéologie (c'est-à-dire des intérêts et de l'idéologie de son personnel, adhérant souvent, *via* des formations académiques proches, aux mêmes représentations du monde : un reproche fréquemment adressé aux institutions financières internationales) [Martin, 2015]. Il n'est pas rare que les rapports d'enquête de l'ONU sur tel ou tel pays soient autocensurés pour ne pas déplaire au pays en question (en juin 2009, la minoration du nombre des civils tués lors de l'offensive du gouvernement sri-lankais contre les Tigres tamouls : « Tout le monde a peur que son agence soit jetée dehors » expliquait alors une fonctionnaire, *Le Monde*, 29 juin 2009). Parfois, faute de statistiques fiables sur la comptabilité nationale d'un pays, les experts des institutions financières internationales les plus cotées préfèrent « bricoler » leur rapport tant bien que mal plutôt que d'avouer un manque de données. Il peut arriver également qu'une même organisation publie à peu de temps d'intervalle des rapports de tonalité très différente sur le même sujet (cela s'est vu dans les rapports de la Banque mondiale sur l'Afrique). À la veille de la Conférence internationale sur la population en septembre 1994, la Division de la population de l'ONU et le Fonds des Nations unies pour la population (FNUAP) ont publié des estimations divergentes sur l'évolution de la démographie mondiale : la première est un organisme d'études dont les projections font autorité depuis cinquante ans et qui est financé par le budget régulier de l'ONU ; le second est un fonds créé par l'Assemblée générale des Nations unies (1969) pour remplir une mission politique et sociale d'assistance aux pays en développement en matière de planification familiale et dont le financement repose sur les contributions volontaires des États. La première a publié des statistiques mettant l'accent sur le ralentissement du taux de croissance de la population mondiale ; le second a mis en avant les projections d'accroissement démographique les plus alarmistes justifiant à la fois son existence et une augmentation de son budget.

• *Reconstruire les économies des systèmes politiques.* Les grandes organisations internationales mises en place dans l'après-Seconde Guerre mondiale avaient pour mission d'aider à la reconstruction des économies ravagées par la guerre, mais dans l'esprit de leurs fondateurs, il n'était pas question qu'elles se substituent aux autorités politiques. La souveraineté et la non-intervention dans les affaires intérieures restaient la pierre angulaire des rapports internationaux, confortées par l'article 2, § 7 de la Charte des Nations unies : « Aucune disposition de la présente Charte n'autorise les Nations unies à intervenir dans les affaires qui relèvent essentiellement de la compétence nationale d'un État ni n'oblige les membres à soumettre les affaires de ce genre à une procédure de règlement aux termes de la présente Charte. » Depuis les années 1990, les organisations internationales se voient désormais priées de prendre en charge des régulations sociales, économiques, politiques, traditionnellement assurées par les acteurs internes. C'est une grande nouveauté du monde post-bipolaire. Dès 1991, les Nations unies dépêchaient au Cambodge une importante opération de maintien de la paix afin de reconstruire de toutes pièces un pacte social depuis longtemps rompu. Depuis, les interventions se sont multipliées (Somalie, Rwanda, Timor-Leste, Liberia, Haïti, RDC, Côte d'Ivoire, Mali, Centrafrique, Soudan du Sud, etc.) pour tenter, avec des succès divers, de consolider les institutions et enrayer les conflits internes (v. *infra*, p. 190 *sq.*). Au plan économique et financier, l'aide des institutions compétentes s'est également traduite par une intervention de plus en plus marquée dans les trajectoires politiques et économiques des pays bénéficiaires. La BERD en direction des PECO et des pays d'Asie centrale ; les institutions de Brettons Woods vers les pays en développement. Au sein de l'Union européenne, ce sont des dispositifs financiers renforcés (Fonds structurels et Fonds de cohésion) qui orientent significativement les politiques régionales des États membres et instaurent des instruments de gestion de crise (Mécanisme européen de stabilité pour la zone euro).

• *Protéger contre les perturbations de l'environnement international.* Cette demande est probablement la mieux partagée. Elle englobe toutes les autres. L'entrée dans une OI est vécue comme une sorte d'assurance sur l'avenir. Malgré tous leurs échecs, les organisations restent perçues comme un lieu de protection où l'on pourrait, sinon prévenir les conflits, du moins les gérer, les atténuer, empêcher qu'ils se propagent. Les organisations internationales agiraient comme modérateurs de puissance. Il est vrai qu'elles peuvent amortir les chocs. Imagine-t-on ce qu'aurait été le bouleversement de la réunification allemande sans l'existence de la Communauté européenne ? Les OI peuvent également contribuer à circonscrire les conflits : l'ONU et l'Otan s'y sont employées en ex-Yougoslavie (en 2015, l'ONU, l'Otan, l'UE et l'OSCE s'y emploient toujours au Kosovo). La prolifération des organisations de sécurité en Europe depuis 1989, la recherche d'une redéfinition des tâches de l'Otan (son élargissement comme celui de l'Union européenne), témoignent de ce besoin multilatéral de sécurité.

Les OI sont considérées comme un filet de sécurité. L'opinion commune attend d'elles qu'elles rendent le monde moins dangereux et un peu plus juste. C'est aussi le discours officiel des États influents et/ou majoritaires qui ont, depuis 1945, au gré des conjonctures et de leurs intérêts du moment, multiplié la création de nouvelles organisations.

L'évolution du nombre des organisations internationales

	1909	1956	1960	1968	1981	1985	1987	1992	2000	2008	2013
OIG	37	132	154	222	337	378	311	286	243	247	265
ONG	176	973	1255	1899	4265	4676	4546	4696	6357	8003	8842

Source : Yearbook of International Organizations (YIO), 1992/1993-2013/2014.

Ce tableau inclut les Fédérations d'OI, les organisations à vocation universelle, les organisations intercontinentales et régionales. Il n'inclut pas ce que le YIO appelle les « organisations de forme spéciale » (par exemple les Institutions financières internationales). Si l'on ajoute cette catégorie, les chiffres sont plus élevés. Pour 2013 : 980 (OIG) et 13 234 (ONG).

À suivre l'organigramme officiel, on recense en 2015 : 18 institutions spécialisées et organisations apparentées, plus de 35 fonds, programmes et organes subsidiaires de l'Assemblée générale, du Conseil de sécurité et de l'ECOSOC, 25 départements et bureaux du secrétariat, 5 commissions régionales et 6 instituts de recherche et de formation. La famille des Nations unies a connu une croissance notable.

Si la plupart des institutions spécialisées ont une longue histoire, parfois antérieure à l'ONU, ce sont les fonds, les programmes, les organes consultatifs, les instituts de recherche et autres secrétariats de conventions qui ont proliféré depuis les années 1960. La raison est à chercher du côté des États membres qui tantôt cherchent à contourner les institutions existantes pour mieux se positionner (les pays en développement avec la création du CCI, 1964, de la CNUCED, 1964, ou du FNUAP, 1969), tantôt à se doter d'instruments pour mieux contrôler ce qu'ils perçoivent comme de nouveaux « défis » (situation alimentaire, PAM, 1963 ; environnement, PNUE, 1972 ; habitat, UN-Habitat, 1978 ; changement climatique, UNFCCC, 1994 ; désertification, UNCCD, 1997 ; drogues, UNODC, 1997 ; etc.). Cet empilement de structures qui pose déjà de redoutables problèmes de coordination est aggravé par le fait qu'il repose sur des ressources financières très limitées et un personnel en nombre restreint compte tenu de l'ampleur des tâches. Pour l'ensemble de ses missions (hors opérations de maintien de la paix), le budget ordinaire de l'ONU pour l'exercice biennal 2013-2014 se monte à 5,5 milliards de dollars US (4,9 milliards d'euros), soit environ 2,7 milliards de dollars par an (2,4 milliards d'euros) : 0,15 % des dépenses mondiales d'armement (2013, source SIPRI) ou 6 % du budget français de la défense. Le budget ordinaire de l'ONU est environ égal au tiers de celui de la Ville de Paris (2014-2015) et les 75 000 agents employés par le Secrétariat et les entités apparentées représentent à peine 1,5 % de la fonction publique française (pour mémoire, la Commission européenne emploie environ 33 000 agents, 2015). Il faut néanmoins indiquer que chacune des entités apparentées (HCR, PNUD, PAM, etc.) et chaque institution spécialisée (OMS, FAO, OIT, etc.) dispose de son propre budget. L'ensemble (y compris les budgets administratifs des institutions de Bretton Woods et de l'OMC) pourrait dépasser les 40 milliards de dollars (45 milliards d'euros), soit moins de 3 % des dépenses d'armement dans le monde (2013).

Dans ces conditions, il n'y a pas vraiment lieu de s'étonner du décalage existant entre les espérances placées par l'opinion commune dans l'action onusienne et l'impression d'un certain saupoudrage multilatéral. La déception vaut également pour la plupart des OI. Peut-on pour autant parler d'inefficacité ?

La mesure incertaine des performances

L'efficacité est à la fois la capacité de produire un effet et la capacité de produire le maximum de résultat avec le minimum de coût (ce que les économistes appellent parfois « l'efficience »). Elle vise les relations de l'organisation avec son environnement, la façon dont elle contribue à modeler le système international, dont elle s'adapte à ses transformations. Elle implique aussi les caractéristiques internes de l'organisation, la manière dont elle prend ses décisions, dont elle gère ses programmes, dont elle favorise la coopération et la circulation de l'information entre ses membres.

Des critères variables

Les critères permettant de mesurer les performances internes d'une organisation quelle qu'elle soit ne sont pas faciles à déterminer, tous les spécialistes de l'évaluation administrative le savent. Comparer les performances externes des OI avec ce que serait l'état du monde si ces organisations n'existaient pas ou bien avec d'autres modèles d'organisations idéales est une tâche plus délicate encore. L'histoire contrefactuelle (« que serait le monde si les OI n'existaient pas ? ») sous-estime la diversité des variables en jeu et confine à la spéculation. Même lorsque son usage est contrôlé, l'application empirique de la méthode contrefactuelle débouche des conclusions assez molles (les OI ont une influence, mais celle-ci est variable) [Biermann et Siebenhüner, 2009].

La difficulté à laquelle se heurtent toutes les approches (qualitatives ou quantitatives) tient au fait que l'OI est un système d'action qui se trouve au point de rencontre des attentes de l'opinion, de la volonté des membres participants et des institutions existantes (principalement la division du monde en entités souveraines et territorialisées). Le rôle qui lui est assigné n'est donc pas fixé *a priori*, mais il se dérobe entre de multiples attentes et se redéfinit sans cesse dans un système d'interactions en constante évolution.

Classiquement, on interroge l'efficacité d'une organisation internationale, d'une part, en fonction de ses résultats par rapport aux objectifs officiellement fixés et, d'autre part, en termes de satisfaction de ses participants (pour une revue des principales études sur « l'efficacité » des OI [Bauer *et alii*, 2009]).

S'agissant de la capacité à atteindre les objectifs fixés, le critère est simple en apparence. Les actes constitutifs, les résolutions, le discours des porte-parole autorisés énoncent les objectifs de l'organisation : il suffit de les comparer avec les résultats obtenus. Cette simplicité suppose en réalité que deux conditions soient remplies :
– les objectifs ont été clairement définis ;
– les résultats ont été identifiés avec précision.

Lorsque ces deux conditions sont réunies, ce critère est certainement le meilleur. Mais elles le sont rarement.

Les statuts des grandes OI proclament des buts très larges : « Maintenir la paix et la sécurité internationales... Développer entre les nations des relations amicales... Réaliser la coopération internationale en résolvant les problèmes d'ordre économique, social intellectuel ou humanitaire (art. 1 de la Charte des Nations unies) ; « Contribuer au maintien de la paix en resserrant par l'éducation, la science et la culture, la collaboration entre les nations, afin d'assurer le respect universel de la justice, de la loi, des droits de l'homme et des libertés fondamentales pour tous, sans distinction de race, de sexe, de langue ou de religion... (art. 1.1 de l'Acte constitutif de l'Unesco) ; « Réaliser une plus grande unité et solidarité entre les pays africains et entre les peuples d'Afrique (art. 3.a de l'Acte constitutif de l'Union africaine) ; « Promouvoir la paix, [les] valeurs [de l'Union] et le bien-être de ses peuples » (art. 3.1 du traité sur l'Union européenne modifié par le traité de Lisbonne). Jugées à l'aune de si grandes ambitions, les performances des organisations internationales ne peuvent être que décevantes.

Au-delà de ces buts très généraux, l'action des OI a rarement une finalité claire. Les participants eux-mêmes ne savent pas toujours ce qu'ils en attendent et quelle(s) mission(s) ils leur assignent, en particulier dans le domaine de la paix et de « l'intervention humanitaire ». Les résolutions du Conseil de sécurité sont souvent floues et, lorsqu'une force des Nations unies est créée, son mandat est peu précis : « restaurer la paix », « restaurer la souveraineté », « rétablir l'ordre public »... Parfois, les effets pervers de l'action (intervention et déstabilisation, aide au développement et dépendance, etc.) conduisent à brouiller un peu plus les critères du succès ou de l'échec.

Par ailleurs, les OI remplissent souvent des fonctions qui n'avaient pas été prévues par leurs statuts : information, réduction du coût des échanges, socialisation, légitimation. De plus, une partie de leur « efficacité » s'exprime à travers la diplomatie discrète (*quiet diplomacy*). La médiation feutrée d'un haut fonctionnaire, la magistrature morale d'un secrétaire général, les bons offices d'un envoyé spécial aident quotidiennement à prévenir et à aplanir des différends, à maintenir ouvertes des chaînes de communication, à relancer des coopérations. Cette activité discrète et permanente est difficilement mesurable à partir de critères préétablis.

S'agissant de la question de la satisfaction, il faut d'abord admettre l'hypothèse énoncée par Herbert March et reprise par Ernst Haas selon laquelle les organisations sont des « *satisficers* » : les organisations cherchent à assurer un minimum de satisfaction chez les participants. Si ce minimum n'est pas atteint, elles sont paralysées par les tensions et perdent toute efficacité. Mais la difficulté est ensuite de savoir quels participants doivent être satisfaits et par quel type de satisfactions. Dans une OI, les acteurs sont multiples et hétérogènes. On y retrouve les représentants des gouvernements, les hauts fonctionnaires et les responsables des grands services administratifs de l'organisation, des cohortes d'experts et de conseillers officiels ou officieux, les représentants d'autres organisations internationales, des représentants des associations privées nationales et internationales et, de plus en plus, les médias. Les « sous-groupes » sont nombreux et les possibilités de coalitions multiples. Non seulement l'organisation doit assurer un niveau minimum de satisfaction à chacun, mais elle doit satisfaire les « parties stratégiques », celles dont elle est tributaire de façon déterminante pour conduire son action. Son efficacité dépend en particulier de sa capacité à donner suffisamment de satisfaction aux gros contributeurs pour qu'ils lui apportent notamment leur concours financier, sans négliger les autres parties dont les contributions non financières peuvent être cruciales (les troupes des pays du Sud dans les opérations de maintien de la paix) : en fait, chacune des parties veut être reconnue à sa juste valeur et tirer un surcroît de prestige de son appartenance à l'organisation. Celle-ci devra s'y employer en soignant son image et celle de ses membres.

La communication des organisations internationales

C'est une tâche majeure pour les OI de valoriser leurs réalisations tant à l'égard de leurs membres qui y trouvent des raisons supplémentaires de participer qu'à l'égard de publics ciblés (médias, universitaires, experts, ONG, etc.) dont on attend qu'ils popularisent l'action d'organisations souvent très mal connues et qu'ils confortent l'idée qu'elles agissent utilement. Toutes les organisations internationales disposent ainsi d'une politique de communication qui a connu depuis une vingtaine d'années des développements significatifs avec l'Internet et la création de sites qui se veulent attrayants, documentés, parfois ludiques et interactifs. Des organisations suspectées d'opacité (le FMI, la Banque mondiale) ont tenté de renouveler leur image en jouant la « transparence » à travers des sites accueillants offrant une abondance de données. Pour autant, il demeure toujours une part d'ombre : l'image présentée est essentiellement consensuelle et l'on ne sait rien ou presque des débats qui divisent ou des questions conflictuelles. La communication des OI a surtout pour fonction de consolider l'organisation comme une « équipe de représentation » [Goffman, 1973, p. 81], de conforter l'impression d'unité entre ses membres, de la construire au besoin, en raison même des divergences. La politique de communication des organisations internationales constitue donc une mission délicate : il s'agit de présenter une image positive de l'organisation à l'extérieur, mais qui dans le même temps doit pouvoir profiter à tous ses membres. Dans ces conditions, c'est l'information consensuelle qui domine. Les services veillent à ne mécontenter personne et ceux qui voudraient en savoir plus sont invités à lire entre les lignes, à recueillir les confidences des diplomates ou à se reporter directement aux comptes rendus de séances lorsqu'ils sont disponibles.

Dès 1946, les fondateurs de l'ONU ont saisi l'importance qu'il y avait pour les États membres, comme pour les objectifs proclamés de l'Organisation, de disposer d'une politique de communication. Rattaché au Secrétariat général, un Département de l'information (DPI) a été créé à cet effet. Son responsable a le rang de secrétaire général adjoint. Le DPI est actuellement composé de trois divisions : la Division de la communication stratégique qui met au point des stratégies de communication afin de faire connaître les priorités de l'Organisation ; la Division de l'information et des médias qui fournit un appui logistique aux journalistes et distribue des programmes d'information via des supports variés (radio, séries télévisées, photos, vidéos, documentaires, etc.) ; la Division de la sensibilisation du public qui propose des manifestations, des expositions, des visites et qui gère la bibliothèque Dag Hammarskjoeld (principale bibliothèque des Nations unies largement numérisée). L'ensemble de ces services mobilise 667 fonctionnaires (recrutés pour un an ou plus), ce qui place le Département de l'information, du point de vue des effectifs (chiffres : juin 2014), derrière le programme des Nations unies pour l'environnement (PNUE, 1 144 fonctionnaires), mais devant le Département des opérations de maintien de la paix (516 fonctionnaires) ou la Conférence des Nations unies sur le commerce et le développement (CNUCED, 338 fonctionnaires). Aux trois divisions du Département de l'information, s'ajoutent encore plusieurs composantes « information » dans plusieurs départements ou bureaux des Nations unies ainsi qu'une cellule particulière chargée de la communication du Secrétaire général (le Bureau du porte-parole du Secrétaire général). L'importance du dispositif est à la mesure de sa portée politique ce qui n'a pas échappé à l'Assemblée générale, notamment aux pays en développement qui ont souhaité participer plus activement à l'élaboration des politiques d'information de l'ONU : un Comité de l'information a été créé à cette fin par l'Assemblée générale en 1978. Il compte 114 membres en 2015. Après une phase de forte politisation pendant laquelle les pays en développement voulaient « décoloniser l'information » dans la perspective d'un « nouvel ordre mondial de l'information et de la communication » (Nomic), le Comité a banalisé une sorte de surveillance sur les modes et les contenus de la diffusion de l'information (promotion du multilinguisme, respect de l'impartialité – notamment dans le conflit israélo-palestinien –, respect des cultures et des croyances, attention particulière aux besoins des pays les moins avancés, etc.). En pratique, le DPI, tiraillé entre des objectifs potentiellement divergents (valoriser les réalisations de l'ONU, défendre les intérêts de ses membres et promouvoir la liberté de l'information), est inévitablement critiqué pour en faire trop ou trop peu [Center, 2009].

Des réponses managériales

Depuis les années 1990, l'importation des méthodes de gestion des entreprises privées a envahi le fonctionnement des organisations internationales : définition des objectifs, mesure des performances, évaluation, recherche des bonnes pratiques, l'action publique internationale est « managérialisée » à l'instar des politiques publiques nationales [Hassenteufel, 2011 ; Hibou, 2012]. Officiellement, il s'agit d'obtenir des résultats et d'atteindre non seulement l'efficacité mais l'efficience (pour une étude de cas, voir l'étude de la réforme managériale de l'Onusida et de ses effets pervers [Nay, 2009]).

Pendant longtemps, les OI se sont contentées d'audits internes ponctuels, sans grande conséquence, comme s'il existait un consensus tacite avec les États membres les plus puissants pour ne pas trop souligner un manque d'efficacité qui portait préjudice aussi bien aux organisations qu'à leurs « patrons ». Cette indifférence tranquille fut rompue lorsque les pays en développement gagnèrent en influence politique dans les OI. Pour compenser l'affaiblissement de leurs positions, les pays occidentaux adoptèrent des comportements de retrait (jusqu'au départ des États-Unis de l'OIT [1977-1980], de l'Unesco [1984-2002 et depuis décembre 2018] et de l'ONUDI [1993-1997]) et/ou portèrent l'offensive sur le terrain de la gestion administrative des organisations. Celles-ci, soumises à une cure d'austérité et à une forte pression idéologique néolibérale, durent répondre de leurs méthodes, s'engager dans des processus de « rationalisation » (amorçant le déclin du nombre des fonctionnaires internationaux permanents) et évaluer leurs performances. L'administration du président G. W. Bush redoubla d'ardeur critique contre la « mauvaise gestion » de l'ONU, ce qui était aussi une manière d'en contester la légitimité politique. Les Secrétaires généraux des Nations unies, Boutros Boutros-Ghali (1992-1996) et Kofi Annan (1997-2006) entreprirent de réagir. À la fois pour contrer les critiques états-uniennes, mais également parce que dans une période où l'ONU était de plus en plus sollicitée, il convenait de faire plus et mieux : rationalisation administrative (réorganisation du Secrétariat général, renforcement du département d'opérations de maintien de la paix, etc.), meilleure coordination sur le terrain (actions communes des agences organisées en « clusters » – en groupe –, pilotés par un « coordinateur résident »), définition de normes et de standards d'évaluation des pratiques [UNEG, 2005]. La tâche réalisée par Kofi Annan fut saluée unanimement et récompensée par le prix Nobel de la paix (2001).

Parallèlement, les codes de bonnes pratiques [Klein, Laporte, Saiget, 2015] et les dispositifs d'évaluation sont devenus des exercices obligés pour toutes les OI (ONG comprises) : toutes sont invitées à rendre des comptes (*accountability*) et certaines se chargent même de vérifier qu'elles le font bien [One World Trust, 2008]. Cette culture de la « transparence », du résultat et des indicateurs de performance a pénétré jusque dans la formulation des projets des OI. Ainsi en va-t-il des Objectifs du millénaire pour le développement (OMD) lancés par l'ONU lors de sa Déclaration du millénaire (2000). Le principe des objectifs chiffrés n'était pas vraiment nouveau (notamment le fameux pourcentage de 0,7 % du revenu national brut des pays développés devant être consacré à l'aide publique au développement dont le principe fut lancé par la CNUCED dès 1964 et approuvé par l'Assemblée générale en 1970), ni celui des mécanismes de suivi (tout au long des quatre décennies pour le développement : 1960, 1970, 1980, 1990). Mais avec les OMD, l'action se présente comme un programme commun à toutes les organisations de la « famille » des Nations unies (rationalisation et coordination) autour d'un plan qui s'affiche avec une rigueur toute managériale : 8 objectifs[1], 10 régions tests, 20 cibles, plus de 60 indicateurs (en augmentation constante) et un suivi permanent pour atteindre les objectifs en 2015. Les résultats sont inégaux. La mobilisation et la coordination de l'action semblent avoir permis plus d'efficacité, mais le rapport 2015 sur les OMD doit conclure que « malgré de nombreux succès, les personnes les plus pauvres et les plus vulnérables sont laissées de côté » (http://www.un.org/millenniumgoals/reports/2015). L'adoption d'un programme de développement pour l'après-2015 s'inscrit pourtant dans la même logique d'action : 17 « objectifs de développement durable » décomposés en 169 cibles pour un nouvel agenda universel de 2015 à 2030. Le « développement » est ainsi « fragmenté en une série d'objectifs dont les liens qu'ils entretiennent entre eux ne sont guère explicités » [Rist, 2007, p. 408], comme si la « méthode par objectifs » faisait office de projet politique en esquivant ses débats (qu'est-ce que le « développement » ? Quel est le type de « développement » souhaitable ? Comment hiérarchiser les « interdépendances » ? Les financements alloués au « développement » sont-ils suffisants ? L'ouverture commerciale est-elle favorable au « développement » ? Etc.).

1. Éliminer l'extrême pauvreté et la faim ; assurer l'éducation primaire pour tous ; promouvoir l'égalité des sexes et l'autonomisation des femmes ; réduire de moitié la mortalité infantile ; améliorer la santé maternelle ; combattre le VIH/sida, le paludisme et d'autres maladies ; assurer un environnement durable ; mettre en place un partenariat mondial pour le développement, voir http://www.un.org/french/millenniumgoals/

L'approche managériale conduit à dépolitiser les enjeux. Qu'il s'agisse d'une stratégie délibérée ou non, elle laisse persister le soupçon que les plus puissants (les principaux contributeurs) reprennent sur le terrain organisationnel ce qu'ils ne maîtrisent plus dans les délibérations politiques. Pour les pays moins bien dotés, « l'efficacité » est souvent ailleurs : beaucoup moins dans une gestion « rationnelle » des ressources que dans la distribution du pouvoir de décision ou la représentativité géographique. En résumé, ces controverses rappellent que l'efficacité des organisations internationales n'est pas seulement une question de mesure objective ; elle dépend également de ce que les membres en attendent.

Un bilan en débat

Pour les raisons indiquées précédemment, l'examen des performances des OI, tout du moins celles des grandes organisations intergouvernementales à vocation universelle, débouche souvent sur des conclusions balancées autour de la figure du verre à moitié vide ou à moitié plein. Faute de critères précis et compte tenu de l'enchevêtrement des rôles et des usages des OI, l'exercice demeure largement interprétatif. Par grands domaines d'activités, on s'accorde généralement sur un bilan en demi-teinte [Senarclens et Ariffin, 2010] bien que certains auteurs soient nettement plus critiques [Bertrand, Donini, 2015]. Plutôt que des « succès » difficilement mesurables, ce sont souvent les pathologies des OI (dysfonctionnements bureaucratiques, concurrence entre organisations, désaffection des membres, contestations externes) qui nous informent sur l'état des capacités d'action et de mobilisation des OI (par exemple sur la FAO [Fouilleux, 2009] ou sur le PNUD [Bellot et Châtaigner, 2009]).

Néanmoins, la question est permise de se demander si les OI doivent être évaluées sur des résultats précis à un moment donné (toujours décevants en raison des objectifs généraux annoncés) ou sur leurs contributions à la transformation de l'environnement international [Murphy, 1994 ; Staples, 2006]. Dans cette perspective historique à plus long terme, l'appréciation est évidemment assez globale et par conséquent contestable à l'aide de contre-exemples judicieusement choisis. Néanmoins, ceux-ci ne remettent pas nécessairement en cause un certain nombre de tendances significatives.

En premier lieu, les OI ont certainement contribué à « juridiciser » les relations internationales. L'extension du droit international à des domaines de plus en plus nombreux est une conséquence directe de l'activité des OI qui trouvent dans la production de traités, de conventions, de règles, de principes ou de décisions juridictionnelles la principale justification de leurs fonctions de coordination. Qu'il s'agisse de création ou de codification, les OI constituent avec les États un « nouveau cadre d'élaboration du droit international contemporain » [Decaux, 2007, p. 116]. Le nombre et la croissance du nombre des traités enregistrés et publiés auprès des secrétariats de la SDN (art. 18 du Pacte) puis de l'ONU (art. 102 de la Charte) est spectaculaire : 205 volumes de 1920 à 1944, 2 200 volumes (plus de 158 000 traités et accords internationaux) de 1946 à 2006. Depuis 1945, plus de 500 traités et accords multilatéraux ont été déposés auprès du Secrétaire général des Nations unies. Ils couvrent une gamme de sujets étendue : droits de l'homme, désarmement, biens et services, réfugiés, environnement ou droit de la mer. Il est vrai que tous ces instruments ne sont pas de la même importance et que leur ratification est inégale selon les États [Decaux, 2007], mais le maillage normatif s'est considérablement densifié en l'espace d'un siècle. Il faut y ajouter les décisions et avis d'un nombre croissant de juridictions (CIJ, juridictions pénales internationales, Cours des droits de l'homme, tribunaux spécialisés) et de quasi-juridictions internationales (Organe de règlement des différends de l'OMC) qui sont des prolongements directs d'organisations internationales ou de conventions internationales adoptées sous leur égide. La question de l'effectivité de ce droit demeure récurrente (comme celle de n'importe quel droit). On objecte ses limites et ses violations spectaculaires, mais on néglige aussi son application massive dans le quotidien ordinaire des relations internationales (transports, transactions, circulation, etc.). À l'instar des premières organisations intergouvernementales contemporaines (la Commission permanente pour la navigation sur le Rhin en 1815 ou la première Commission internationale du Danube en 1856), la plupart des organisations interétatiques se confondent avec cette tâche d'encadrement juridique de relations qui menacent à tout moment de dégénérer en confrontations violentes : jusqu'au XIXe siècle, les combats étaient encore fréquents sur les parties centrales et inférieures du Danube et chaque pays riverain percevait ses taxes douanières... En résumé, le droit apparaît comme l'instrument privilégié des OI avec des effets plutôt stabilisateurs dans l'ensemble.

En deuxième lieu, les OI ont probablement rendu le monde des États un peu moins dangereux. Le rôle du droit que nous venons d'évoquer y est pour partie, mais c'est la totalité des dispositifs proposés par les OI (rencontres, négociations, médiations, maintien de la paix, notamment) qui permet de mieux anticiper les positions, de mieux maîtriser les réactions, de réduire les incertitudes ou de contenir certaines tensions dangereuses. Les OI ne constituent certainement pas une garantie ultime contre la violence et les dérèglements interétatiques (*a fortiori*, intra-étatiques), mais elles incarnent une tentative audacieuse : celle de construire la paix sur un accord collectif plutôt que sur l'équilibre des puissances. Les défaillances sont si nombreuses qu'elles semblent ruiner cette ambition, mais qui dit qu'une diplomatie d'équilibre des forces aurait mieux réussi ? Et quels seraient les critères de cette « réussite » : la stabilisation par la terreur (la fameuse destruction mutuelle assurée de l'âge nucléaire) ou la pacification par l'écrasement des plus faibles ? Les OI ont certainement contribué à réduire les tensions entre les États (alimentant ainsi la tendance baissière des conflits interétatiques depuis 1945). Leur action n'est pas non plus négligeable dans la prévention et la résolution des conflits intraétatiques. Néanmoins, sur ce point, l'influence est fragile. Depuis les années 1990, le taux de rechute des guerres civiles demeure élevé, la durée de vie des opérations de paix est de plus en plus longue et le chiffre des guerres civiles ainsi que celui des morts qui y sont associés sont nettement repartis à la hausse depuis 2008 [Von Einsiedel, 2014]. Il apparaît pourtant que, depuis la Guerre froide, les OI sont bien plus actives dans la prévention et la résolution des conflits armés. L'arsenal de leurs moyens, de la médiation à la consolidation de la paix en passant par l'assistance au développement, est devenu consistant. Les difficultés tiennent au fait que la préférence accordée au règlement pacifique plutôt qu'à la victoire militaire est un choix politique qui a des coûts. Il emporte des résultats inégaux et des succès incertains parce que la paix est un objectif plus exigeant que la stabilité. Ceci n'empêche pas la contribution globalement positive des OI à la pacification.

En troisième lieu, les OI ont peut-être construit un monde plus solidaire. Sans doute est-ce le point le plus contesté : non pas parce que les institutions manquent, mais plutôt parce que leur prolifération dans les domaines économiques et sociaux les plus divers ne semble pas avoir été à la hauteur des défis et des objectifs proclamés. En fait, il faut distinguer les actions de programmes et les « stratégies de développement ».

Les premières soulagent incontestablement la misère et la souffrance des plus pauvres et des plus vulnérables. Qui s'occuperait des millions de réfugiés, de sous-alimentés ou de malades démunis s'il n'existait pas les programmes du HCR, du PAM, de l'Unicef ou de l'Onusida ? Les ONG ont leur part dans cette action, mais sans le rôle des organisations intergouvernementales, de leurs programmes et de leurs ressources, la mobilisation serait bien moins étendue et les résultats bien plus limités. On peut regretter l'efficacité insuffisante des grandes organisations internationales (ce que les ONG ne se privent pas de faire dans une relation de complémentarité mais aussi de concurrence [Ryfman, 2014]) ou insister sur les effets pervers de certaines initiatives (multiplication des agences sur le terrain et coordination défaillante comme lors de la protection des réfugiés ayant fui le Rwanda après le génocide de 1994), mais leur rôle, jusqu'à maintenant, demeure irremplaçable.

S'agissant des « stratégies de développement », le bilan apparaît nettement moins positif. Alors que de nombreuses organisations multilatérales ont mis au cœur de leurs objectifs « l'aide au développement » et la réduction de la fracture entre pays riches et pays pauvres, cet objectif majeur et ambitieux est tenu en échec. D'une part, les OI n'ont toujours pas réussi en 2010 à obtenir des pays donateurs qu'ils consacrent 0,7 % de leur revenu national brut à l'aide publique au développement (APD), une cible fixée de longue date par l'ONU, mettant ainsi à la peine nombre d'objectifs visant à « réduire la pauvreté » comme les OMD. D'autre part, la question se pose de savoir si les politiques de certaines OI n'auraient pas plutôt contribué à aggraver les inégalités mondiales.

Les fortes croissances enregistrées par certains pays en développement (les « dragons asiatiques » : Corée du Sud, Hong Kong, Singapour, Taïwan, dans les années 1970 ; puis, à partir des années 1990, les « bébés tigres » : Indonésie, Malaisie, Philippines, Thaïlande ; et les autres « pays émergents » : Brésil, Chili, Chine, Inde, Mexique, Afrique du Sud, etc.), sont liées à de multiples facteurs, parmi lesquels le rôle de l'État et des politiques publiques fut bien plus central que celui du marché. Ces politiques ne doivent pas grand-chose à celles des organisations internationales. Bien au contraire, les politiques de libéralisation (financière, économique, commerciale) des OI (BM, FMI, Gatt/OMC), conduites par des pays disposant d'une nette avance de développement (après de longues périodes protectionnistes) ne convenaient nullement à des pays « en développement » : pourquoi ceux-ci auraient-ils été avantagés par une ouverture rapide que ceux-là avaient précisément pris soin de contrôler pour favoriser leur « décollage » [Bairoch, 1995] ? Dans plusieurs « économies émergentes », l'ouverture financière incontrôlée et le libéralisme économique imposés par la *doxa* des institutions financières internationales ont provoqué en retour de graves crises financières (économiques, sociales et politiques) au cours des années 1990 et 2000 (Mexique, Indonésie, Malaisie, Thaïlande, Corée du Sud, Russie, Brésil, Argentine). Dans certains cas, les institutions publiques nationales y ont gagné en autorité [Sgard, 2008], tandis qu'en règle générale les OI ont perdu leur crédibilité dans « l'aide au développement ». Dans les pays les plus pauvres, là où les États sont les plus faibles, ces politiques internationales de libéralisation forcée et d'« ajustement structurel » ont durablement piégé les sociétés dans le cercle vicieux de la pauvreté. L'Afrique a été particulièrement touchée avec une forte réduction des dépenses publiques à vocation sociale et une contraction de sa part dans les exportations mondiales (2,3 % en 2003 contre 5,7 % en 1963) [Glenn, 2008]. En s'appuyant sur les travaux d'Angus Maddison, Pierre-Noël Giraud observe que « le ratio du revenu moyen du pays le plus riche de l'échantillon à celui des 46 pays africains de l'échantillon qui était de 3,5 en 1820, passe à 7,2 en 1910 et à 17 en 1992 » [Giraud, 2008, p. 13]. Face à cette croissance des inégalités internationales, les OI sont restées impuissantes ou complices. Un voile pudique a été jeté sur ce « manque d'efficacité ».

Plus généralement, malgré des rapports éclairants (BM, FMI, OCDE), la question de l'inégalité des revenus et des richesses entre les États et au sein des sociétés, semble avoir été délaissée par les OI depuis au moins 20 ans. En pratique, celles-ci ont privilégié des objectifs plus « humanitaires », politiquement moins sensibles, tels que « la réduction de l'extrême pauvreté » (un des OMD partiellement atteint grâce à la croissance de la Chine et des pays émergents). Le fait que dans le programme d'action de l'ONU pour l'après-2015 (Objectifs de développement durable), figure l'objectif de « réduire les inégalités entre les pays et en leur sein » (ODD 10) traduit peut-être une prise de conscience et une nouvelle orientation.[1]

1. On notera que les inégalités économiques ne résument pas la situation des inégalités mondiales dans bien d'autres domaines : éducation, santé, environnement, etc., voir Aurélien Boutaud, « Comment appréhender les inégalités ? » *in* : B. Badie et D. Vidal, dir., *L'état du monde 2016. Un monde d'inégalités*, Paris, La Découverte, 2015, p. 27-37.

Chapitre 3

Des usages intéressés

Si les organisations internationales sont faites pour servir, elles ne valent que parce que l'on s'en sert. Cette observation ne mériterait pas de longs commentaires si l'on ne persistait trop souvent à opposer la coopération commune aux intérêts particuliers. Il est en effet banal de constater que la coopération internationale dans tel ou tel domaine se heurte à la résistance d'« intérêts nationaux ». Les exemples ne manquent pas. En revanche, on souligne moins fréquemment que ladite coopération est inséparable des intérêts de ses membres (tout du moins des intérêts des plus puissants et/ou des plus nombreux) : elle se donne comme une structure d'opportunités dans laquelle les intérêts s'affirment et se recomposent. En d'autres termes, servir une organisation internationale, c'est aussi s'en servir. Et réciproquement : les usages (même contestataires) de l'organisation confortent, le plus souvent, l'existence sinon la légitimité de l'organisation. L'OI (comme la plupart des organisations) est donc un cadre contraignant qui travaille les intérêts de ses membres, mais aussi un foyer de ressources que ses membres peuvent mettre au service de leurs intérêts. En pratique, la distinction n'est pas toujours facile à établir.

On retiendra brièvement trois types d'usages.

L'instrumentalisation

Une pratique courante

Au sens littéral, il s'agit pour les États membres d'utiliser l'organisation comme un instrument au service de leurs objectifs. Par hypothèse, tous les États membres adoptent cette conduite dans la mesure où leur participation est toujours intéressée. L'intensité des débats sur la répartition des postes des plus hauts fonctionnaires, sur la représentativité géographique du personnel ou la distribution des droits de vote, illustre ces batailles d'influence où chacun tente de pousser son avantage au sein de l'organisation.

Plus généralement, chacun tente de retirer de sa participation un profit à portée internationale ou nationale : profit symbolique sur le « rang » occupé dans la hiérarchie internationale (d'où pour les pays européens, la volonté d'éviter le déclassement en maintenant un engagement financier relativement élevé), profit normatif (en tentant d'imposer des références communes aux délibérations : le « consensus de Washington » au sein des IFI, la défense des organismes génétiquement modifiés (OGM) à la FAO, le principe d'un marché des émissions de gaz à effet de serre dans les négociations contre le réchauffement climatique, etc.), profit financier (via l'aide au développement ou la rémunération des troupes participant aux opérations de maintien de la paix), profit expérimental (comme ces pays qui tirent de leur participation aux opérations de maintien de la paix des leçons de lutte contre la guérilla ou contre la criminalité organisée). La liste pourrait être allongée à loisir. La question n'est donc pas tant de savoir si les États membres cherchent à profiter de l'organisation, mais de déterminer quels sont ceux qui en ont les moyens.

Des capacités inégales

L'investissement dans une organisation internationale est coûteux : cotisations, frais d'une représentation permanente, recrutement d'un personnel diplomatique qualifié, déplacements, participation et suivi des réunions. On estime que seule une dizaine de délégations nationales est en mesure de suivre les centaines de réunions qui se tiennent chaque année à l'OMC. Il en va de même dans toutes les grandes OI. Théoriquement, l'instrumentalisation se donne donc comme une conduite commune à tous, mais en pratique, elle demeure d'abord celle des plus puissants.

Au temps de la Guerre froide, les États-Unis et l'URSS n'ont pas ménagé leurs efforts pour peser sur le fonctionnement des instances onusiennes : manœuvres politico-juridiques pour contourner le veto soviétique durant la guerre de Corée (la fameuse « résolution Acheson »[1]) ou proposition de l'URSS de supprimer le poste de Secrétaire général afin de réduire l'influence occidentale dans l'Organisation mondiale (pour une présentation de tous ces incidents, voir [Meisler, 1995]). À l'âge post-bipolaire, le fonc-

1. Adoptée par l'Assemblée générale le 3 novembre 1950, pendant la guerre de Corée et portant le nom du Secrétaire d'État américain qui l'a proposée, la résolution (377) dite « Union pour le maintien de la paix » reconnaît à l'Assemblée générale des Nations unies le droit de recommander des mesures collectives, y compris l'emploi de la force armée, si le Conseil de sécurité n'a pas pu adopter de décision en raison du veto d'un des membres permanents. Cette procédure a été utilisée, par la suite, à plusieurs reprises (notamment en 1956 lors de la crise de Suez ; en 1980 lors de l'invasion de l'Afghanistan par l'URSS ; en 1980, 1982, 1997 s'agissant de l'occupation des territoires arabes par Israël) bien que sa conformité à la lettre et à l'esprit de la Charte demeure contestée par la majorité de la doctrine [Degni-Segui, 2005].

tionnement du Conseil de sécurité des Nations unies continue de témoigner des usages changeants et intéressés de l'action et de la non-action collectives au gré des priorités des P5 (les cinq membres permanents). Les IFI demeurent également étroitement contrôlées par les États-Unis, ainsi que nombre d'OI dont le financement dépend pour environ 20 % de la contribution américaine. Le poids financier des États-Unis est un instrument d'influence considérable. La décision de réduire unilatéralement leur contribution ou de laisser s'accumuler des arriérés de paiement a des conséquences directes sur le fonctionnement et les programmes des organisations concernées (l'OIT, l'Unesco, l'ONUDI et l'ONU elle-même en ont fait l'expérience). Les pays moins bien dotés ne sont pas pour autant démunis, mais s'ils veulent agir sur l'organisation (son agenda, ses délibérations, etc.), ils doivent faire nombre : entente politique (Groupe des 77 à l'ONU), coalitions (à l'OMC), alliances diverses (revitalisant, le cas échéant, des relations de patronage avec des États-clients). L'agrégation d'intérêts particuliers s'exprime souvent sous la forme d'une diplomatie collective de contestation qui se sert des organisations internationales pour avancer ses revendications (décolonisation, nouvel ordre économique international, règlement du conflit israélo-palestinien, partage des efforts en matière de protection de l'environnement, etc.) ou promouvoir une position d'influence (l'alliance des pays arabes imposant, en 2009, la présence de la Ligue arabe aux réunions de l'UPM contre l'attribution d'un poste de secrétaire général adjoint à Israël).

En résumé, tout ce qui est effectué avec l'intention d'utiliser l'organisation pour en maximiser les avantages relève de l'instrumentalisation. Hormis la domination sans partage et la manipulation grossière qui ruineraient la crédibilité de l'organisation (ainsi des organisations de l'ex-bloc soviétique, telles qu'elles étaient perçues par les Occidentaux[1]), le champ n'a pas d'autres limites que celles des ressources en tout genre que les membres peuvent lui consacrer.

La socialisation

Il s'agit moins ici d'une stratégie délibérée des acteurs que d'un certain nombre d'effets consécutifs au fait de participer (durablement) à une entreprise collective. La socialisation se présente comme un processus par lequel les membres d'une collectivité acceptent et intériorisent les normes et les valeurs, les contraintes et les rôles de cette collectivité

1. À tort, selon des recherches récentes qui montrent que ces organisations présentaient un caractère plus multilatéral qu'on le croyait à l'époque [Crump, 2014 ; Godard, 2011].

[Braud, 2008]. Néanmoins, la socialisation dans les OI ne s'impose pas unilatéralement. Parce qu'elle est tissée de relations (la reconnaissance de l'autre, l'apprentissage du dialogue, la pratique de l'échange ou la construction de la confiance), elle acquiert une forte dimension interactive et peut faire l'objet de réceptions différenciées : tantôt accueillie avec empressement, tantôt tenue à distance dans un esprit de résistance. S'ils en subissent indéniablement certains des effets (toujours difficiles à mesurer), les États membres (et ici, la dimension personnelle de leurs représentants a son importance) conservent donc toujours pour partie la maîtrise de la socialisation.

Au sein des OI, la socialisation se présente principalement comme un processus d'apprentissage et comme une forme d'appropriation de conceptions communes.

Des apprentissages

En adhérant à l'OI, les membres vont d'abord se familiariser avec les pratiques habituelles des rencontres internationales et avec leurs agendas. Dans les années 1960, par exemple, l'ONU a permis aux nouveaux États issus de la décolonisation de faire l'apprentissage de la vie diplomatique. Dans les années 1990, les grandes institutions financières multilatérales (FMI, BM, BERD) ont contribué à initier les pays d'Europe centrale et orientale aux mécanismes de l'économie de marché et au système financier international. Le « partenariat pour la paix » de l'Otan ou la « politique de voisinage » de l'UE sont également des formes de socialisation de pays non membres de l'Alliance atlantique ou de l'Union européenne, mais qui peuvent devenir éventuellement de futurs candidats. Plus généralement, l'admission ou la perspective de l'admission à une OI peut être un moyen d'influencer la politique internationale du nouvel entrant dans un sens désiré (la Chine à l'OMC ou les PECO à l'UE et à l'Otan ; sur l'échec de l'administration G. W. Bush à utiliser cette « carotte » en direction de l'Iran et de l'Ukraine [Goldgeier, Weber, 2005]). Le fait de participer à une œuvre collective (la définition de normes, le règlement d'un contentieux ou une opération de paix) crée des liens qui poussent à l'interreconnaissance (entre négociateurs) voire à certains rapprochements dans d'autres enceintes (ainsi, par exemple, les effets des négociations entre les membres de l'UE au sein des OI sur la coopération politique européenne ou l'influence d'effectifs militaires ressortissant à plusieurs pays latino-américains au sein de la mission de paix en Haïti – la Minustah – sur la coopération régionale en Amérique latine).

Il n'en demeure pas moins qu'il faut se méfier d'une conception « sur-socialisée » des transactions réalisées au sein des OI. D'une part, nous savons peu de chose sur la façon dont s'opère la transmission de ce supposé capital d'apprentissage. Comment se transmet-il, non seulement d'une génération de diplomates à l'autre, mais également d'une expérience individuelle acquise dans l'action à celle d'une conduite collective institutionnalisée ? Les propositions constructivistes sur le rôle des normes, des règles et des valeurs sur la « constitution des identités » restent très générales. La recherche empirique a encore de beaux jours devant elle [Peck, 1979, Finnemore, 2004, Placidi, 2007, Ambrosetti, 2009]. D'autre part, comme processus graduel, la socialisation présente des degrés d'intériorisation très variables. La participation à une organisation internationale, à ses rituels et à ses délibérations, ne se confond pas avec une adhésion inconditionnelle aux valeurs du multilatéralisme [Albaret, 2014]. Celui-ci demeure souvent une « carte » politique parmi d'autres (sur les positions changeantes des États-Unis [Luck, 1999]) et certains comportements peuvent faire douter d'une « bonne socialisation » (des arriérés réguliers et délibérés de cotisations, par exemple). Le ralliement peut être de façade et s'accompagner d'une socialisation très artificielle, voire d'un refus de socialisation (on se souvient du discours du chef d'État libyen, Muammar Kadhafi, à l'Assemblée générale de l'ONU en 2009, faisant mine de déchirer la Charte des Nations unies).

Des appropriations

Malgré ces réserves, on peut tout de même admettre qu'un bon nombre d'États sont exposés avec plus de succès aux productions normatives et cognitives des OI auxquelles ils appartiennent [Senarclens et Ariffin, 2007, p. 191-194]. Cette socialisation consiste à penser certaines questions (la sécurité, la paix, la coopération, le développement) dans les termes proposés par les OI : on parlera ainsi de « sécurité humaine », de « paix positive », de « biens publics mondiaux », de « développement durable », d'« interdépendance » mais aussi de « nouveaux conflits », de « maintien de la paix » ou de « *peacebuilding* », etc. Chacune de ces notions [Maurel, 2015] engage une représentation du monde, de l'action internationale et des buts à atteindre. Selon les époques et les rapports de force, ils constituent des « référentiels » ou des « systèmes de croyances » qui orientent les débats et marquent incontestablement le sens des décisions (sur ces notions et d'autres encore, empruntées à l'approche cognitive des politiques publiques [Hassenteufel, 2011]). De ce point de vue, les OI ont contribué à transformer la perception de certaines réalités internationales (la souveraineté, la sécurité, la paix, le développement) en suscitant de nouveaux objets de négociation, de nouvelles catégories d'acteurs (les PMA à partir de 1971) et en offrant de nouveaux argumentaires (pensons à la création par le PNUD de l'indice de développement humain (IDH) en 1990 et de la notion de sécurité humaine en 1994). La paix et la sécurité ont ainsi connu des élargissements notables : la première comme la seconde ne se satisfaisant plus de conceptions restrictives et purement interétatiques, mais engageant également le bien-être des sociétés et des individus. Par leurs délibérations et leur production normative plus ou moins contraignante (traités, déclarations de principes, mais aussi jurisprudence d'un nombre croissant de juridictions internationales), les OI orientent le sens commun des diplomates. La promotion des droits humains a largement bénéficié de cet accompagnement. Mais là encore, le degré d'adhésion au sens commun reste relatif. La socialisation demeure fragile, traversée par des conflits de valeurs et d'intérêts (entre l'État et l'individu, l'ordre et la justice, l'intérêt commun et l'intérêt national).

La notion de « biens publics mondiaux » (BPM) témoigne de cette fragilité. Popularisée dans les années 1990, mal identifiée (v. *supra*, p. 105), cette notion vient soutenir la cause de nombreuses OI sur des objets aussi variés que la paix, la santé, la sécurité alimentaire, le réchauffement climatique ou la stabilité économique et financière. La liste est ouverte pour autant que les biens visés soient considérés comme « publics », par leurs caractéristiques économiques (leur accès et leur consommation libres rendent improbable leur prise en charge par le marché) et/ou par une décision politique. Mais à l'usage, la référence aux BPM paraît tout aussi controversée que la notion plus ancienne de « patrimoine commun de l'humanité » [Delmas-Marty, 2004, p. 88-96 ; Constantin, 2002]. Pour les OI, elle sert surtout à relancer l'action publique internationale en soulignant l'existence de responsabilités communes qui incombent à une communauté internationale encore à construire. Une socialisation en pointillé en quelque sorte...

La légitimation

Une ressource prisée

C'est à Inis Claude, dans un article demeuré célèbre, que l'on doit d'avoir identifié et analysé pour la première fois la fonction de légitimation collective des institutions internationales, en général, et des Nations unies, en particulier. Pour ce pionnier de l'analyse sociopolitique des organisations internationales, la légitimation collective « est une réponse, non pas à la question de savoir ce que les Nations unies peuvent faire, mais à celle de savoir comment elles peuvent être utilisées » [Claude, 1967, p. 90]. En d'autres termes, la légitimation produite par les institutions internationales se donne comme une ressource à l'usage de leurs membres : une opportunité que les acteurs avaient découverte bien avant que les universitaires ne commencent à l'étudier.

De fait, les institutions internationales sont perçues comme des forums, des caisses de résonance où se répercutent les grands frémissements parcourant la planète. Les peuples colonisés et les mouvements de libération nationale ont trouvé à l'ONU, en particulier, une tribune où exprimer leur désir d'émancipation, un lieu de reconnaissance et de soutien pour leurs revendications. En obtenant une approbation collective, les États membres (mais également les acteurs non étatiques) cherchent à conforter une situation, une décision ou une revendication qui leur paraît favorable. Même lorsqu'une conduite est conforme à la légalité internationale (un recours à la force conforme à la Charte des Nations unies, par exemple), l'approbation de l'OI tend à ajouter une qualité supplémentaire qui renforce la conviction que cette conduite est juste (l'intervention des États-Unis et de leurs alliés lors de la guerre du Golfe en 1991). *A fortiori*, le soutien de l'organisation internationale sera activement recherché lorsqu'une conduite ne semble pas légale ou d'une légalité douteuse afin d'opposer aux agissements contestés une justification acceptable (sans succès pour les États-Unis lors de leur guerre contre l'Irak en 2003), quitte à revenir devant l'organisation après les faits pour obtenir un semblant d'approbation (intervention militaire de l'Otan au Kosovo en mars 1999 et résolution 1244 du Conseil de sécurité du 10 juin 1999). Nul ne se désintéresse du soutien de la collectivité à laquelle il appartient et tous redoutent sa désapprobation : la légitimation collective est un enjeu sensible entre les acteurs d'une organisation internationale.

Pouvoir avancer de « bonnes raisons » renforce l'action. Cette proposition est vraie parce que l'individu a la capacité d'argumenter et, ici, dans le champ des relations internationales, parce que l'argumentation s'est considérablement élargie à mesure que la scène diplomatique s'est publicisée et étendue bien au-delà des cabinets des décideurs politiques et des diplomates professionnels. L'irruption de nouveaux acteurs non gouvernementaux, les phénomènes d'opinion publique et la médiatisation des relations internationales ouvrent un nouveau front dans la conduite de l'action : la recherche de justifications pour donner plus de portée (d'influence, de puissance) aux décisions, c'est-à-dire pour conforter certaines options plutôt que d'autres et susciter la plus large adhésion ou le moins de contestation possible. En ce sens, la légitimité joue un rôle crucial dans la compétition internationale : elle constitue une source d'influence et de puissance autant que la force et peut-être plus qu'elle, à l'heure où, précisément, le recours à la force est de plus en plus sommé de se justifier.

La légitimité est une notion que nous avons utilisée à plusieurs reprises jusqu'ici. Nous l'entendons comme une qualité qui rend un fait social (une action, une institution, un discours) acceptable, voire désirable, parce qu'il est fondé sur la croyance d'être « juste ». Cette croyance repose elle-même sur une définition changeante du juste. Non seulement, les principes sur lesquels s'interprète le juste, mais également les instances habilitées à dire le juste varient selon les contextes et les rapports de force. De ce point de vue, la création des organisations internationales a représenté une innovation majeure. Distinctes de systèmes politiques ou religieux hiérarchisés, les OI se sont instituées comme des formes de grandeur supérieures à celles de leurs membres et, par voie de conséquence, dotées d'une « parole supranationale ». C'est à ce titre, celui d'un collectif accepté et d'autant plus crédible qu'il est universel, que les organisations internationales ont pu prétendre exercer cette « fonction de légitimation », celle consistant à dire, à un moment donné, quelles sont les pratiques internationales légitimes et celles qui ne le sont pas.

Une construction fragile

La fonction de légitimation collective apparaît d'abord difficile à mesurer. Faut-il se contenter de l'adhésion des membres à l'organisation, de l'absence de contestation ou des confidences des diplomates ? L'invocation des positions officielles des OI dans les débats et les compétitions politiques au plan national semble plus convaincante, mais, là encore, l'estimation risque d'être approximative (un problème comparable à l'incertaine mesure de la légitimation dans les systèmes politiques nationaux [Lagroye, François, Sawicki, 2012]). Cette fonction de légitimation collective présente ensuite une effectivité variable.

En premier lieu, parce que la légitimation est dépendante du degré de socialisation des membres de l'organisation. La légitimation ne peut fonctionner que si les membres de l'organisation s'accordent sur un certain nombre de principes partagés. L'ONU ne se constitue en instance légitimatrice qu'à l'égard de ceux qui se reconnaissent dans ses délibérations. En ce sens, la légitimation ou la dé-légitimation collective ne vaut que pour ceux qui y croient et se résume parfois à une affaire de majorité. Ainsi, la condamnation régulière de la politique israélienne dans les territoires palestiniens par l'Assemblée générale des Nations unies n'affecte guère Israël et ses soutiens. Tant que sont suffisantes les capacités de résistance aux pressions des plus puissants et/ou des plus nombreux, les actions de (dé)légitimation collectives demeurent partiellement neutralisées.

La fonction de légitimation des OI et les usages auxquels elle se prête dépendent, en second lieu, des qualités propres aux organisations considérées. Puisqu'il s'agit de construire ou d'exploiter une croyance dans ce qui est juste, les conditions d'établissement de cette croyance sont décisives. Les divers soutiens ou agents de légitimation, jouent ici un rôle essentiel : les fonctionnaires de l'organisation, la « communauté épistémique » de ceux qui détiennent le savoir et ont accès au discours public (scientifiques, experts, etc.) [Haas, 1997], les lobbies puissants (entreprises, groupements professionnels, ONG). La capacité de l'organisation à produire un discours convaincant, à respecter des règles de procédure admises par tous (*input legitimacy*), à nouer des alliances avec les secteurs organisés de l'opinion publique internationale, à démontrer une certaine efficacité dans la résolution des problèmes (*output legitimacy*), constitue autant de moyens de construire sa légitimité, condition préalable à l'exercice d'une fonction de légitimation. Or, comme nous l'avons vu, aucune OI n'échappe à la critique sur des questions aussi vastes et imprécises que la « représentativité », la « transparence » ou « l'efficacité ». La fonction légitimatrice des OI ne va donc pas de soi. Certaines institutions spécialisées ont même connu des « crises de légitimité » en raison de leur inefficacité relative, leurs dysfonctionnements bureaucratiques ou leur manque de visibilité (Unesco, OMS, FAO notamment) et l'on peut raisonnablement penser que leur fonction de légitimation demeure assez fragile.

En résumé, la fonction de légitimation élargit notre questionnaire sur les usages des OI. Toutefois, la notion doit être maniée avec prudence. Il ne suffit pas de postuler la légitimation. Il faut d'abord la démontrer à l'aide d'indicateurs qui risquent de faire apparaître des intensités différentes. Tout comme la socialisation, la légitimation a aussi ses degrés. Ses usages se présentent ensuite de manière ambivalente. Ils peuvent aussi bien contribuer à étendre le champ de la coopération et des arrangements diplomatiques que servir à des calculs ponctuels et à des objectifs de propagande. Comme l'avait bien perçu Inis Claude, « la fonction de légitimation collective peut se prêter au meilleur comme au pire » [Claude, 1967, p. 103].

Partie III

L'évolution des organisations internationales

Construit progressivement, le paysage représenté par les organisations internationales s'est singulièrement étoffé depuis bientôt deux siècles. Avec plus de 250 organisations intergouvernementales et 8 000 organisations non gouvernementales à vocation internationale (v. *supra*, p. 109), rares sont les domaines d'activité qui ne sont pas aujourd'hui couverts par une ou plusieurs OI. L'ensemble évoque un vaste système d'interactions entre de multiples acteurs collectifs dont aucun ne maîtrise à lui seul la direction, mais dont tous contribuent à construire l'architecture et une forme incertaine de pilotage. La notion de « gouvernance globale » a tenté de saisir cette évolution favorisée par trois phénomènes de nature très différente, mais concourant au retour du concept de « globalité » éclipsé par des années de domination sans partage des modèles réalistes :

- La montée en puissance des mouvements écologistes qui contribue à la première conférence internationale sur l'environnement en 1972 autour du slogan significatif : « Une seule terre. » À partir de cette date, quantité de travaux mettent l'accent sur la communauté de destin de tous les habitants de la planète et sur le rôle des organisations non gouvernementales et des communautés de base pour résoudre, avec les États et dans les organisations internationales, les questions globales posées par les « biens communs de l'humanité ».

- La globalisation économique et financière dans les années 1980. L'explosion du commerce international, le recours croissant à l'investissement international, la libre circulation des capitaux à l'échelle mondiale, ainsi que la multiplication des innovations financières entraînent une mondialisation défiant la division traditionnelle du pouvoir entre unités politiques territorialement organisées sous la forme d'États. De nouveaux moyens de régulation sont recherchés.
- Le développement de la notion d'« intervention humanitaire » dans les années 1990. À partir du moment où, sous la pression des organisations non gouvernementales, relayée par les médias, les Nations unies sont invitées à intervenir militairement dans des conflits internes pour protéger les populations, soit directement, soit par l'intermédiaire d'une grande puissance (opérations Provide Comfort en Irak, Somalie, ex-Yougoslavie, Haïti, Mali, Centrafrique), les bases traditionnelles de l'ordre interétatique sont remises en cause. Si une organisation internationale soutient des opérations de secours en direction de groupes subnationaux à l'intérieur d'un État sans y être autorisée par celui-ci, en dépit des principes traditionnels de souveraineté territoriale et de non-intervention, cela ne peut se faire qu'en invoquant une communauté internationale transcendant le monde des États. Dans cette « communauté globale », les individus deviennent les sujets premiers de la politique internationale et les organisations mondiales les instruments moteurs de cette politique.

La notion de « gouvernance globale » prétend rendre compte de ces transformations. Elle implique des mécanismes de régulation internationale, formels ou informels, engageant tous les partenaires privés et publics. En 1995, la Commission on Global Governance (créée à l'instigation de l'ancien chancelier Willy Brandt) en proposait la définition suivante : « La somme des différentes façons dont les individus et les institutions, publics et privés gèrent leurs affaires communes. C'est un processus continu de coopération et d'accommodement entre intérêts divers et conflictuels. Elle inclut les institutions officielles et les régimes dotés de pouvoirs exécutoires aussi bien que les arrangements informels [....] » [Commission on Global Governance, 1995, p. 2]. Depuis, la notion de « gouvernance globale » a suscité une littérature considérable sans que sa définition ne gagne nécessairement en clarté et en précision. Mais le succès est venu précisément de la souplesse de la notion. Celle-ci se prête à divers usages (descriptifs et/ou prescriptifs) et suggère plusieurs traits caractéristiques de la gestion des affaires internationales à partir des années 1990 : une complexité croissante en raison du nombre de plus en plus élevé d'acteurs impliqués, une érosion partielle des souverainetés étatiques, une pluralité des dispositifs de pilotage plus ou moins bien coordonnés, une série d'arrangements formels et/ou informels toujours en négociation [Smouts, 1998 a]. Le monde de la gouvernance est celui d'une intégration balbutiante, de régulations dispersées et concurrentes, mais aussi celui d'une idéologie de l'efficacité qui dicte ses politiques (la « bonne gouvernance ») et fonctionne, le cas échéant, comme une procédure d'exclusion [Smouts, 1998 b ; Hermet, 2005 ; Senarclens et Ariffin, 2007].

Au sein de cet ensemble, lui-même composé de sous-ensembles (les gouvernances partielles ou sectorisées), le flou domine. L'enchevêtrement des liens entre les divers acteurs et le jeu des influences réciproques obscurcissent les relations de pouvoir et les effets de domination. Dans ces « configurations molles en restructuration permanente » [Smouts, 1998 b, p. 151], il devient difficile d'identifier le rôle de chacun des acteurs et notamment des organisations intergouvernementales. Celles-ci conservent néanmoins un rôle central, mais dans un processus d'ajustement continu aux nouvelles dynamiques internationales. Elles subissent, reflètent et influencent le triple mouvement des transformations du multilatéralisme, du renouvellement des conceptions de la sécurité collective et de l'extension de la mondialisation.

Chapitre 1

Les transformations du multilatéralisme

COMME DISPOSITIF DE NÉGOCIATION entre plusieurs États et comme valeur politique tendant à la réalisation d'objectifs partagés, le multilatéralisme se confond largement avec l'action collective internationalement organisée. Or celle-ci s'est progressivement transformée depuis 1945. Au sein des grandes OI, de nouvelles voix et de nouvelles orientations se sont imposées. Les organisations ne sont plus tout à fait les mêmes bien qu'elles suscitent toujours autant de convoitises.

L'impact du Sud

La décolonisation a bouleversé la composition des organisations intergouvernementales. Les pays en développement sont devenus majoritaires dans les années 1960 et, par conséquent, maîtres de l'agenda dans un grand nombre d'organisations. Ils ont imposé leurs thèmes et leurs préoccupations qui, peu à peu, ont débordé sur l'ensemble du système multilatéral. La question du développement, notamment, est devenue une problématique commune à toutes les grandes OI.

Néanmoins, le poids de ces pays à l'intérieur des OI ne correspondait pas à la réalité de la distribution de la puissance sur la scène internationale. Leur unité fragile reposait sur une diplomatie d'opposition aux pays riches du Nord, mais sans parvenir à inverser le rapport des forces.

Paradoxalement, cette diplomatie contestataire devient plus efficace à partir des années 1990 alors que le monde en développement (le Tiers-monde) a éclaté sous le double effet de la différenciation économique et de la fin de la bipolarité. Mais désormais au nom du Sud (une entité incertaine, définie négativement comme ce qui n'appartient pas au « monde occidental »), ce sont surtout les pays dits « émergents » qui ont les moyens de faire valoir leurs ambitions politiques en les adossant sur une certaine puissance démographique et de forts taux de croissance économique. Au sein des OI, la prise de décision devient plus difficile sans que la cause des plus pauvres soit nécessairement mieux défendue.

Un ralliement massif

Dès sa création, l'ONU va servir de tribune aux revendications d'indépendance des peuples colonisés. Les questions coloniales n'avaient été abordées qu'avec réticence lors de la Conférence de San Francisco, mais certains problèmes réclamaient un règlement : le sort des anciens mandats de la SDN ; celui des anciennes colonies, des vaincus de la Seconde Guerre mondiale et celui des colonies des puissances victorieuses. Le texte de la Charte des Nations unies se prêtait à une lecture ambiguë, chaque camp pouvant invoquer une disposition en faveur de ses prétentions : le principe du droit des peuples à disposer d'eux-mêmes pour les partisans de la décolonisation (art. 1 § 2) ou celui de l'intégrité territoriale et de l'indépendance des États pour ceux favorables au statu quo (art. 2 § 4). Le chapitre XI intitulé « Déclaration relative aux territoires non autonomes » stipulait bien le « devoir sacré » des Nations unies de veiller au développement de la « capacité à s'administrer elles-mêmes » (*self-governement* dans la version anglaise) et de « tenir compte des aspirations politiques » des populations concernées, mais rien n'était prévu quant aux conditions d'application de cette mission.

Ces ambiguïtés n'empêchèrent pas les colonisés de recourir systématiquement à l'ONU pour mettre en difficulté les pays colonialistes devant « l'opinion mondiale ». La pratique des pétitions se généralisa, témoignant d'une internationalisation de plus en plus inévitable de la « question coloniale ». Certains États d'Asie récemment décolonisés comme l'Inde (1947) et la Birmanie (1948) accentuèrent la pression. Avec le durcissement des tensions Est-Ouest et le risque de voir l'Union soviétique s'ériger en championne de la cause anticolonialiste, les politiques colonialistes des pays européens devinrent dangereuses pour la défense du « monde libre ». La décolonisation s'imposa avec toujours plus de force à mesure que « l'endiguement » du communisme devint la nouvelle priorité occidentale.

La première vague d'indépendances touche l'Asie du Sud-Est dès 1947. Elle est suivie par la décolonisation de plus des deux tiers du continent africain (38 pays de 1951 à 1968). Tout au long de ces combats pour l'indépendance, la tribune des Nations unies a bien servi et l'ONU n'en tire que plus de prestige : à leur demande, tous les pays décolonisés sont immédiatement admis comme membres de l'Organisation mondiale et de ses institutions spécialisées. Il en ira de même des décolonisations postérieures (pays d'Afrique australe et micro-États insulaires dans les années 1970 et 1980), de telle sorte que le ralliement au multilatéralisme onusien est massif. Il s'accompagne de la volonté des nouveaux États de trouver une place politiquement significative dans le fonctionnement des institutions (d'où l'importance de la question de la représentativité) tout en acceptant globalement le jeu multilatéral. À l'exception de l'Indonésie engagée dans une politique de « confrontation » avec la Malaisie et qui se retira de l'ONU de janvier 1965 à septembre 1966 pour protester contre l'élection de ce pays comme membre non permanent du Conseil de sécurité, aucun des nouveaux États indépendants n'a jamais fait défection.

Cette acceptation du multilatéralisme se confirme également au plan régional. Les nouveaux États indépendants et/ou les pays en développement se dotent de nombreuses organisations régionales en Afrique, en Amérique latine et en Asie, souvent sur le modèle des coopérations instituées entre les pays du Nord. Malgré des débuts laborieux qui laissent les observateurs sceptiques, les principales organisations se maintiennent, se rénovent voire donnent naissance à de nouvelles initiatives.

L'Organisation de l'Unité Africaine (OUA), organisation panafricaine, voit le jour en 1963. Soudée autour du principe de l'intangibilité des frontières héritées de la période coloniale (art. 3 de la Charte de l'OUA), elle ne convainc guère : ni sur le terrain économique où les organisations sous-régionales concurrentes peinent à favoriser l'intégration des marchés (CEDEAO autour du pôle nigérian ; CEMAC et UEMOA pour l'Afrique francophone ; SADC pour l'Afrique australe), ni sur le terrain politique où ses membres ne réussissent pas à s'entendre sur la notion même de sécurité collective. Une nouvelle mobilisation politique et économique post-bipolaire conduit les chefs d'États africains à remplacer l'OUA par l'Union africaine en 2002 (54 membres en 2015). La nouvelle organisation se veut plus entreprenante. Formellement, elle s'inspire de l'Union européenne (une conférence des chefs d'États, un conseil des ministres, une commission, un parlement, une cour de justice, notamment), mais également du Conseil de l'Europe ou de l'OEA en se dotant d'une « Cour africaine des droits de l'homme et des peuples », chargée de faire respecter la charte du même nom, ratifiée en 1986 (cette cour et la cour de justice de l'UA sont censées fusionner, mais en 2015, ce protocole n'est toujours pas ratifié), et aussi de l'ONU en instituant un Conseil de paix et de sécurité (CPS) rompant avec le dogme de la souveraineté et de la non-ingérence de l'OUA et se donnant potentiellement les moyens d'intervenir dans certaines situations afin, entre autres objectifs, de « promouvoir la paix, la sécurité et la stabilité en Afrique » (art. 3 § a du protocole de création du CPS). Il est trop tôt pour faire le bilan de cette relance institutionnelle [Makinda et Okumu, 2008]. Mais l'implication de l'UA dans le maintien de la paix en Afrique connaît des développements nouveaux (Initiative de Coopération Régionale contre l'Armée de résistance du seigneur [ICRA/LRA : Centrafrique, RDC, Ouganda, Soudan du Sud] ; présence également en Somalie et au Soudan) et avec une quinzaine d'organisations significatives, les pratiques multilatérales régionales et sous-régionales sont devenues des conduites ordinaires des politiques étrangères africaines[1].

Familier d'une certaine rhétorique panaméricaniste depuis le XIXe siècle, les pays d'Amérique centrale et du Sud se dotent également d'un nombre élevé d'OI à partir de 1945. À l'échelle continentale (OEA, 35 membres en 2015) ou sous-régionale, les objectifs politiques et économiques coexistent ou se conjuguent dans des tentatives de rapprochement politique (OEA, Groupe de Rio), d'unions douanières (SICA, Mercosur, Caricom, CAN), de zone de libre-échange (Alena) ou d'accords préférentiels (ALADI, Alliance du Pacifique). L'ombre des États-Unis et le caractère parcellaire des initiatives ont entretenu les divisions même si l'union sud-américaine demeure à l'ordre du jour (relancée par l'Unasur en 2008) et si des formes limitées d'intégration politique accompagnent certaines coopérations économiques (SICA, Mercosur ou CAN disposent d'un parlement aux pouvoirs consultatifs, mais aucun n'est élu au suffrage universel direct en 2015). Néanmoins, avec une douzaine d'organisations régionales et sous-régionales aujourd'hui, les pays d'Amérique latine ont une pratique extensive du multilatéralisme.

Dans des conditions différentes, il en va de même des pays d'Asie et du Pacifique. Plusieurs d'entre eux ont été d'abord mobilisés par l'afro-asiatisme puis par le non-alignement dans les années 1950 et 1960. Par la suite, concentrés sur des stratégies de développement national, les pays hostiles au communisme se sont contentés d'organisations communes faiblement institutionnalisées, tournées vers la défense de la « sécurité nationale » avant d'évoluer plus tardivement vers la coopération économique (ASEAN, 10 membres plus le Timor Oriental et la Papouasie-Nouvelle-Guinée en cours d'accession en 2015). La création institutionnelle paraît donc moins dense et moins ambitieuse qu'en Afrique et en Amérique latine, malgré une assez forte relance sur le terrain économique depuis les années 1990. Mais, à sa façon, l'Asie est aussi entrée dans le jeu des coalitions multilatérales [Beeson, 2009].

Les pays d'Afrique du Nord et du Moyen-Orient ont fait de même avec la création de la Ligue des États arabes dès 1945. Celle-ci a connu une certaine croissance (22 membres en 2015) et conserve une unité fragile,

---

1. Pour un panorama des organisations régionales et de leurs sigles, on se reportera au tableau *infra*, p. 54-56.

essentiellement servie par un fort sentiment anti-israélien. En revanche, les divisions entre les orientations des régimes politiques, les désaccords sur le choix des alliances internationales et la différenciation des structures économiques des pays de la région ont freiné l'union ainsi que la création de nouvelles organisations communes. Celles-ci demeurent en nombre limité, et empreintes d'un multilatéralisme strictement intergouvernemental.

Dans l'ensemble, ces régionalismes et sous-régionalismes apparaissent peu intégrés, travaillés par des divisions politiques et de fortes disparités économiques. Les exclusions, suspensions ou retraits ont été bien plus nombreux qu'au plan mondial[1]. Mais les organisations, nombreuses, ont perduré et/ou se sont renouvelées. Parmi les éléments avancés pour expliquer cette prolifération institutionnelle [Braveboy-Wagner, 2009], on peut retenir deux facteurs principaux. En premier lieu, il existe des raisons de type fonctionnel – classiques dans la création des OI – qui laissent penser que les organisations peuvent répondre à des attentes, remplir des fonctions et satisfaire des besoins pratiques. De ce point de vue, malgré toutes leurs différences, les pays en développement estiment, en général, que leurs demandes sont spécifiques et que le multilatéralisme régional est plus adapté à leurs besoins. Ainsi en va-t-il notamment des tentatives de coopération économique (zones de libre-échange ou unions douanières) qui, pour l'expansion des marchés intérieurs, paraissent préférables à une ouverture internationale incontrôlée. Mais compte tenu des résultats limités en ces domaines, c'est, en second lieu, à une autre raison qu'il faut recourir pour expliquer l'attachement durable des pays du Sud à leurs organisations régionales. Outre les rétributions en postes et en places qu'elles fournissent, il s'agit, en effet, de manifester une volonté d'existence et d'afficher une identité, celle des plus faibles, face aux pays les plus riches et les plus puissants. Les organisations régionales constituent ainsi des ressources politiques qui offrent aux affiliés (aux États et à leurs responsables) des opportunités de distinction et de leadership bien plus difficiles à acquérir au sein des instances du multilatéralisme mondial dans lesquelles ils restent souvent des acteurs dominés.

Cette recherche de distinction et d'influence des pays en développement est également au cœur d'une forme de multilatéralisme

1. Parmi les mesures les plus fameuses, l'exclusion de Cuba de l'OEA en 1962 en raison de l'orientation politique du régime castriste (résolution sur laquelle les pays membres sont revenus en 2009), la suspension de l'Égypte de la Ligue arabe de 1979 à 1989 à la suite du traité de paix israélo-égyptien de 1979, le retrait du Maroc de l'OUA en 1982 pour protester contre l'admission de la République arabe sahraouie. Dans la limite de leur définition, les organisations régionales ne sont donc pas, *a priori*, plus inclusives que les organisations mondiales.

tricontinental (Afrique, Amérique latine, Asie)[1] dont les intentions visent à bousculer l'agenda des pays développés. Initialement afro-asiatique avec la Conférence de Bandung (avril 1955), cette coopération évolue au fil de conférences successives (Brioni, 1956, Belgrade, 1961, Le Caire, 1964) vers la structuration souple et non sans divisions du Mouvement des pays non alignés (MNA) [Berg, 1980, Prashad, 2007]. Nasser, pour l'Égypte, Nehru, pour l'Inde et Tito pour la Yougoslavie, en furent les principaux artisans. Entre la définition incertaine des critères du « non-alignement » vis-à-vis de la bipolarité Est-Ouest, l'opposition rhétorique au « néocolonialisme » des pays développés et l'adoption malaisée d'un programme commun sur le développement et la coopération économique, le MNA a peu de réalisations concrètes à son actif. La fin de la Guerre froide et la différenciation économique du Sud ont accru ses difficultés de positionnement. Mais le Mouvement reste un étendard important pour les pays du Sud (120 en 2012). Il symbolise un attachement de principe au multilatéralisme (contre les conduites unilatérales des grandes puissances) et une aspiration à un « ordre mondial juste et équitable » (document final, Conférence du Caire, juillet 2009) conformément aux buts et principes de la Charte des Nations unies. Le MNA aura surtout servi à resserrer les liens des membres au sein du multilatéralisme onusien en facilitant la constitution de coalitions, à l'instar du Groupe des 77 (G77), conçu, en 1964, pour promouvoir les intérêts économiques des pays en développement à l'ONU ou du Groupe des 24 (G24) chargé, en 1971, de la même mission auprès des institutions de Bretton Woods (FMI et BM). Le G77 (134 pays membres en 2015) et le G24 (auquel peuvent participer tous les membres du G77 qui le souhaitent) confirment l'adhésion massive des pays en développement aux pratiques multilatérales en général et au multilatéralisme onusien en particulier. Mais ce qui peut paraître comme une consolidation de la « coopération internationale » n'est pas sans équivoque. En fait, le ralliement des pays du Sud au multilatéralisme s'est accompagné d'une volonté constante de bien marquer la distinction entre « eux » et « nous », de revendiquer la prise en compte des particularités de leurs situations et de ne pas se satisfaire d'un multilatéralisme « imposé ».

1. Auquel il faut ajouter l'Europe en raison du rôle joué par la Yougoslavie du maréchal Tito. L'affirmation identitaire est également au cœur d'un multilatéralisme bicontinental (Afrique, Asie) comme celui de l'Organisation de la conférence islamique (OCI, 1969).

Une contestation persistante

Malgré des succès pratiques limités, les pays du Sud ont largement profité du multilatéralisme mondial pour exprimer leurs revendications en faveur d'un ordre économique international plus équilibré.

Après avoir été encouragés par l'ONU à conquérir leur indépendance politique, les pays en développement entendent utiliser les instances internationales pour remporter leur indépendance économique. Au plan théorique, le concept de développement tend à remplacer celui de croissance. Les dogmes de l'économie libérale sont remis en cause. La Commission économique pour l'Amérique latine (CEPAL) diffuse des thèses tout à fait novatrices sur les conditions du développement, en s'opposant à la théorie du commerce international, prévalant jusque-là, selon laquelle le libre-échange, en lui-même, permet la réduction des inégalités internationales. Les notions d'échange inégal et de dépendance se répandent et entrent dans le langage diplomatique[1].

Malgré les réticences des grands pays occidentaux, les pays du Tiers-monde obtiennent, en 1964, la création de la CNUCED (Conférence des Nations unies pour le commerce et le développement) pour faire contrepoids au Gatt qu'ils jugent servir exclusivement les intérêts des puissances industrielles. Cette nouvelle institution doit être le lieu où se négocieront toutes les questions relevant de ce que l'on commence à appeler les relations Nord-Sud et où seront définies de nouvelles règles de l'échange international plus favorable au Tiers-monde. Le premier secrétaire général, l'économiste Raúl Prebisch, vient de la CEPAL et donne à la CNUCED une orientation résolument offensive : il s'agit d'adopter des règles nouvelles, dérogatoires au droit international commun pour le commerce et le financement des pays en développement.

Jusqu'à la fin des années 1970, trois initiatives retiennent plus particulièrement l'attention.

1. On désigne sous le nom d'école de la dépendance plusieurs courants intellectuels, plus ou moins marxistes, qui soutiennent que la cause du « sous-développement » doit être recherchée dans les structures inégales du commerce international et dans la dépendance des pays pauvres de la « périphérie » vis-à-vis des pays riches du « centre » (Raúl Prebisch, Fernando H. Cardoso, André G. Frank, Samir Amin, Immanuel Wallerstein, parmi les plus connus). Pour éviter la reproduction de ce mécanisme d'exploitation (qui redouble les luttes de classes à l'intérieur de chaque pays), c'est-à-dire pour rompre avec le « développement du sous-développement », il convient de compter sur ses propres forces (stratégie d'industrialisation par substitution des importations, développement « autocentré ») et opérer une « déconnexion » calculée (Samir Amin) du capitalisme mondial [O'Meara, 2007]. Ces thèses, très en vogue dans les années 1960 et 1970, s'opposaient à la vision développementaliste selon laquelle tous les pays étaient soumis à un processus homogène de « modernisation » suivant le modèle occidental. Elles furent influentes, même si non exemptes de contradictions avec les intérêts des élites politiques et économiques des pays du Sud qui ne tardèrent pas à les édulcorer.

En premier lieu, la CNUCED fait accepter en 1968 le principe d'un système généralisé des préférences (SGP), dérogation à la règle de la réciprocité des accords commerciaux encadrés par le Gatt, afin de faciliter des accords préférentiels en faveur des pays en développement (13 accords préférentiels notifiés à la CNUCED en 2015 concédés principalement par les principaux pays développés et dont bénéficient la quasi-totalité des pays en développement).

En deuxième lieu, la CNUCED constitue, au centre d'une intense activité diplomatique entre les Non-alignés (Sommet d'Alger, 1973), le lieu de préparation privilégié de la « Charte des droits et devoirs économiques des États », adoptée le 12 décembre 1974 par l'Assemblée générale de l'ONU (résolution 3281) et qui fait office de déclaration de principe en faveur d'un « nouvel ordre économique international fondé sur l'équité et l'égalité souveraine, l'interdépendance, l'intérêt commun et la coopération de tous les États, quel que soit leur système économique et social ». La Charte est un manifeste de souverainisme économique. Les États sont confortés dans leur droit de contrôler leurs ressources nationales, de réglementer les investissements étrangers et de choisir leurs politiques économiques. Sa portée demeure largement déclaratoire, mais elle frappe les esprits à travers ce qui apparaît comme la force contestataire et solidaire des pays du Tiers-monde.

En troisième lieu, répondant à beaucoup de pays du Sud, notamment en Afrique, dont l'économie repose sur l'exploitation de quelques ressources naturelles, la CNUCED s'attache à l'idée d'organiser le marché des produits de base afin de garantir des prix rémunérateurs aux pays producteurs – et une stabilité des approvisionnements aux pays consommateurs. La création de l'Opep (Organisation des pays producteurs de pétrole), en 1960, semblait avoir montré la voie, mais sans grands résultats avant que le débat ne soit relancé de manière spectaculaire lors de la crise pétrolière de 1973-1974. À cette occasion, l'Opep décide souverainement le quadruplement du prix du pétrole sur fond de crise monétaire internationale (suspension de la convertibilité du dollar, effondrement du système monétaire international). Ce succès fait craindre une multiplication contagieuse des cartels pour différents produits de base (cuivre, étain, café, etc.) et conduit les pays du Sud et du Nord à adopter, à l'issue de difficiles négociations, un « programme intégré des produits de base ». C'est la IVe CNUCED (1976) qui consacre officiellement le programme et en fixe les modalités : dix-huit produits importants pour les pays en développement (bauxite, cacao, café, coton, cuivre, etc.) au profit desquels est institué un mécanisme de défense des prix, fondé sur une politique de stockage et d'intervention sur les marchés. Ce dispositif demeurera largement ineffectif, à l'instar des organisations internationales de produits qui s'avèrent incapables de réguler les échanges, mais servent à maintenir un lien entre pays producteurs et pays consommateurs, tout en fournissant des statistiques et des prévisions aux acteurs des marchés. Néanmoins, là encore, la CNUCED fait entendre une voix différente. Au nom des pays en développement, elle plaide pour une conception plus administrée de l'ordre économique international.

À cette fin, la CNUCED offre également une structure d'organisation aux pays du Sud. C'est en effet en son sein que sont officialisées les négociations par groupes : les pays d'Afrique, d'Asie et d'Amérique latine forment le « Groupe des 77 » (qui se décline en plusieurs « chapitres » dans différentes institutions onusiennes, FAO, ONUDI, Unesco, PNUE, et à travers le G24 auprès des institutions de Bretton Woods). Les pays industrialisés à économie de marché (les membres de l'OCDE) constituent le « Groupe B ». La Chine représente un groupe à elle seule, régulièrement favorable au Groupe des 77, tout comme l'était le « Groupe C » des pays communistes avant qu'il ne cesse d'exister à la suite de la disparition de l'URSS.

Dès l'origine, le Secrétariat de la CNUCED tente activement par son travail d'assistance technique de renforcer l'influence et les positions des pays en développement dans les négociations commerciales internationales [Taylor et Smith, 2007, p. 23-25]. Par la suite, le Secrétariat étendra son expertise aux questions liées aux investissements directs à l'étranger (IDE) et aux entreprises transnationales à travers des publications faisant autorité (notamment le *World Investment Report*). En un sens, on pourrait voir ici une illustration du travail de socialisation imputé aux OI. Mais dans le cas de la CNUCED, nous tenons également un bon exemple d'une socialisation qui, comme nous l'avons déjà noté, ne doit pas être idéalisée dans la mesure où elle se réalise aussi à travers des apprentissages contestataires. En demeurant un « organe subsidiaire » de l'Assemblée générale des Nations unies, la CNUCED entend rappeler, au nom des pays en développement, le rôle politique des Nations unies dans les problèmes du développement économique.

De très nombreuses initiatives vont dans ce sens au cours des années 1960 et 1970. Elles consistent pour les pays du Sud à faire admettre la primauté des questions du développement sur celles de la sécurité et à renforcer leur contrôle dans le traitement qui leur est réservé. Le Programme des Nations unies pour le développement (PNUD) est ainsi créé en 1966 par la fusion de deux instruments d'assistance technique dont s'était déjà dotée l'ONU. Il a un rôle de programmation, de coordination, de financement et d'évaluation et s'impose comme la pièce maîtresse du dispositif onusien en matière d'aide au développement. Mais il est surtout remarquable que les modalités d'intervention du PNUD diffèrent d'emblée des approches conditionnelles adoptées par les institutions de Bretton Woods (ce qui ne sera pas toujours respecté en pratique) et que, sous la pression des pays du Sud, elles privilégient l'exécution nationale des projets par les pays eux-mêmes [Bellot et Châtaigner, 2009]. C'est également parce qu'ils souhaitent mieux contrôler l'aide au développement industriel que les pays du Sud réussissent, en 1966, à faire créer par l'Assemblée générale une Organisation des Nations unies pour le développement industriel (ONUDI) puis, en 1975, un Fonds de développement industriel. L'ONUDI, transformée en institution spécialisée en 1985, est un lieu de fortes oppositions politiques Nord-Sud tout au long des années 1970. La pression est constante dans toutes les institutions spécialisées qui établissent des programmes d'assistance aux pays en développement. Dans le domaine alimentaire, par exemple, l'Organisation pour l'alimentation et l'agriculture, plus connue sous son sigle anglais FAO, ne convainc pas les pays en développement. Malgré de multiples programmes spéciaux auxquels s'adjoint en 1963 un organe subsidiaire pour faire face aux situations d'urgence, le Programme alimentaire mondial (PAM), qui deviendra la principale filière de distribution de l'aide alimentaire mondiale (80 millions de bénéficiaires dans 75 pays en 2015), les pays du Sud reprochent aux financements d'être trop orientés vers les besoins des entreprises transnationales et de « l'agrobusiness ». Tirant argument de la crise alimentaire qui menace de nombreux pays africains de famine, le Mouvement des non-alignés réclame en 1973 la convocation d'une conférence internationale extraordinaire. Celle-ci débouche, l'année suivante, sur la création d'un Conseil mondial de l'alimentation censé établir une autorité de coordination de l'action alimentaire mondiale. L'objectif du G77 est surtout d'empêcher les pays du Nord d'en prendre le contrôle [Shaw, 2009, p. 206-207]. Pour consolider leurs positions, les pays du Sud obtiennent également la création du FIDA, institution spécialisée des Nations unies pour le financement de projets et de programmes agricoles dans les pays en développement à faible revenu. Sa structure est originale puisque les voix sont partagées à égalité entre trois catégories de membres : les pays de l'OCDE, les pays de l'Opep et les pays en développement. Cette relation triangulaire (que le président français Giscard d'Estaing avait essayé de promouvoir sous le vocable « trilogue ») est censée incarner une institution du « nouvel ordre économique international », mieux contrôlée par le Tiers-monde et destinée à modifier qualitativement les objectifs et les conditions de financement du développement agricole [Sauvignon, 1978].

Néanmoins, dans l'ensemble, toutes ces offensives ont été largement contenues.

Les pays du Nord observent d'abord une résistance passive. Devenus minoritaires dans les organes délibérants des institutions onusiennes, ils demeurent leurs principaux bailleurs de fonds ce qui est suffisant pour ralentir voire enterrer nombre de projets. Il en ira ainsi du « programme intégré des produits de base », activement promu par la CNUCED et « bloqué par la simple inertie » des pays du Nord [Taylor et Smith, p. 63]. Le Conseil mondial de l'alimentation ne fera pas mieux. Les États-Unis et les pays occidentaux ne s'étaient ralliés que de mauvaise grâce à cette solution de compromis alors que les pays du Sud cherchaient à établir une « autorité alimentaire mondiale » contournant le leadership de la FAO. L'initiative ne s'imposera pas et les États-Unis joueront de l'argument financier pour y mettre un terme en 1992. Le Conseil mondial de l'alimentation est une des rares institutions onusiennes à avoir été purement et simplement supprimée. Le FIDA, pour sa part, sera maintenu, mais son financement à parts égales entre les pays de l'OCDE et ceux de l'Opep reste, jusqu'à aujourd'hui, une question contentieuse qui pèse sur des ressources déclinantes [Shaw, 2009, p. 63-64]. Quant aux grandes déclarations de principes sur le « nouvel ordre économique international », sur le « nouvel ordre mondial de l'information et de la communication » (Unesco, 1976) ou sur la promotion des soins primaires et la santé pour tous (OMS, déclaration d'Alma-Ata, 1978), elles sont accueillies avec indifférence, scepticisme et parfois hostilité.

Plus active, ensuite, est la posture consistant à contrôler certaines instances politiques de l'aide publique au développement. Ainsi en va-t-il de l'administration du PNUD où se succèdent plusieurs administrateurs américains jusqu'en 1999 (les États-Unis constituent le premier contributeur financier au fonctionnement de l'organisation) et bien que les pays en développement disposent de la majorité au conseil d'administration. L'influence sur le PNUD des institutions de Bretton Woods, elles-mêmes parfaitement contrôlées par les pays occidentaux, en est facilitée à l'heure du « consensus de Washington[1] » [Bellot et Châtaigner, p. 204-205]. À défaut de maîtrise, il reste le retrait avec ses conséquences financières douloureuses pour les organisations concernées : l'Unesco en a fait l'expérience en 1984 avec le retrait des États-Unis qui critiquent l'excessive « politisation » de l'organisation (s'agissant notamment de la promotion par les pays du Tiers-monde d'un « nouvel ordre mondial de l'information et de la communication ») et qui financent 22 % du budget de l'organisation

1. Ensemble de recommandations libérales initialement destinées à résoudre les difficultés des économies latino-américaines très endettées au cours des années 1980 (libéralisation des échanges, privatisation des entreprises, dérégulation des marchés, réduction des dépenses publiques). Elles sont au fondement des politiques d'ajustement structurel des institutions financières internationales jusqu'au début des années 2000. Cette orientation n'a pas été abandonnée par la suite, mais seulement tempérée par la résistance de multiples mobilisations sociales et le regain d'influence d'économistes keynésiens, notamment à la Banque mondiale (sur ce dernier point, Paul Krugman, « The MIT gang », *International New York Times*, 25-26juillet 2015)

à l'époque. Le Royaume-Uni et Singapour feront également défection l'année suivante. Les États-Unis, le Canada et l'Australie se retirent également de l'ONUDI en 1993, contraignant l'organisation à se recentrer sur des missions d'assistance technique dans des projets approuvés et financés par l'intermédiaire du PNUD.

C'est enfin, et plus généralement, l'offensive néolibérale venue des États-Unis du président Ronald Reagan et du Royaume-Uni de Margaret Thatcher qui achève, à partir des années 1980, de déstabiliser l'action des pays du Sud en faveur du développement aux Nations unies ainsi que les théories keynésiennes et néomarxistes qui la sous-tendaient depuis les années 1950. La pensée économique dominante change de camp et remet le marché au centre des questions liées au développement. Le retournement du contexte international fait le reste : montée du chômage au Nord, crise de la dette au Sud. Les organisations mondiales où le Tiers-monde exerce son poids collectif sont accusées de faire le malheur des pays du Sud en soutenant des régimes corrompus et en encourageant des politiques économiques dirigistes. Parfois séduites, souvent contraintes, les élites des pays en développement se soumettent aux recettes ultralibérales des institutions de Bretton Woods. La dérégulation financière, la mobilité du capital, les nouvelles technologies d'information et de communication (NTIC), les nouveaux enjeux du commerce international (transports, services, etc.) sont quelques-uns des nouveaux défis auxquels les organisations du Sud ne sont pas préparées. Celles-ci se retrouvent d'autant plus désorientées et sur la défensive (pour la CNUCED [Taylor et Smith, p. 67-82]) que le Sud connaît des formes notables de différenciation économique avec la croissance spectaculaire des nouveaux pays industrialisés (NPI[1]). L'idée d'une mobilisation commune pour modifier les règles du jeu économique mondial semble de moins en moins réaliste [Adda et Smouts, 1989, p. 224-226].

Paradoxalement, c'est pourtant de cette différenciation économique du Sud que renaît la contestation. Au seuil du nouveau millénaire, enregistrant les piètres performances des institutions financières internationales et les dégâts sociaux du « consensus de Washington », plusieurs pays en développement à forte croissance économique relancent la quête d'une plus grande autonomie dans le choix de leurs politiques économiques et commerciales. Ces pays dits « émergents » forment un ensemble composite aux contours incertains et aux critères variables et cumulatifs (croissance économique rapide, économie de marché, opportunités d'investissements étrangers, participation aux échanges internationaux). Certains sont considérés comme plus « grands » que d'autres en raison de leur

1. Il n'existe pas de liste officielle des NPI. On a coutume d'y inclure, dès les années 1970, les quatre « dragons » asiatiques (Corée du Sud, Taïwan, Singapour, Hong Kong) suivis par d'autres pays d'Asie du Sud-Est et d'Amérique latine.

poids démographique (Brésil, Chine, Inde, Indonésie), de leur influence régionale (Afrique du Sud) ou de leur importance politique et militaire (la Russie, bien que son appartenance à la catégorie des émergents soit discutée). Quoi qu'il en soit, en dépit de leur hétérogénéité, ces pays occupent et revendiquent (à l'instar du G20 à l'OMC) une position « intermédiaire » entre les pays les plus développés et les pays en développement les plus pauvres. À ce titre, dans le contexte post-bipolaire et parce qu'ils disposent souvent des moyens de leurs politiques, ils ont une capacité d'action bien plus forte que celle des pays du Tiers-monde pendant la Guerre froide. Ils peuvent ainsi se dégager de la tutelle du FMI, relancer des projets de banques régionales (ainsi la création, en 2015, de la BAII), réinscrire le développement du Sud au cœur des négociations commerciales internationales, faire valoir leurs propositions en matière environnementale, s'entremettre dans les domaines de la « haute politique » (non-prolifération nucléaire, par exemple) et bloquer à peu près toutes les négociations multilatérales. De manière symptomatique, la CNUCED retrouve une certaine autonomie intellectuelle : le « consensus de São Paulo » (XIe CNUCED, 2004) réfute ainsi les prescriptions universelles et privilégie les objectifs nationaux de croissance sans rompre totalement avec certaines directives libérales [Alternative Sud, 2007]. Les oppositions prennent des formes différentes, plutôt moins radicales dans les années 2010 que dans les années 1970. La contestation englobe désormais plusieurs courants de résistance qui se distinguent selon leur degré d'accommodement au libre-échangisme mondial. Il est vrai que « le monde en développement » est plus hétérogène que jamais. Mais, en conjuguant plus ou moins tactiquement leurs voix à celles des pays les plus pauvres (les pays les moins avancés – PMA – dans la terminologie onusienne), les pays émergents incarnent et prolongent d'une manière plus vigoureuse et moins crispée la contestation du Sud au sein des organisations mondiales.

Plus de soixante ans après le début de la décolonisation, le Sud apparaît solidement installé dans le paysage du multilatéralisme. Ses États y ont gagné en autorité et en visibilité. Les organisations internationales y ont également retiré un surcroît de légitimité. Mais l'ensemble des transactions est resté inscrit dans une logique essentiellement intergouvernementale. Le Sud n'a guère anticipé son dépassement alors que le multilatéralisme ne s'y confond plus tout à fait.

La pression des sociétés

Le multilatéralisme n'a jamais été seulement qu'une affaire de gouvernements. Dès l'ébauche de son institutionnalisation à travers le « Concert européen » de 1814 à 1914, les États invitent occasionnellement certaines personnalités extérieures aux délégations gouvernementales à venir défendre leurs idées sur des questions politiques, économiques ou sociales. Des représentants de sociétés de pensée pour l'émancipation des Juifs ou l'abolition de l'esclavage sont ainsi conviés au Congrès d'Aix-la-Chapelle en 1818 ; des banquiers aussi, pour exposer leurs vues sur les moyens de faciliter les transactions financières [Sédouy, 2009, p. 76 et 88]. Parallèlement, l'influence croissante de la presse multiplie l'accréditation de nombreux journalistes, relais sensible d'une « opinion publique » qui s'organise et qui pèse de plus en plus sur les décideurs. Des initiatives non gouvernementales fameuses poussent les États à explorer de nouveaux domaines de coopération (comme la première Convention de Genève, 1864, préparée par le Comité international de la Croix-Rouge et sur laquelle va s'édifier toute une partie du droit international humanitaire), tandis que le nombre des organisations internationales non gouvernementales – dénommées associations internationales jusqu'à la création de l'ONU – augmente (une soixantaine au tournant du siècle, 176 en 1909, v. *supra*, p. 109) et que se structurent les premières tentatives de coordination (création du Bureau international permanent de la paix en 1891 et de l'Union des associations internationales en 1910).

À côté des journalistes omniprésents, suffragettes, pacifistes, syndicalistes se pressent pour suivre le Congrès de la paix de Paris (1919) et exprimer leurs observations et leurs réactions aux travaux préparatoires à la création de la Société des Nations (SDN) et à celle de l'Organisation internationale du travail (OIT). La SDN impulsera un nouvel élan à la constitution d'associations internationales en les associant parfois étroitement à ses travaux (ainsi avec le Bureau international de la paix ou la Chambre de commerce international – CCI).

Néanmoins, jusqu'à la création de l'ONU, ces associations internationales ne disposent pas d'un statut officiel auprès des organisations intergouvernementales. L'article 71 de la Charte des Nations unies y remédie en consacrant la pratique officieuse de la SDN. Les « organisations non gouvernementales » (ONG, nouvelle appellation onusienne), internationales et nationales, peuvent être consultées par le Comité économique et social (Ecosoc) pour toutes questions relevant de sa compétence. À ce titre les ONG doivent demander et obtenir de l'Ecosoc l'admission au régime formel du « statut consultatif ». La croissance du nombre d'ONG ainsi associées à l'ONU a été spectaculaire : 41 en 1946, 744 en 1992, plus de 3000 en 2010, plus de 4000 en 2015.

Cette croissance a été particulièrement forte pendant la décennie 1990 (triplement du nombre d'ONG associées) et demeure soutenue depuis (doublement de 2000 à 2010). Il faut y voir au moins deux raisons. D'une part, le nombre des ONG (internationales et nationales) a considérablement augmenté. Il s'agit là d'un phénomène social majeur lié à l'autonomisation accrue des acteurs sociaux et à leurs capacités de mobilisation. Démocratisation des sociétés et/ou nouvelles opportunités de connexion à l'heure de la mondialisation offrent quelques éléments d'explication à un constat certainement plus complexe, qu'il n'est pas dans notre propos de traiter ici et sur lequel la littérature est considérable (pour une synthèse, [Ryfman, 2014]). D'autre part, l'ONU – et plus précisément le secrétariat de l'Organisation durant les mandats de Boutros Boutros-Ghali (1992-1996) et de Kofi Annan (1997-2006) – a encouragé un net mouvement de rapprochement vers les ONG. À cet égard, les grandes conférences mondiales de l'ONU comme celles de Rio sur l'environnement (1992), de Copenhague sur le développement social (1995), de Johannesbourg sur le développement durable (2002) ou de Montréal sur le changement climatique (2005) ont joué un rôle mobilisateur exceptionnel [Tenenbaum, 2007]. Rétrospectivement, la Conférence des Nations unies sur l'environnement de Stockholm (1972) apparaît pionnière. À chaque fois, plusieurs milliers d'ONG ont été associées aux débats par les organisateurs de l'ONU et à travers des formules susceptibles de ne pas trop heurter les États les plus réticents (tel un « Forum des ONG » se tenant parallèlement à la conférence mondiale). C'est encore le secrétariat de l'ONU qui a commandé ce qui deviendra le « rapport Cardoso » (du nom de son président, l'ancien président du Brésil) « sur les relations entre l'ONU et la société civile » (2004). Le rapport y rappelle l'intensification des relations entre l'Organisation mondiale et tous les acteurs de la société civile (ONG et secteur privé[1]) et conforte l'orientation du secrétariat au nom de l'efficacité et de la légitimité de l'ONU. Dès 1975, l'Organisation s'était d'ailleurs dotée d'un service de liaison avec les ONG (SLNG) pour les mêmes raisons de fonctionnalité (meilleure efficacité) et de démocratisation (plus grande légitimité).

On retrouve, pareillement motivée, une tendance identique à l'ouverture de toutes les OI, au plan mondial comme régional, à une grande diversité d'acteurs sociaux. En fait, parce qu'elles sont présumées profiter directement aux OI, ces transformations du multilatéralisme sont plus spécifiquement encouragées par les secrétariats des organisations concernées. Les gouvernements manifestent plus de résistances, mais ils

1. Dans le glossaire du rapport, le terme de société civile « ne renvoie pas aux activités à but lucratif (secteur privé) non plus qu'à l'action des pouvoirs publics (secteur public) » (p. 16). Cela n'empêche pas le rapport d'encourager l'ONU à « enrôler le secteur privé en tant que partie prenante essentielle pour les partenariats » (p. 47), voir le rapport dans les documents de l'Assemblée générale des Nations unies du 11 juin 2004 (A/58/817), http://www.un.org/french/reform/civil-society.html

ne semblent pas en mesure d'empêcher l'élargissement de l'action multilatérale à un vaste réseau de « parties prenantes » (*stakeholders*).

L'ouverture contenue des OI

L'Organisation internationale du travail (OIT) est la première organisation intergouvernementale ayant institutionnalisé la participation d'acteurs non étatiques à son fonctionnement en se dotant d'une composition tripartite (représentants des gouvernements, des employeurs et des travailleurs). Cette initiative est restée isolée. Comme nous l'avons dit, il faut attendre l'article 71 de la Charte des Nations unies pour que soit consacrée la participation d'une catégorie particulière d'acteurs non étatiques, les ONG, à l'Organisation mondiale. Et encore s'agit-il d'une participation doublement limitée : auprès du seul Ecosoc et à titre consultatif. Le régime est clairement restrictif [Törnquist-Chesnier, 2007, p. 171-172], mais les ONG, encore peu nombreuses, ne suscitent pas de controverses majeures pendant la Guerre froide.

À la suite de la forte mobilisation occasionnée par le Sommet de Rio (1992), l'Ecosoc entreprend d'actualiser le cadre juridique de ses relations avec les ONG. La résolution (1996/31), adoptée après trois ans de négociation, entend répondre à la diversité des ONG, notamment en différenciant le statut consultatif[1] et en instituant une procédure d'accréditation aux travaux des conférences internationales des Nations unies. La motivation est double : répondre à la pression croissante des ONG tout en cherchant à mieux l'encadrer. Le Comité des ONG constitué de 19 États est ainsi confirmé dans son rôle consistant à octroyer, suspendre ou retirer le statut, ce qui permet, le cas échéant, aux gouvernements de contrer les ONG contestatrices et de favoriser celles qui sont dociles (les fameuses Gongos – *Governmental Non-Gouvernmental Organizations* – dont des pays comme Cuba, la Chine, le Pakistan ou l'Inde ont obtenu l'admission). La tentation est d'autant plus forte que l'octroi du statut à des ONG *nationales* est directement subordonné à l'accord de l'État concerné et que la résolution 1996/31 a été perçue par les ONG *nationales* comme une incitation à demander un statut consultatif, ce qui restait jusque-là assez théorique. Parallèlement, la résolution de 1996 invite les ONG « à ne pas transformer [l'Ecosoc] en tribune ouverte à tous les

1. Trois types de relation de consultation sont établies : le statut consultatif général (pour les ONG à compétence générale, 142), le statut consultatif spécial (pour les ONG couvrant un ou quelques domaines relevant de l'Ecosoc, 2926), le statut consultatif occasionnel (« Roster status » – inscription sur la liste – pour les ONG aux compétences techniques plus étroites, 977), chiffres au 1er septembre 2014 sur le site de l'Ecosoc, http://www.un.org/fr/ecosoc//. On trouve également sur le site la liste générale des ONG concernées.

débats » (art. 19). Elle rappelle les risques de suspension et de retrait du statut notamment en cas « d'actes injustifiés ou inspirés par des motifs politiques à l'encontre d'un État membre [et qui seraient incompatibles avec les buts et principes de la Charte des Nations unies] » (art. 57 a), et prend soin de préciser que la participation des ONG accréditées aux conférences internationales n'implique pas une autorisation à participer aux négociations (art. 50).

Bien sûr, la pratique est moins tranchée. Les ONG animent des débats, les sanctions définitives sont rares et la frontière entre consultation et négociation n'est pas toujours étanche. Ces arrangements sont souvent dus au travail d'organisation des secrétariats. Mais, du point de vue des États, les dispositions existantes, que certains, comme la Chine, souhaiteraient volontiers durcir, sont conçues pour empêcher une participation trop active des ONG et, à tout le moins, témoignent d'un climat de méfiance à leur égard. De manière significative, le débat sur l'éventuelle accréditation des ONG à l'Assemblée générale de l'ONU s'éternise depuis plus de dix ans [Willetts, 2000, p. 196-203]. Cet enlisement n'est pas sans rapport avec la crainte des membres du Conseil de sécurité (notamment les États-Unis) de voir les ONG réclamer, dans une étape suivante, un droit d'intervention au Conseil lui-même[1]. Quant au comité des ONG, il est dominé par des États quasi inamovibles (dont la Chine, Cuba, les États-Unis, Israël, la Russie) qui n'hésitent pas à réclamer et à obtenir la suspension de certaines ONG jugées trop contestatrices : ainsi l'ONG « Reporters sans frontières », suspendue pour un an en 2003 après avoir perturbé une réunion de la Commission des droits de l'homme en distribuant des tracts dénonçant la violation des droits en Libye ou le mouvement indien « Tupaj Amaru », suspendu également pour un an en 2004, pour avoir provoqué des incidents avec la délégation des États-Unis ou le retrait définitif du statut consultatif à de l'Asopazco (Association pour la paix continentale), organisation anticastriste, en 2005. L'admission et la confirmation des ONG (celles qui sont dotées d'un statut général et spécial doivent présenter, tous les 4 ans, un rapport sur leurs activités), est une question politiquement sensible. Le Comité des ONG formule des recommandations à l'Ecosoc qui ne sont pas toujours suivies : ainsi, en juillet 2015, l'ONG « Freedom Now » (défense des prisonniers de conscience) a été admise au statut consultatif spécial par la majorité de l'Ecosoc, alors que la majorité du

1. Selon l'article 39 du règlement intérieur du Conseil de sécurité, le Conseil peut inviter « toute personne qu'il considère comme qualifiée » à lui fournir des informations ou à lui prêter assistance dans l'examen des questions relevant de sa compétence. Les cinq membres permanents ont toujours souhaité utiliser ce mécanisme avec parcimonie (*infra*, p. 183-184 sur la « formule Arria »).

Comité des ONG s'y opposait depuis 5 ans (dont la Chine, Cuba, l'Iran, la Russie).

Bien qu'il soit recherché par les ONG, le statut consultatif auprès de l'Ecosoc n'a pas de valeur générale. Son obtention peut exercer une influence favorable sur l'admission à d'autres OI, mais, la plupart du temps, chaque fonds, programme, institution spécialisée ou autre OI dispose de ses propres arrangements et de ses propres critères de sélection des ONG avec lesquelles il (ou elle) entend nouer des relations. Un aperçu nécessairement incomplet compte tenu de l'étendue et de la diversité des situations fait apparaître au moins trois caractéristiques (v. tableau).

Quelques exemples de relations institutionnelles entre OIG et ONG

		Cadre des relations	Nature des relations	Nature et nombre des partenaires
Fonds et programmes de l'ONU	Unicef	Statut aux ONG reconnues par Ecosoc	Consultative, contributive (participation au financement de l'Unicef) et opérationnelle	Potentiellement, toutes les ONG-OSC reconnues par Ecosoc et intervenant dans le domaine de l'enfance (191 en 2 000)
	UNHCR	Statut d'observateur	Consultative, essentiellement opérationnelle	ONG, 733 (2013) dont 567 ONG nationales ou locales
	CNUCED	2 types de statut (général, spécial)	Consultative	ONG, 221 (2015)
	PNUD	Lignes de conduite	Consultative, mais surtout opérationnelle	ONG-OSC : 15 représentées au Comité consultatif auprès de l'Administrateur du PNUD. Des centaines sur le terrain.
	PAM	Lignes de conduite	Essentiellement opérationnelle	ONG : plus de 1 100 (2015)
	PNUE	Statut d'observateur	Consultative	ONG : 300 (2015)
	Onusida	Statut de membre du CCP	Consultative	5 représentants d'ONG-OSC au CCP

Institutions spécialisées des Nations unies	OIT	3 types de statut (général, régional, Liste)	consultative	OSC-OING, 187 (2015) dont 6 organisations à statut général et 18 à statut régional.
	Unesco	2 types de statut : « formel (consultation ou association) et « opérationnel »	Consultative, opérationnelle et contributive (participation au financement de l'Unesco)	373 ONG et 23 fondations et institutions assimilées (2015)
	OMS	2 types de statut : « relations officielles » et « relations informelles »	Consultative	202 ONG en « relations officielles » (2015)
	FAO	3 types de statut (consultatif, spécial ou de liaison)	Consultative et surtout opérationnelle	OSC-ONG : plus de 200 disposent d'un statut (2010)
	OMPI	2 types de statut (observateur permanent et observateur *ad hoc*)	Consultative	OSC-ONG : plus de 300 disposent d'un statut (2015)
Banque mondiale		Lignes de conduite	Coopération *ad hoc*, essentiellement opérationnelle	32 OSC (dont des plateformes nationales d'ONG) avec lesquelles la Banque « entretient des relations régulières » (2008). Forte augmentation de la participation des OSC-ONG aux projets sectoriels de la Banque
FMI		Lignes de conduite	Accréditation *ad hoc* à certaines réunions	Environ 300 OSC invitées aux assemblées annuelles et de printemps de la Banque et du FMI
OMC		Lignes de conduite	Accréditation *ad hoc* aux Conférences ministérielles et possible « *amicus curiae* » lors de la procédure de règlement des différends	OSC : 346 (Bali, 2013)

Organisations régionales	UE	Lignes de conduite	Consultative, essentiellement opérationnelle	Nombreuses plateformes nationales d'ONG représentant plusieurs milliers d'organisations
	CoE	Statut participatif	Participation à la définition des politiques, programmes et actions du CoE. Possibilités de saisine et d'intervention auprès de la CEDH	Plus de 300 OING disposent du statut participatif (2015)
	OSCE	Lignes de conduite	Consultative et opérationnelle	Pas de chiffres disponibles
Organisations régionales	UA	Membre du Comité économique et social (CES) de l'UA et Statut d'observateur auprès de la Commission des droits de l'homme et des peuples (CDHP)	Consultative. Possibilités de saisine de la CADH	2015 : une centaine au CES et plus de 400 auprès de la CDHP
	OEA	Registre	Consultative	Environ 460 OSC (2015)

Sources : *[Ripinsky et Van Den Bossche, 2007], [Haut Conseil de la coopération internationale, 2002]* et sites Internet des organisations concernées

En premier lieu, le mouvement d'ouverture des OI aux ONG est général [Tallberg et *alii,* 2013]. Toutes les organisations intergouvernementales ont adopté des dispositions pour établir des contacts avec les ONG alors même que dans certaines organisations aucun type de relation n'était prévu initialement (le PNUD, l'OIT, les IFI, l'OMC, l'UE). Les sites Internet des OI font souvent une place avantageuse à cette ouverture qui participe d'un exercice de communication et de « diplomatie publique ». Parallèlement, la pression a été forte. Le nombre d'ONG en relation avec les OI, sous les formes les plus diverses, a augmenté spectaculairement et les années 1990 ont constitué un moment de croissance soutenue (à l'instar de ce qui s'est passé à l'Ecosoc). Ainsi l'UNHCR avait-il moins de 20 ONG partenaires au milieu des années 1960, une centaine en 1980 et plus de 600 au début des années 2000. C'est une tendance que l'on retrouve dans la plupart des OI de notre échantillon.

En deuxième lieu, une ligne de partage sépare les OI ayant doté les ONG d'un statut et celles qui se contentent de quelques « lignes de conduite » dans leurs relations. Ces dernières ne sont d'ailleurs pas toujours cantonnées aux ONG. Certaines OI font une distinction entre les ONG et les « organisations de la société civile » (OSC) pour inclure également syndicats, fondations privées, associations professionnelles, communautés autochtones. L'association ONG-OSC se justifie sans doute en raison des compétences d'attribution de certaines OI (Unicef, FAO). En revanche, elle est plus suspecte pour d'autres OI qui peuvent en profiter pour garder leurs distances avec des ONG trop militantes tout en affichant un souci d'ouverture (IFI, OMC). Quoi qu'il en soit, l'absence de statut témoigne d'un choix politique. Ici, les ONG (ou les OSC) ne sont pas considérées comme des partenaires privilégiés dans le fonctionnement interne de l'organisation (IFI, OMC, UE, OSCE) : soit que la méfiance domine (souvent partagée par les ONG elles-mêmes ; IFI, OMC, OSCE), soit que le processus de décision soit déjà légitimé par les représentants des populations et d'autres mécanismes de démocratie participative (le Parlement européen et le Comité économique et social de l'UE).

En troisième lieu, quel que soit le cadre juridique de leurs liens avec les OI, pratiquement toutes les ONG n'ont qu'un rôle consultatif et/ou opérationnel dans des instances non décisionnelles. Même là où leur activisme et leur place sont incontestés (au PNUE, par exemple), elles ne participent pas directement à des fonctions exécutives. Trois exceptions méritent d'être signalées.

D'une part, le programme Onusida dans lequel 5 représentants d'ONG-OSC siègent au côté des « coparrainants » (10 organismes internationaux) et des représentants de 22 États dans le Conseil de coordination qui *administre* le programme (CCP) : définition des politiques et des priorités, examen et adoption du budget. Néanmoins les délégués des ONG-OSC (répartis en pratique entre les cinq régions géographiques) ne disposent pas du droit de vote qui demeure réservé aux seuls États. Bien que réclamant un droit de vote « entier et égal », leur rôle reste consultatif, mais dans une instance exécutive, ce qui est déjà remarquable au sein des Nations unies.

Dans le même ordre d'idées, à la suite de la réforme du Comité de la sécurité alimentaire (CSA) en 2009 (consécutif à une mobilisation exceptionnelle des chefs d'État et de gouvernement répondant à la flambée des prix des denrées alimentaires et aux « émeutes de la faim » qui l'ont accompagnée), cet organisme intergouvernemental, hébergé par la FAO, s'est élargi à plusieurs OSC-ONG. Un bureau consultatif a ainsi été associé directement à l'organe exécutif chargé de coordonner l'action en faveur de la sécurité alimentaire. Particulièrement innovante est la présence en son sein de représentants de mouvements sociaux (paysans, pêcheurs, peuples autochtones) [Duncan, 2015].

Le Conseil de l'Europe offre un autre exemple exceptionnel d'OI associant directement les ONG au processus décisionnel. Cette coopération ne concerne que les ONG *internationales* (OING) dotées d'un statut « participatif » (se substituant en 2003 à l'ancien statut « consultatif »). La réforme de 2003 fait de la Conférence des OING une institution du Conseil de l'Europe à laquelle les autres institutions du Conseil (notamment le Comité des ministres) peuvent faire appel pour « la définition des politiques, des programmes et des actions » [résolution 2003 (8), Annexe, point 4]. Par ailleurs, toute ONG (locale, nationale ou internationale) est habilitée à saisir la Cour européenne des droits de l'homme (CEDH) si elle s'estime victime d'une violation des droits reconnus dans la Convention de sauvegarde des droits de l'homme et des libertés fondamentales (art. 34 de la Convention). Cette hypothèse est le seul cas où les ONG sont explicitement citées comme pouvant *déclencher* un procès international[1].

Il est vrai que l'accès des ONG aux juridictions internationales a connu des développements significatifs ces dernières années, qu'il s'agisse d'être « invité » ou « autorisé » par le juge à fournir des éléments d'information de nature à éclairer le procès (procédures indistinctement et improprement confondues sous le nom d'« *amicus curiae* », « ami de la cour » [Soumy, 2008]). Les deux tribunaux pénaux internationaux (pour l'ex-Yougoslavie et le Rwanda), la Cour pénale internationale (CPI) et depuis 2009, la Cour interaméricaine des droits de l'homme (CIDH) font une référence explicite à « l'*amicus curiae* » dans leurs statuts. D'autres organes juridictionnels recourent à cette technique mais sans la prévoir explicitement (la CEDH ou l'organe d'appel de l'OMC dans le cadre de la procédure du règlement des différends commerciaux). Parfois les ONG endossent un rôle d'« auxiliaire » de justice en assistant les victimes (CEDH, CPI), en prêtant leur expertise à la Cour (CPI : art. 44.4 statut de Rome), voire en documentant le dossier du procureur lorsqu'il peut ouvrir une enquête de sa propre initiative (CPI : art. 15 du statut de Rome). Néanmoins, à l'exception de la CEDH (et, de manière plus limitée, de la Cour de justice de l'UE – art. 263 du traité

1. Les ONG peuvent également saisir la Commission interaméricaine des droits de l'homme qui, seule, a la capacité de saisir la Cour interaméricaine des droits de l'homme (CIDH). Une procédure importante en pratique. Il convient également de réserver le cas de la Cour africaine des droits de l'homme qui peut être saisie directement par les ONG dotées d'un statut d'observateur auprès de la Commission africaine des droits de l'homme et des peuples (art. 5.3 du protocole relatif à la Charte africaine des droits de l'homme et des peuples portant création d'une Cour africaine des droits de l'homme et des peuples. Protocole entré en vigueur en 2004). Une procédure qui demeure théorique pour l'instant.

sur le fonctionnement de l'UE[1]), aucun organe juridictionnel international n'accorde aux ONG la qualité de partie au procès. En d'autres termes, la participation des ONG à un procès international dépend de la décision du juge. Dans ces conditions, sans sous-estimer leur influence sur certains contentieux internationaux, les ONG demeurent tenues à bonne distance des prétoires.

L'ensemble de ces observations témoigne de la méfiance que suscitent les ONG dans les arrangements interétatiques. Leur légitimité est parfois contestée, fréquemment interrogée [Scholte, 2011, Steffek, Hahn, 2010]. Les bureaucraties des OI encouragent souvent le rapprochement, mais les États qui les contrôlent veillent à ne pas être débordés. Compte tenu de la prolifération des ONG et de leurs capacités de mobilisation accrues par les nouvelles technologies de l'information et de la communication, la tâche devient ardue, parfois impossible comme en témoigne le sort de l'accord multilatéral sur les investissements (AMI), négocié secrètement au sein de l'OCDE et abandonné en 1998 devant la vigoureuse offensive publique d'ONG et de syndicats.

La pression reste donc forte en direction des OI et de leurs États membres [Badie, 2007]. Le pouvoir d'influence est indéniable à travers les ouvertures consenties, mais aussi en raison de multiples formes de lobbying, de coalitions d'ONG, d'actions protestataires et de stratégies de contournement des obstacles telles que certaines ONG parviennent parfois à « capturer » un État pour participer à des négociations qui leur auraient été interdites (ainsi de la représentation de certains micro-États insulaires lors de négociations environnementales [Le Prestre, 2005, p. 113], ou de celle de certains États africains francophones lors de la négociation de la Convention de Rome sur la CPI)[2].

Ce sont les grandes ONG du Nord (Amnesty International, Care, Greenpeace, Handicap international, Oxfam, Médecins du monde, Médecins sans frontières, WWF, etc.) qui occupent le devant de la scène. Les ONG du Sud sont apparues plus tardivement. Parfois affiliées aux grands réseaux du Nord, elles conservent souvent une dimension nationale voire locale. Leur importance ne cesse pourtant de croître à mesure que les OI cherchent à multiplier les partenariats opérationnels (près de 80 % des ONG en partenariat avec l'UNHCR sont des ONG nationales ou locales ; il en va de même pour l'Unicef, le PAM, l'OMS ou la FAO).

1. Ce qui vaut également pour le tribunal de première instance de l'UE. La qualité de partie des ONG devant le tribunal international du droit de la mer (TIDM) pourrait être également déduite de l'article 20 de son statut.
2. Sur l'influence des lobbies industriels dans certaines négociations internationales environnementales, voir [Orsini, 2010]. Plus, généralement sur cet "activisme transnational" [Tarrow, 2005].

L'essor de nouveaux modèles d'action

Ce que les acteurs non étatiques n'obtiennent pas des États sur le terrain de la décision politique, les bureaucraties internationales le concèdent pour l'exécution de leurs programmes. La situation n'est pas entièrement nouvelle.

Dans certains domaines, comme l'action sanitaire internationale, la collaboration entre OI et acteurs non étatiques n'était pas inconnue du temps de la SDN, même si elle demeurait embryonnaire [Guilbaud, 2008, p. 29-31]. Il n'est pas non plus inédit que les frontières du public et du privé s'enchevêtrent au sein d'une même organisation. Le CICR témoigne ainsi d'une nature hybride, non gouvernementale (il s'agit d'une association privée de droit suisse) et intergouvernementale (par l'action qu'il poursuit dans le cadre d'un mandat international – les conventions de Genève). L'Organisation internationale de normalisation (ISO), créée en 1946 dans la continuité d'initiatives visant à édicter des normes (*standards* en anglais) destinées à faciliter les échanges économiques et les relations contractuelles, relève également d'un statut mixte [Murphy et Yates, 2009]. Selon son site Internet, l'ISO se présente ainsi comme « une organisation non gouvernementale qui jette un pont entre le secteur public et le secteur privé ». De fait, ses 162 membres sont représentés par des organismes publics de normalisation (mais eux-mêmes composés de multiples organisations socioéconomiques privées et publiques) et, de manière résiduelle, par des organismes privés issus de partenariats industriels au plan national. La création en 1948 de l'Union internationale pour la conservation de la nature (UICN ou Union mondiale pour la nature) est un autre exemple d'OI de nature hybride puisque cette organisation regroupe des États, des établissements publics et des associations privées [Smouts, 2001, p. 84-85]. L'UICN qui fut à l'origine de la Convention sur le commerce international des espèces de faune et de flore sauvages menacées d'extinction (connue par son sigle CITES) et aussi d'une notion comme celle de « développement durable », entretient des relations de travail très étroites avec le PNUE [Le Prestre, 2005, p. 107-109]. Le directeur exécutif du PNUE élu en 2006 occupait précédemment les fonctions de directeur général de l'UICN.

En bref, le cloisonnement public-privé est variable selon les OI et les périodes (sur les relations entre les industries pharmaceutiques et le contrôle international des drogues, voir [Dudouet, 2009]). Les critiques émises, en 2009 et 2010, par certains membres du Conseil de l'Europe à l'encontre de l'OMS pour avoir exagéré la menace de la grippe H1N1 en raison d'une « trop grande proximité avec les laboratoires » ont rappelé que la question demeurait toujours d'actualité. La pratique consistant à composer certaines délégations nationales auprès d'organismes internationaux ou lors de négociations internationales d'experts issus du secteur privé (entreprises, syndicats, ONG) brouille un peu plus les frontières. Ainsi en va-t-il pour le *Codex Alimentarius* (ou « Codex »), programme mixte de la FAO et de l'OMS chargé, depuis 1963, d'élaborer des normes alimentaires afin de protéger la santé des consommateurs et de faciliter le commerce alimentaire : les quelque 180 gouvernements membres sont représentés par des délégations nationales qui font souvent, comme dans le cas français, une large place aux industriels [Lassalle de Salins, 2008]. Dans le domaine de l'écopolitique mondiale, il est également fréquent que les délégations nationales soient composées d'experts et de représentants d'ONG environnementales [Le Prestre, 2005, p. 111].

La nouveauté ne vient donc pas de ces formes de coopération entre acteurs publics et acteurs privés, mais de leur extension.

S'agissant des organisations intergouvernementales, trois raisons au moins les poussent à se rapprocher d'acteurs privés. En premier lieu, une recherche d'efficacité ou, tout du moins, son affichage à travers la coopération avec des ONG-OSC présentées comme « expertes » et, par conséquent, susceptibles de mieux cibler l'action, de mieux cerner les populations concernées et de mieux satisfaire leurs besoins. L'action présumée « efficace » (voire efficiente) conforte, en fait, doublement la légitimité des OI : à la fois par la réalisation d'objectifs souhaitables (*output legitimacy*) et par l'adoption de procédures désirables (*input legitimacy*). Ce qui apparaît comme une manifestation de professionnalisme et d'ouverture offre en retour des bénéfices pratiques, politiques et symboliques avantageux. Lorsque les organisations intergouvernementales sont critiquées dans leurs fonctions et leur utilité, lorsque leur caractère « démocratique » est contesté, lorsque leur « évaluation » devient une modalité incessante de contrôle, le fait de pouvoir s'appuyer sur une « démocratie d'opinion », aussi imprécise soit-elle, constitue pour les bureaucraties internationales un précieux gage d'autonomie.

En second lieu, l'appel aux acteurs privés semble une opportunité de financement lorsque les budgets sont insuffisants. Ainsi en va-t-il de nombreux instruments financiers qui viennent compenser la réduction des contributions volontaires des États par un nouvel apport de ressources extrabudgétaires. Divers « fonds mondiaux » tentent ainsi de drainer les ressources privées des fondations, des entreprises et des collectivités locales [le Fonds mondial pour l'environnement (FEM) depuis 1991, le Fonds mondial de lutte contre le sida, la tuberculose et le paludisme en 2002, le Fonds mondial de solidarité numérique lancé en 2003, Unitaid pour faciliter l'accès aux médicaments en 2006, etc.]. En réalité, les budgets ne sont pas très importants (environ 3 milliards de dollars, durant la période 2006-2010, pour le FEM qui est la principale institution finançant des projets pour la défense de l'environnement). Les États contribuent pour l'essentiel et l'objectif principal est ailleurs : il consiste à inciter les entreprises à prendre des initiatives conformes aux recommandations internationales. En intervenant sur les marchés (des énergies renouvelables ou des médicaments, des forêts ou de l'accès à l'Internet), ces instruments financiers tentent d'orienter les stratégies des entreprises. Comme le note Auriane Guilbaud à propos du Fonds mondial de lutte contre le sida, la tuberculose et le paludisme, ce type d'action « favorise un rapprochement entre acteurs publics et privés en transformant le cadre de la coopération, en insistant sur des critères d'efficacité qui peuvent sembler plus favorables à l'inclusion des firmes transnationales dans l'action sanitaire internationale » [Guilbaud, 2008, p. 84].

En troisième lieu, la multiplication des organisations intergouvernementales s'est accompagnée d'un chevauchement de compétences. Au sein de l'ONU, il est devenu habituel de s'inquiéter de la prolifération de nouveaux mandats « imbriqués les uns dans les autres [et] source de confusion, de redondances et de gaspillage » (*Rapport sur l'examen des mandats*, ONU, 2006). Les États ont leur part de responsabilité dans cet empilement de dispositifs, mais les bureaucraties veillent également jalousement à défendre leurs prérogatives. Toute extension d'un champ de compétences par l'une constitue une menace pour d'autres de telle sorte que dans cette situation de double contrainte (ne rien faire et voir son existence menacée ; agir et aggraver l'opacité du système)[1], la conduite la moins risquée consiste à prendre les devants et à étendre, à son tour, son domaine de compétence. L'élargissement des mandats des OI n'est donc pas tant une réponse des secrétariats au caractère inapproprié (*irrelevance*) de leurs missions [Schemeil, 2009, p. 4] qu'une mesure de sauvegarde inscrite dans la logique d'un environnement compétitif. Ce souci défensif qui pousse les OI – leurs responsables – à ne pas perdre la main et à consolider leurs positions dans un contexte de pénurie budgétaire, appelle inévitablement la recherche d'alliés. D'autres OI peuvent être sollicitées, mais aussi des ONG-OSC, des fondations et des entreprises.

Prenons l'exemple de l'OMS. Face à la pandémie de VIH-sida, l'organisation renforce ses relations avec les ONG pour éviter d'être débordée par d'autres OI. Mais, dépossédée par l'Onusida (1996) de la coordination des agences onusiennes dans la lutte antisida, critiquée pour son immobilisme et en butte à des difficultés de financement, son position-

1. Le mécanisme du « double lien » dont Norbert Elias a fait la théorie sociologique [Elias, 1993].

nement devient fragile. Le redressement engagé par la nouvelle directrice générale, Gro Harlem Brundtland (1998-2003), consiste alors à réinscrire les questions de santé au plus haut niveau de l'agenda international (trois des Objectifs du millénaire pour le développement sont en relation directe avec la santé) tout en encourageant vigoureusement l'organisation à développer de nouveaux partenariats, notamment en direction des entreprises du secteur privé [Lee, 2009] : une stratégie d'ouverture bienvenue pour les finances de l'OMS, mais également pour un leadership contesté. La FAO ne réagira pas différemment devant la multiplication d'organisations concurrentes dans le domaine de l'action alimentaire et agricole mondiale (PAM, Conseil mondial de l'alimentation, FIDA, Banque mondiale, etc.) : près de 25 fonds, programmes, secrétariats et institutions spécialisées des Nations unies peuvent revendiquer une compétence en matière de « sécurité alimentaire ». Pour se maintenir, la FAO engagera dès la fin des années 1960 des actions communes avec l'industrie agroalimentaire telles que l'ICP (*Industry Cooperative Programme*) de 1966 à 1979. Officiellement, cette stratégie sera réaffirmée alors que la part de l'aide publique au développement (APD) consacrée à l'agriculture décline (16 % en 1980, moins de 4 % en 2005 selon le rapport sur le développement de la Banque mondiale en 2008). Mais la relance se fait toujours attendre. La FAO plongée dans un « état sérieux de crise » (financière, structurelle, administrative) [Christoffersen *et alii*, 2007] finit par être concurrencée sur le terrain même où elle fut pionnière et ce sont d'autres OI (Unicef, OMS, Banque mondiale, PNUD) qui forment à leur tour des partenariats avec le secteur privé sur les multiples aspects de la lutte contre la faim. Dans un tout autre domaine, l'UIT cherchera également de nouveaux partenaires pour reprendre l'initiative face à la privatisation des télécommunications, à la croissance de l'Internet et aux nouveaux défis des technologies de l'information et de la communication (TIC). Avec le soutien de l'Ecosoc, l'UIT mobilise ainsi des acteurs privés et publics du secteur et obtient de l'Assemblée générale de l'ONU, le rôle principal de coordination dans la préparation du sommet mondial sur la société de l'information (Genève, 2003 ; Tunis, 2005 ; Athènes, 2006). Une position difficile à tenir depuis que les enjeux se sont polarisés sur la gouvernance de l'Internet et la création d'un forum spécifique à cette question en 2006 [Mathiason, 2009].

Les partenariats, entendus comme des actions communes entre deux ou plusieurs acteurs dans un but déterminé, constituent désormais le lot commun à toutes les OI. Aucune OI ne peut se permettre de faire cavalier seul dans les multiples domaines enchevêtrés de « la coopération internationale ». D'un point de vue général, ces partenariats présentent des formes très diverses (pour la construction d'une typologie, voir [McQuaid, 2000]). On voudrait surtout souligner qu'ils ont évolué dans un sens de plus en plus inclusif.

Amorcés entre les OI elles-mêmes (à commencer par les agences onusiennes), les partenariats ont d'abord associé quelques ONG (une vingtaine pour l'OMS ou l'UNHCR dans les années 1950). Puis sous la triple pression dont nous avons parlé – efficacité/légitimité, recherche de financement et défense des mandats –, les partenariats se sont étendus à un nombre croissant d'ONG-OSC et d'entreprises privées. La progression est forte à partir des années 1990. À mesure que les ONG se sont invitées et ont été sollicitées, les entreprises se sont rapprochées soit pour répondre aux incitations de marchés en mouvement, soit pour soigner leur image publique[1].

L'initiative du Pacte mondial (*Global Compact*) lancée par le Secrétaire général de l'ONU (Kofi Annan) en 2000 est doublement significative. D'une part, elle reconnaît officiellement les entreprises privées comme des acteurs à part entière de la « gouvernance mondiale » et d'autre part elle établit un cadre commun aux trois « secteurs » que sont les États, les « sociétés civiles » et les entreprises autour de dix principes fondamentaux dans les domaines des droits de l'homme, des normes de travail et de l'environnement, et de la lutte contre la corruption (www.unglobalcompact.org). Le Sommet mondial sur le développement durable (Johannesburg, 2002) confirmera cette présence accrue des entreprises dans le débat international sur les enjeux sociaux et environnementaux qui ne se réduit plus au face-à-face entre les États et les ONG-OSC. L'idée des partenariats publics-privés (PPP) retrouve une nouvelle jeunesse au cours de ces années, mais avec un élargissement du cercle à au moins trois partenaires de « secteurs » différents (dans le domaine de la santé [Guilbaud, 2015]). Il est habituel désormais que les PPP réunissent plusieurs acteurs de chaque « secteur » : ainsi l'Alliance globale pour l'amélioration de la nutrition (GAIN selon le sigle anglais), créée en 2002, est-elle composée d'une dizaine d'OI et d'agences nationales de développement, d'une dizaine d'ONG et de fondations et d'une quinzaine d'entreprises. Plus de 220 PPP ainsi définis furent lancés au Sommet de Johannesburg pour la promotion du développement durable [Le Prestre, 2005, p. 216]. Chacun des « secteurs » étant lui-même relativement composite, les partenariats

1. Il faut ajouter que la famille des organisations des Nations unies représente un marché non négligeable : 16 milliards de dollars en 2013 (hors les institutions de Bretton Woods). Pour la seule ONU, il est fait état d'un montant de 3,2 milliards de dollars d'achat en 2014 (2,8 milliards d'euros), principalement dans le sillage des Opérations de maintien de la paix (v. le site internet *UN Procurement Division*). Conformément aux résolutions de l'Assemblée générale, la part des achats fait aux pays en développement et aux économies en transition a significativement augmenté depuis dix ans alors que la part des pays développés est tombée de 50 % à 39 % (v. *2013 Annual Statistical Report of UN Procurement*).

deviennent aujourd'hui « multi-acteurs », composés d'OI, d'États, de collectivités publiques, d'ONG, de fondations, d'institutions universitaires, d'experts choisis ès qualités, de syndicats, d'entreprises, d'associations professionnelles. En bref, de toutes les « parties prenantes » (*stakeholders*).

Cette dynamique inclusive est très caractéristique d'un nombre croissant de partenariats dans tous les domaines. On évoquera ici, par exemple, le partenariat Faire reculer le paludisme (*Roll Back Malaria Partnership*, 1998) auquel l'OMS participe avec plus d'une centaine de partenaires issus d'institutions multilatérales, de fondations, d'ONG, d'entreprises, de pays où le paludisme est endémique, de pays donateurs de l'OCDE et d'organismes de recherche. L'alliance GAVI (*The Global Alliance for Vaccines and Immunisation*, 2000) est conçue sur le même modèle. Dans le domaine de l'environnement, le PNUE s'est associé à une alliance multi-acteurs (initialement lancée par une coalition d'entreprises états-uniennes) afin de définir et de rendre compte de l'application de principes favorisant le « développement durable » (*Global Reporting Initiative*, GRI). Le GRI s'est transformé en organisation indépendante en 2002 et compte parmi ses organes de direction, un Conseil des parties prenantes (*Stakeholder Council*) composé, par aires régionales, de représentants d'entreprises, d'ONG, de syndicats, d'institutions universitaires, d'experts. C'est encore dans le même esprit que se présente le forum sur la gouvernance de l'Internet (*Internet Governance Forum*, IGF) : multilatéral et multi-acteurs [Mathiason, 2009, p. 125].

À l'évidence, cet élargissement du cercle des « partenaires », célébré comme une forme de démocratisation de la politique internationale, ne va pas sans problème. Ces nouvelles modalités de l'action s'accompagnent d'une redistribution du pouvoir et redoublent les difficultés de la coordination et de l'évaluation. Beaucoup d'initiatives vivotent ou disparaissent au bout de quelques années. Des sites Internet flatteurs ne renseignent guère sur les enjeux des délibérations, le poids respectif des acteurs et l'effectivité des actions engagées.

S'agissant des OI, l'interprétation de ces partenariats multi-acteurs est ambiguë. D'un côté, on peut y voir une stratégie réussie d'autonomisation par rapport aux États membres. Les secrétariats internationaux étendent leurs réseaux et confortent leurs positions en affichant de nouveaux gages d'efficacité et de légitimité. Surtout, ils offrent une autre réponse au face-à-face entre États et contribuent à « multilatéraliser le multilatéralisme » que les États sont toujours prompts à délaisser lorsqu'ils estiment qu'ils ne sont pas suffisamment bien servis. La pression des sociétés, organisée et canalisée par les bureaucraties internationales, densifie le filet de relations au sein duquel les États sont invités à négocier. Les OI se font ainsi les agents d'un multilatéralisme renouvelé en rompant avec les limites étroites de l'intergouvernementalisme.

Mais, d'un autre côté, on peut se demander si les nouvelles alliances des OI ne forgent pas l'instrument de leur propre dépassement. Au sein des partenariats multi-acteurs, les OI n'occupent plus systématiquement une place de leader à la différence des partenariats plus anciens dans lesquels les relations entre les membres étaient clairement asymétriques. Désormais les OI figurent avec d'autres parmi la cohorte des « parties prenantes ». Souvent, elles rallient des initiatives qu'elles n'ont pas déclenchées afin d'éviter la marginalisation. Ainsi en va-t-il de la Banque mondiale dans un mécanisme multipartite comme l'ITIE (Initiative pour la transparence dans les industries extractives) qu'elle n'a pas initié, mais qu'elle a fini par soutenir en contribuant à mobiliser les différents acteurs intéressés (États, entreprises, OSC-ONG) [Klein, 2013]. Le discours sur les partenariats ne ménage d'ailleurs guère leur « lourdeur bureaucratique » et autres dysfonctionnements. Les références obligées à l'efficacité, à la souplesse, à la représentativité des nouveaux partenariats sonnent comme autant de désaveux de ce que seraient devenues les OI et appellent à imaginer d'autres formes d'organisation internationale : multisectorielles et multi-acteurs (sur les migrations, voir [Badie *et alii*, 2008]). Certains vont plus loin et n'hésitent pas à voir dans ces nouveaux réseaux d'action un complément ou un substitut aux OI existantes, à la fois plus efficace et plus légitime [Slaughter, 2004].

Il y a sans doute quelque naïveté à considérer que ce « nouveau » multilatéralisme remplirait mieux les exigences du « triangle de la fonctionnalité » (v. *supra*, p. 83) et qu'il allégerait le poids des hiérarchies par la seule vertu du nombre et d'arrangements plus ou moins informels. Mais l'entrée massive des sociétés dans le périmètre des OI est un fait social international majeur : il témoigne à la fois d'un processus de différenciation *du* système international et d'intégration *dans* le système international. Un double mouvement qui dessine sous nos yeux l'avenir des OI.

Les stratégies de puissance

Une des réussites du multilatéralisme tient dans le développement du système des organisations internationales qui lui est associé. Initialement conçu comme un instrument susceptible de contenir les effets de l'action unilatérale des puissances, le multilatéralisme est devenu de plus en plus un enjeu ou un « objet de puissance » que les États tentent de contrôler [Badie, 2007, p. 228].

La maîtrise des institutions

Compte tenu de ses compétences générales et de sa structure inégalitaire (entre l'Assemblée générale et le Conseil de sécurité, mais surtout entre les membres du Conseil de sécurité), l'ONU suscite les controverses les plus fréquentes.

Dès les premières sessions de l'Assemblée générale, certains pays (Cuba, Argentine), hostiles au droit de veto des membres permanents du Conseil de sécurité réclament, au nom de « l'égalité souveraine des États » (article 2.1 de la Charte), une révision de la Charte des Nations unies. Parallèlement à leur ralliement à l'Organisation mondiale, les pays du Sud sont de plus en plus nombreux à vouloir réformer son architecture. Néanmoins, le Comité créé à cet effet s'enlise, tout comme le Comité spécial qui lui succède en 1975 ainsi que les différents organes subsidiaires mandatés par l'Assemblée générale. L'histoire des projets avortés de révision de la Charte est aussi longue qu'infructueuse [Bertrand, Donini, 2015]. Malgré des propositions nombreuses, les réformes ne débouchent que sur des ajustements modestes : trois modifications, depuis 1945, tous liés à la croissance quantitative de l'Organisation mondiale. La première, en 1963 (entrée en vigueur en 1965), prend acte de l'arrivée des nouveaux pays décolonisés et porte de six à dix le nombre des membres non permanents du Conseil de sécurité (soit, au total, 15 membres dont les cinq membres permanents) ; elle fait également passer de 18 à 27 le nombre des sièges au Conseil économique et social (Ecosoc). La deuxième révision se situe dans le prolongement de la première et modifie, en 1965 (entrée en vigueur en 1968), le nombre de voix requis, au Conseil de sécurité, pour la convocation d'une conférence de révision (de 7 à 9 voix). Enfin, la troisième révision double, en 1971 (entrée en vigueur en 1973), le nombre de sièges au Conseil économique et social (54 sièges soit 28 % des États membres). En bref, il s'agit d'adaptations techniques qui ne touchent ni aux compétences de l'ONU, ni au statut privilégié des cinq membres permanents du Conseil de sécurité. Ceux-ci contrôlent d'ailleurs la procédure puisque toute révision de la Charte est subordonnée à une ratification par les deux tiers des membres des Nations unies « y compris tous les membres permanents du Conseil de sécurité » (articles 108 et 109) : fruit d'un « consensualisme inégalitaire » [Dehaussy, 2005, p. 2193], ce verrou dresse un obstacle sérieux aux tentatives de révision touchant aux équilibres politiques initiaux.

La composition du Conseil de sécurité et le statut privilégié de cinq de ses membres ne cesseront d'alimenter les critiques des pays du Tiers-monde avec le soutien ambigu et intéressé de l'Union soviétique. Mais les pays occidentaux font bloc et rien n'est possible pendant la Guerre froide. Le débat est relancé à la fin des années 1990 dans le contexte post-bipolaire qui libère à la fois les revendications de grands pays développés qui souhaitent obtenir un statut plus conforme à leur puissance économique (Japon, Allemagne) et celles des pays émergents qui ne veulent plus être cantonnés à un rôle périphérique (Brésil, Inde, Afrique du Sud, notamment). Sur la base du rapport d'un « groupe de personnalités de haut niveau », le Secrétaire général de l'ONU, Kofi Annan, soumet ainsi au Sommet mondial de 2005 deux options pour réviser la composition du Conseil de sécurité : soit l'augmentation du nombre de membres permanents sans droit de veto, soit l'augmentation d'une nouvelle catégorie de membres semi-permanents (mandat renouvelable de quatre ans) pour atteindre, dans les deux cas, un effectif de *24 membres, partagé également en quatre groupes géographiques* : Afrique, Asie-Pacifique, Europe et Amériques [Annan, 2005]. À titre de comparaison, on rappellera la composition du Conseil en 2015 en fonction des *cinq* groupes régionaux de référence :

Répartition des sièges au Conseil de sécurité par groupe régional (2015)[1]

	Membres élus (mandat de deux ans)	Membres permanents	Total
Afrique	3		3
Asie	2	1	3
Europe orientale	1	1	2
Amérique latine et Caraïbes	2		2
Europe occidentale et autres	2	3	5

Les propositions de Kofi Annan constituaient donc une tentative de réforme significative tout en ménageant les membres permanents « historiques » qui conservaient leur droit de veto. Quelle que soit l'option retenue (augmentation des membres permanents sans veto ou des membres semi-permanents), l'Afrique et l'Asie, notamment, pouvaient envisager de doubler leur nombre de sièges au CS. Néanmoins, ce compromis ne suffira pas. Entre des exigences difficiles à concilier (accroître la repré-

1. Depuis leur admission, 67 États (la plupart du Sud) n'ont jamais été élus membres du Conseil de sécurité (2015). De manière inédite, en 2013, un État élu (l'Arabie Saoudite) a décliné l'offre de siéger. Officiellement, l'Arabie saoudite a invoqué l'incapacité du Conseil de sécurité à accomplir ses tâches (règlement du conflit syrien et israélo-palestinien, notamment) et à se réformer. Officieusement, on peut penser que la diplomatie saoudienne a préféré éviter les risques de se faire piéger par certaines résolutions du Conseil et de se retrouver en conflit ouvert avec les États-Unis sur plusieurs dossiers (Israël, Iran, droits de l'Homme).

sentativité sans réduire l'efficacité) et des prétentions concurrentes (qui seront les heureux élus : le Japon bloqué par la Chine mais soutenu par les États-Unis ; l'Inde ou le Pakistan ; le Brésil plutôt que le Mexique ou l'Argentine ; l'Afrique du Sud ou le Nigeria, etc. ?), la négociation échoue. Le plus remarquable n'est pas le faible empressement des cinq membres permanents (officiellement, la France soutient même le principe de l'élargissement et la candidature du Brésil), mais les divisions du Sud. En Afrique, en Asie et en Amérique latine, les désaccords sont manifestes lorsqu'il s'agit de définir des candidats officiels. Malgré l'autorité renouvelée du Sud par la voix des pays émergents, l'unité reste défensive. Lorsqu'il convient de se partager le pouvoir de décision, le Brésil et l'Inde ont plus de convergences avec l'Allemagne et le Japon qu'avec leurs partenaires du Sud.

Officiellement, la réforme du Conseil de sécurité reste à l'ordre du jour, mais dans une version qui reste, somme toute, assez étriquée : un réaménagement de sa composition et non une extension de ses compétences. En bref, un jeu entre puissances (anciennes, confirmées ou émergentes) dont rien ne dit qu'il servira mieux la sécurité du plus grand nombre [Novosseloff, 2015].

Parmi les projets récurrents de réforme, la répartition du pouvoir au sein des institutions de Bretton Woods figure également en bonne place. Compte tenu d'un système de distribution des voix proportionnel à la fraction de capital souscrite, l'inégalité des positions a toujours été vivement contestée par les pays du Sud. Les pays émergents ont endossé la revendication avec une capacité d'influence renforcée, mais ils n'ont obtenu jusqu'à présent que des ajustements limités et très peu de chose pour les pays les plus pauvres (v. *infra*, p. 229-230).

En d'autres termes, au sein des institutions financières internationales comme au sein du Conseil de sécurité, les plus puissants ne veulent pas se laisser déposséder. À l'instar de la défense d'une position dominante dans toute autre organisation ou négociation internationale, ils adoptent des stratégies de résistance en faveur de règles qu'ils estiment favorables, souvent aidés dans cette tâche par les propres divisions des contestataires et ralliés par certaines délégations contre la promesse de récompenses.

Plus généralement, l'utilisation des règles organisationnelles est une pratique courante pour éviter les débordements et contrôler le changement, mais sans que le succès soit nécessairement garanti. Ces tentatives de maîtrise de la part des États puissants s'adressent également aux OI qui prendraient trop d'indépendance. C'est ainsi qu'en réaction à l'ascendant pris par le PNUE et ses experts sur la question du changement climatique, les États-Unis et plusieurs pays européens cherchèrent à reprendre la main en obtenant de l'Assemblée générale de l'ONU que les experts soient désormais désignés par les gouvernements plutôt que par les OI : le Groupe d'experts intergouvernemental sur l'évolution du climat (GIEC) était né (1988). Ce souci de contrôle rencontrait opportunément celui des pays en développement préoccupés de ne pas sacrifier leurs revendications en matière de développement et accessoirement celui de l'Organisation météorologique mondiale (OMM) dans sa concurrence avec le PNUE [Le Prestre, 2005, p. 74-75][1]. Néanmoins, le GIEC s'émancipa rapidement de la tutelle de ses créateurs. La réputation scientifique de ses membres et l'autorité de ses rapports s'imposèrent aux États les plus rétifs. Le contrôle du GIEC s'avéra relativement illusoire tandis que son autonomie fut renforcée par l'obtention du Prix Nobel en 2007.

L'occupation de positions dirigeantes dans l'OI peut apparaître comme une stratégie plus efficace. De ce point de vue la « regouvernementalisation » du Conseil général de l'Unesco en 1954 fut une opération réussie du point de vue des États (v. *supra*, p. 52). Parallèlement, tous les États tentent de placer leurs ressortissants à des postes à responsabilité. Malgré les règles de la représentativité géographique, les principaux contributeurs ont les moyens de leurs prétentions et, parfois, le font savoir ouvertement. Le retour des États-Unis à l'Unesco en 2003 s'est ainsi réalisé sous conditions préalables : « une place immédiate au Conseil exécutif dont les membres sont généralement élus (ce qui a contraint plusieurs pays européens, dont la Grèce et le Portugal, à retirer leur candidature) ; un audit interne permettant d'évaluer le nombre de postes à demander par les États-Unis, avec des exigences particulières dans les secteurs de l'éducation et de l'information ; des remaniements dans les mandats ; le déplacement de certaines personnalités dérangeantes » [Frau-Meigs, 2004, p. 875].

Chantages, marchandages, menaces de retrait, voire retraits, demeurent des conduites dont l'influence dépend largement des capacités de l'État concerné. L'histoire des OI depuis 1945 montre que les ruptures ont été rares, jamais définitives, comme s'il était préférable de se situer dans le jeu plutôt que de risquer l'isolement. À l'instar des relations diplomatiques bilatérales, la rupture s'accompagne souvent de stratagèmes visant à maintenir un lien (durant le retrait des États-Unis de l'Unesco de 1983 à 2003 et depuis leur retrait financier en 2013 à la suite de l'admission de la Palestine comme État membre : présence d'observateurs, participations sélectives, contributions volontaires). À tout prendre, le dédain négligent (*benign neglect*) est moins coûteux que le retrait, au figuré comme au sens

1. Une même volonté de contrôle par les États (notamment par les pays émergents) a présidé à la création, en 2010, d'une Plateforme intergouvernementale sur la biodiversité et les écosystèmes (IPBES selon l'acronyme anglais) : unanimité dans les directives données aux scientifiques et mise à bonne distance des ONG, *Le Monde*, 29 janvier 2013.

propre : le retard dans le paiement des contributions financières est ainsi une manœuvre classique dans le jeu de pression que certains États entendent exercer, notamment lorsqu'ils figurent parmi les grands contributeurs. Les États-Unis sont coutumiers du fait.

Mais, depuis les années 1980, les stratégies politico-financières des principaux contributeurs des institutions onusiennes (les États occidentaux et le Japon) ont pris une tournure différente, substituant à des postures de résistance, des conduites plutôt « proactives » qui tendent à préempter les programmes des OI en définissant leurs contours et en contrôlant leurs modalités d'exécution. L'instrument de cette stratégie réside dans les contributions volontaires additionnelles ou ce que certains rapports financiers appellent les « fonds extrabudgétaires ». Leur existence n'est pas vraiment nouvelle dans la mesure où la plupart des fonds et programmes de l'ONU reposaient déjà sur de telles ressources volontaires des États. La nouveauté vient de ce qu'à côté des ressources budgétaires adoptées selon les procédures prévues à cet effet par les organes compétents, s'ajoutent des ressources volontaires « fléchées », destinées au financement de programmes définis par les bailleurs de fonds : une pratique qui concerne autant les fonds et programmes de l'ONU (sur le PNUD, [Bellot et Châtaigner, 2009, p. 234-235]) que l'OCDE et les institutions spécialisées. Initialement, ces ressources extrabudgétaires pouvaient être perçues comme un signe d'encouragement aux activités des organisations internationales. Mais leur croissance au cours des années 1980 est devenue un signe de défiance au moment même où les pays riches donnaient un coup d'arrêt à l'augmentation des budgets ordinaires de toutes les OI des Nations unies en riposte à ce qu'ils estimaient être une « excessive politisation ». Depuis, le pli a été pris : croissance zéro des budgets réguliers et financements volontaires provenant principalement des États, mais aussi d'organisations régionales telles que l'UE et de quelques donateurs privés. Le montant des allocations spéciales est devenu bien plus important que celui des budgets réguliers dans les diverses organisations de la famille des Nations unies. Les fonds extrabudgétaires représentaient, par exemple, 20 % des dépenses totales de l'OMS en 1970, plus de la moitié en 1990, 80 % en 2010. On comprend que, dans ces conditions, la directrice générale de l'OMS estime que l'exécution du budget programme de l'Organisation « reste un véritable défi » (Margaret Chan, *Avant-propos au projet de budget programme 2010-2011*, disponible sur le site web de l'OMS). En 2011, les contributions volontaires représentent 70 % des ressources totales des organisations de la famille des Nations unies (statistiques du United Nations System, Chief Executives Board of Coordination, http://www.unsceb.org/). On peut toutefois objecter que cette préférence pour des ressources affectées permet de mieux cibler l'action et de convaincre plus facilement les éventuels donateurs au nom de l'efficacité. C'est également toute l'argumentation autour de la création de « mécanismes financiers innovants » (de la taxe « Chirac » en 2008 sur les billets d'avion pour l'achat de médicaments contre le sida, la tuberculose et le paludisme (Unitaid) à une éventuelle taxe sur les transactions financières), qui peuvent s'ajouter à l'aide classique et mobiliser une grande variété d'acteurs autour d'objectifs précis. Au fond, il n'y aurait que des ressources supplémentaires à gagner et à mieux utiliser. Le débat demeure ouvert dans la mesure où les partenariats de plus en plus complexes qui accompagnent ces nouvelles mises de fonds n'ont pas encore démontré qu'ils étaient plus « efficaces » que les missions confiées aux OI[1]. En revanche, il est sûr que celles-ci s'appauvrissent et perdent en autonomie. Leur gestion devient moins prévisible parce que plus dépendante des choix des grands contributeurs. Ceux-ci maîtrisent une incertitude cruciale et à ce titre consolident leur pouvoir sur les institutions.

Les modalités de contrôle des OI par les plus puissants sont donc multiples. Certaines, comme nous venons de le voir, portent sur les règles et le fonctionnement des organisations elles-mêmes. D'autres relèvent de mécanismes plus informels et/ou d'une forme de maîtrise à distance qui consiste(nt) à contourner les bureaucraties internationales et y substituer de nouvelles hiérarchies.

Les clubs contre les organisations internationales ?

La diplomatie est une activité de clubs, à commencer par celle de ce club socialement plutôt fermé que constituent les diplomates eux-mêmes. Précédant la création des organisations internationales, les pratiques de clubs réunissent d'abord les États, notamment les plus puissants, pour gérer ce qu'ils estiment constituer leurs intérêts communs. Les réunions du Concert européen de 1814 à 1914 en fournissent une illustration fameuse parallèlement à l'institutionnalisation de certains clubs sectoriels (navigation fluviale, télégraphe, poste, etc.) à travers les premières unions administratives internationales. Au lendemain des deux guerres mondiales, c'est le club des vainqueurs qui préside à la création de la SDN puis à celle de l'ONU.

En un sens, toutes les OI se présentent sous une forme *plus ou moins* « inclusive », sachant que le périmètre de l'organisation est toujours une affaire de convention politique. Hormis l'ONU et ses institutions

1. Il n'est pas impossible non plus que ces « financements innovants » servent de prétexte aux pays les plus riches pour réduire leur aide publique au développement. Telle est du moins la crainte de certaines ONG.

spécialisées, la plupart des OI constituent des clubs institutionnalisés, qu'il s'agisse d'organisations spécialisées (FMI, OMC, OCDE), d'organisations régionales (UE) ou d'alliances militaires (Otan).

À partir de 1945, les clubs se confondent donc avec les OI, à quelques exceptions près[1] : tantôt ils s'identifient à l'organisation (le cas général : ainsi l'Opep forme à la fois un club et une OI, tout comme le Mouvement des non-alignés), tantôt ils sont institutionnalisés à l'intérieur de l'organisation (les membres permanents du Conseil de sécurité de l'ONU constituent un club et une institution), tantôt ils sont englobés et, le cas échéant, reconnus comme fonctionnels au sein de l'organisation (le G77 à l'ONU, le G24 auprès des IFI ou les multiples ententes informelles au sein du Gatt/OMC, etc.). En règle générale, les clubs ont servi (et utilisé) les OI plus qu'ils ne les ont défiées.

Les premiers sommets des pays industrialisés dans les années 1970 introduisent une situation nouvelle : la coexistence entre un club des principales puissances économiques, aux allures de directoire mondial, et des organisations internationales à vocation universelle et/ou régionale. À l'origine, ces sommets devaient permettre aux leaders des principaux pays industrialisés d'échanger directement et informellement leurs points de vue dans le contexte du dérèglement monétaire (effondrement du système de Bretton Woods) et économique (crise pétrolière) [Smouts, 1979 b]. Dès 1973, la commission trilatérale (rencontres de personnalités influentes des États-Unis, de l'Europe occidentale et de l'Asie-Pacifique) puis, la même année, la réunion informelle de quatre ministres des Finances (Allemagne occidentale, États-Unis, France, Royaume-Uni), bientôt rejoints par le Japon, annonçaient de nouveaux modes de concertation entre les grandes puissances économiques. Un premier sommet officiel est invité à Rambouillet en 1975. Il comprend six pays (Allemagne occidentale, États-Unis, France, Italie, Japon, Royaume-Uni) : un G6 qui admet le Canada l'année suivante ; le G7 est né. Le groupe ne représente pas seulement un club de puissances économiques. Il exprime également une forte solidarité politique. Le sommet de Rambouillet conclut ainsi que : « Nous nous sommes réunis parce que nous partageons les mêmes convictions et les mêmes responsabilités [...]. Notre succès renforcera, et cela de façon décisive, l'ensemble des sociétés démocratiques » [cité *in :* Smouts, 1979 b, p. 672].

1. Par exemple, s'agissant des négociations de rééchelonnement de la dette de pays débiteurs, le Club de Paris (1956), groupe informel de créanciers publics des pays développés ou le Club de Londres (1976), groupe informel de banques privées. En fait, le premier s'est institutionnalisé avec la création d'un secrétariat ; seul le second n'a pas véritablement d'existence formelle [Raffinot, 2008].

Initialement, le G7 consiste en une réunion restreinte de quelques chefs d'État ou de gouvernement au plus haut niveau, sans lourdeur administrative (chaque participant dispose d'un nombre réduit de collaborateurs personnels – un « sherpa » assisté de deux « sous-sherpas ») et autour d'un agenda principalement économique. Mais à raison d'un sommet par an (41e sommet en 2015), le G7 s'est transformé [Dobson, 2007]. Son agenda s'est étendu, sa composition s'est élargie et sa place est devenue de moins en moins claire dans le paysage multilatéral.

Dès 1977, le G7 abandonne le terme « économique » pour qualifier ses sommets. Les sujets de discussion s'étendent en effet au-delà de la réforme monétaire et de la croissance, pour traiter des questions relatives à l'énergie (1979) ou à l'Afghanistan après la récente invasion soviétique (1980). L'ordre du jour ne cessera de s'allonger : de la préparation des négociations commerciales (le G7 est à l'origine, en 1981, de l'alliance « quadrilatérale » – le Quad – au sein de l'OMC), à la réforme des IFI, en passant par les négociations de désarmement, la crise de la dette, l'assistance à la transition des PECO et de la Russie, le Kosovo, l'aide au développement, le terrorisme, l'environnement et le développement durable, etc. Le G7 n'impose pas, mais il « souligne », « invite », « soutient », « recommande », « encourage », dans de longues déclarations dont le principal effet attendu n'est pas la mise en œuvre, mais l'impact psychologique : il s'agit de rassurer (l'opinion publique et/ou « les marchés ») de la solidarité du club. Mais la visibilité ainsi recherchée n'aura pas toujours bon accueil. Elle fournit même un point de focalisation aux mobilisations contestataires altermondialistes (Gênes, 2001, un tué parmi les manifestants), contraignant le groupe à choisir des lieux de réunion reculés et à s'entourer de mesures de protection considérables. Pour un club censé promouvoir les intérêts des « sociétés démocratiques », l'image est désastreuse. Elle l'est également à mesure que le club se transforme purement et simplement en directoire de grandes puissances.

Non seulement le G7 s'élargit (à la Communauté européenne en 1977, à la Russie, formellement en 1998, mais en fait dès 1991 – on parlera désormais de G8), mais il génère, au niveau ministériel, bien d'autres réunions pour coordonner les positions des pays membres (environnement, éducation, lutte contre la drogue ou le terrorisme, etc.). Parmi ces réunions, celles des ministres des Affaires étrangères et des Finances peuvent se dérouler plusieurs fois par an et précèdent régulièrement les sommets. Tant pour répondre à la crise financière asiatique de 1997 que faire face aux critiques sur le manque de représentativité du club, le G7 élargit, en 1999, sa formation des ministres des Finances à douze nouveaux pays plus l'UE (Afrique du sud, Arabie Saoudite, Argentine, Australie, Brésil, Chine, Corée, Inde, Indonésie, Mexique, Russie, Turquie). Les ministres des Finances et les gouverneurs des banques centrales siègent à ce G20 aux côtés du président de la Banque centrale européenne, du directeur général du FMI, des présidents du Comité monétaire et financier international et du Comité du développement (deux comités ministériels du FMI, le second conjoint avec la Banque mondiale), du président de la Banque mondiale et du secrétaire général de l'OCDE.

Parallèlement, le G7/G8[1] procède, en marge des sommets, à des invitations ciblées (Chine en 2003) et à des « dialogues élargis » avec plusieurs pays émergents et en développement. À partir de 2005, l'Afrique du sud, le Brésil, la Chine, l'Inde et le Mexique sont associés au club (« G8 plus 5 »). La convergence des élargissements des réunions ministérielles et au sommet est accélérée par la crise financière et économique de 2008 : pour la première fois depuis sa création, le G20 se réunit au niveau des chefs d'État et de gouvernement (Washington, novembre 2008). Depuis, le G20-leaders (19 États plus l'UE) se réunit une à deux fois par an, associant un nombre croissant d'organisations régionales (outre l'UE, le NEPAD et l'ASEAN à Pittsburgh en 2009) et internationales (ONU via son Secrétaire général, IFI, CSF[2], OMC, OIT, etc.). Pour sa part, le G8 ne cesse d'élargir le cercle de ses invités (Algérie, Colombie, Égypte, Haïti, Malawi, Nigeria, Sénégal, Afrique du sud, etc.).

Dans l'ensemble, la constellation des clubs est devenue de plus en plus dense et complexe. Le G8 est en passe de devenir un club dans un club (le G20) et sa spécificité de forum « pro-occidental » est surtout visible dans la formation G7 des ministres des Finances qui est devenue, à son tour, un club au sein du club (G8)… Concomitamment, la formule des clubs n'a cessé de s'étendre, parfois à l'initiative du G7 lui-même : création du « Quad », comme nous l'avons dit plus haut (G7, 1981), du GAFI pour lutter contre le blanchiment des capitaux (G7, 1989) ou du FSF (G7, 1999). Les « groupes de contact » se sont également multipliés en agissant comme des formations diplomatiques restreintes (aux grandes puissances et à quelques puissances intéressées) qui entendent se saisir d'une question (groupe de contact pour la lutte contre la piraterie au large des côtes somaliennes, 2009) ou faciliter la résolution d'un conflit : groupes de contact sur la Bosnie (1994), le Moyen-Orient (le fameux Quartet, 2002), le Kosovo (2007), le Darfour (2007), la Guinée (2009), Madagascar

1. Même après l'intégration de la Russie au sein du G8, les ministres des Finances continueront à se réunir en formation G7. En 2014, à la suite de l'annexion de la Crimée, la Russie est écartée du G8.

2. Forum de stabilité financière (rebaptisé Conseil de stabilité financière par le G20 en 2009). Groupe créé en 1999 à l'initiative du G7 qui comprend de nombreuses autorités financières nationales (Banques centrales, ministères des Finances, autorités des marchés financiers) et dont le secrétariat est assuré par la Banque des règlements internationaux (BRI), organisme de coordination entre les grandes banques centrales du monde (60 en 2015).

(2009), la Libye (2011), etc. Au plan régional et interrégional, les clubs ont aussi proliféré : ASEAN plus trois (1997), Organisation de coopération de Shanghai (OCS, 2001), forum de dialogue IBAS (Inde, Brésil, Afrique du sud, 2003), club des BRIC (Brésil, Russie, Inde, Chine dont le premier sommet s'est tenu en 2009 ; BRICS depuis 2011 avec un « S » pour l'entrée de l'Afrique du Sud - *South Africa* - dans le groupe), rencontres du BASIC (Brésil, Afrique du Sud, Inde, Chine, 2009).

Le phénomène des clubs ne paraît donc plus du tout marginal depuis les années 1990 et, vis-à-vis des organisations internationales, la nouveauté est remarquable. Tandis qu'auparavant, les clubs étaient confondus ou intégrés aux OI, ce sont désormais les clubs qui invitent, associent ou incluent les OI en leur sein. La pratique est courante : dans les clubs spécialisés (par exemple, le GAFI comprend, parmi ses membres, deux organisations régionales – UE et Conseil de coopération du Golfe – et de nombreuses OI comme membres observateurs ; de même, le Forum international de l'énergie – IEF selon le sigle anglais, 1991 – compte dans son secrétariat deux OI, l'Agence internationale de l'énergie et l'Opep) ; dans les « groupes de contact » (l'ONU et l'UE sont membres du Quartet) et, comme nous l'avons vu, dans les clubs plus généralistes (G8 et G20). Le multilatéralisme ordinaire des OI se trouve ainsi traversé, voire contourné par de multiples réseaux gouvernementaux et transgouvernementaux [Slaughter, 2004] qui brouillent les arrangements traditionnels et les hiérarchies établies.

Parce qu'il incarne en quelque sorte un « super-club », qui s'est institué en 2009 « principal forum pour la coopération économique internationale », le G20 concentre toutes les attentions et suscite trois types de réaction. Pour certains, il convient de condamner cet instrument d'une nouvelle aristocratie internationale qui, malgré ses marques de représentativité (plus de 85 % du PNB mondial et plus des deux tiers du commerce international et de la population mondiale), marginalise la majorité des sans-grade (le G174) et, paradoxalement, les pays qui sont jugés les plus préoccupants pour la paix et la sécurité internationales [Badie, 2011]. L'urgence est d'en revenir au multilatéralisme universel en le démocratisant : à tout prendre, l'Ecosoc est plus représentatif que le G20. Des diplomaties jugées « contestataires » – Bolivie, Venezuela, Iran, Cuba – se retrouvent dans cette commune hostilité au G20.

Pour d'autres, les heureux élus ou invités au club, le G20 pourrait jouer un rôle de catalyseur, à l'instar de la fonction du Conseil européen en direction des institutions européennes, pour impulser de nouvelles orientations au multilatéralisme des OI et contribuer à le régénérer en dépassant les blocages de réformes impossibles. De fait, c'est le G20 qui, parmi diverses recommandations visant à renforcer le système financier, a poussé et obtenu un modeste rééquilibrage de la répartition des voix au profit des pays en développement (en fait des pays émergents) au sein du FMI et de la Banque mondiale.

D'autres enfin, cherchent une troisième voie : un G20 à géométrie variable, associant les pays intéressés en fonction de l'agenda, mais clairement subordonné aux Nations unies. La majorité de l'Assemblée générale se retrouve sur cette ligne appuyée par le Secrétaire général de l'ONU qui ne manque jamais de rappeler la nécessité d'un « multilatéralisme inclusif » [Cooper, 2010, p. 751]. Pour marquer leur détermination, certains « petits pays » se sont organisés à leur tour en club afin de faire pression sur le G20 pour rendre ce dernier plus inclusif et plus transparent. Tel est l'objectif du *Global Gouvernance Group* (3G), créé à l'initiative de Singapour et de la Suisse qui rassemble 30 États (2014) dont la Suède, le Chili, le Sénégal, le Vietnam ou le Quatar, et qui estime, avec le soutien régulier de l'Assemblée générale, que l'ONU « est le seul organe global à participation universelle et à la légitimité incontestable » [cité *in* Chowdhury, 2010, p. 8].

Tant que les clubs étaient inclus dans les OI, ils représentaient des formes de courants ou de tendances par affinités qui se rencontrent assez classiquement dans toute organisation. À partir du moment où les clubs débordent voire englobent les OI, ils expriment incontestablement une situation nouvelle. Celle-ci témoigne d'abord d'une insatisfaction politique (au moins des plus puissants) à l'égard des OI traditionnelles et notamment de l'ONU : le G7 a été promu à un moment où les Occidentaux perdaient le contrôle des débats à l'Assemblée générale et le G20 comme sommet mondial a été convoqué à l'initiative du président G. W. Bush, clairement indisposé par le multilatéralisme onusien, et malgré les réserves de certains États (comme la France) qui auraient préféré un groupe plus restreint pour réformer les OI. Le mécontentement des pays émergents devant le blocage de certaines réformes relatives à leur représentation (l'élargissement du Conseil de sécurité en tout premier lieu), a fait le reste : le G20 s'est imposé [Postel-Vinay, 2011] et il est possible que son mandat (informel jusqu'à maintenant) finisse par s'étendre à tous les aspects de la « gouvernance mondiale ». Avec quelle autorité ? Là réside toute la question, notamment vis-à-vis des Nations unies [Dejammet, 2012].

Mais le phénomène des clubs ne se limite pas aux manifestations les plus médiatiques du G7-G8 et du G20 ; il est devenu si multiple et divers qu'il ne peut pas sérieusement s'interpréter comme un complot de puissances contre le multilatéralisme universel, même si les plus grandes d'entre elles y trouvent de nouvelles opportunités d'influence. Pratiquement, tous les États participent, d'une manière ou d'une autre, à des clubs extérieurs aux OI. Les clubs révèlent donc autre chose qu'un fait de puissance. Même les plus vulnérables ont leur club : le G7plus, créé en 2010, entre une vingtaine d'États « qui sont ou ont été affectés par un conflit et sont en transition vers l'étape suivante de développement » (notamment, Afghanistan, Burundi, Côte d'Ivoire, RCA, RDC, Haïti, Somalie, Timor oriental, voir leur site, http://www.G7plus.org). Peut-être signalent-ils une crise de la fonctionnalité des OI et la recherche de nouvelles méthodes d'action collective, plus souples (configurations à géométrie variable), moins contraignantes (*soft law* plutôt que droit conventionnel), mais qui ne conduisent pas nécessairement à moins d'intégration. Le développement des partenariats publics-privés (une autre forme de clubs) va plutôt dans ce sens. Plus certainement, le phénomène des clubs ajoute un élément de complexité à un multilatéralisme qui n'a jamais paru aussi « désordonné » (« *messy multilateralism* » selon Richard Haass, *Financial Times*, 5 janvier 2010). Mais ce désordre dessine l'avenir : il est la figure en mouvement d'un paysage multilatéral qui ne cesse de se transformer.

Chapitre 2

Les nouvelles orientations de la sécurité internationale

La création des organisations internationales a ouvert un nouveau chapitre dans l'histoire de la sécurité internationale. La nouveauté radicale tient dans l'idée que la guerre et/ou l'équilibre des puissances ne constitue(nt) pas des instruments tendant à établir une sécurité durable entre les États. Là encore, le Concert européen a joué un rôle pionnier en posant les jalons d'une action concertée entre les grandes puissances en faveur d'un « ordre international » (en l'occurrence essentiellement européen). Mais en poursuivant une politique de compensations réciproques entre les puissances, le Concert n'a pas abandonné pour autant le principe de l'équilibre comme fondement classique de la sécurité. En ce sens, il est à la fois une création diplomatique originale et une œuvre d'Ancien Régime qui conserve certains traits du système copartageant du siècle précédent.

La Société des Nations achève le mouvement et opère un tournant fondamental. Désormais, la sécurité et la paix deviennent l'objectif principal de l'organisation internationale. Non seulement, la guerre est réprouvée, mais la sécurité n'est plus abandonnée aux aléas plus ou moins périlleux de l'équilibre des puissances. C'est, au contraire, sur le déséquilibre des forces, rassemblées par les membres de la SDN contre d'éventuels agresseurs, que repose cette sécurité « concertée ». Récapitulant bien des idées alors en circulation, le président des États-Unis Woodrow Wilson a joué un rôle central dans l'élaboration et l'acceptation de cette nouvelle doctrine consistant à promouvoir une paix « juste et durable » plutôt qu'un nouvel équilibre des puissances : « Il doit y avoir non pas un équilibre de forces, mais une communauté de forces ; non pas des rivalités organisées, mais une paix commune organisée » [cit. in Kissinger, 1994, p. 41]. Et Kissinger de poursuivre : « Ce que Wilson entendait par "communauté de forces" était une notion entièrement nouvelle, qu'on appellerait plus tard la "sécurité collective" » [*id.*, p. 41].

L'ONU s'inscrit et renforce cette orientation doctrinale. La sécurité collective (une notion qui devient courante dans les années 1930) est au cœur du projet de l'Organisation mondiale. Elle repose principalement sur le Conseil de sécurité doté, à cet effet, de moyens coercitifs. Mais les pratiques du Conseil de sécurité demeureront toujours assez éloignées de la lettre de la Charte, débouchant sur des développements imprévus et connaissant de notables évolutions après la Guerre froide. Parallèlement, il apparaîtra que la sécurité collective ne se réduit pas à sa seule dimension militaire. La SDN et ses nombreuses organisations associées l'avaient déjà suggéré. Quel pouvait bien être, en effet, le rôle de toutes ces organisations sectorielles (travail, santé, enfance, etc.) si elles ne contribuaient pas également à une forme de sécurité internationale ? L'idée ne s'impose pas d'emblée mais, à partir des années 1980, la conception de la sécurité collective s'élargit clairement au-delà de la multilatéralisation des seuls intérêts nationaux et militaires des États.

Le rôle du Conseil de sécurité

Le système de sécurité collective des Nations unies est fondé tout entier sur la responsabilité conjointe des cinq grandes puissances désignées comme membres permanents du Conseil de sécurité dans la charte de San Francisco (Chine, France, Royaume-Uni, États-Unis, URSS). Chargé de « la responsabilité principale du maintien de la paix et de la sécurité internationales » (art. 24.1), le Conseil de sécurité dispose de toute une gamme de sanctions économiques (art. 41) et militaires (art. 42). Ses décisions que les membres de l'ONU « conviennent d'accepter et d'appliquer » (art. 25) sont prises par un vote affirmatif de neuf de ses membres dans lequel sont comprises les voix de tous les membres permanents – le fameux droit de veto (art. 27.3). Par une interprétation contestable de la Charte, la coutume a voulu que l'abstention ou l'absence d'un membre permanent ne fasse pas obstacle à l'adoption d'une résolution. Au cas où une agression devrait être dissuadée par la force, c'est à un Comité d'état-major, composé des chefs d'état-major des membres permanents ou de leurs représentants, que reviendrait la responsabilité de la direction stratégique des forces armées mises à la disposition du Conseil (art. 47). À cette fin, des accords spéciaux devaient être conclus entre le Conseil de sécurité et les États membres de l'ONU sur les modalités de mise à disposition de ces forces (art. 43) et sur le maintien de contingents nationaux de forces aériennes « immédiatement disponibles en vue de l'exécution combinée d'une action coercitive internationale » (art. 45). Ces dispositifs opérationnels sont restés théoriques. Le Comité d'état-major existe, mais son fonctionnement est sans effectivité ; les accords spéciaux n'ont jamais été conclus.

Pendant la Guerre froide, le fonctionnement du Conseil de sécurité a été largement paralysé par un recours répété au droit de veto qui traduisait l'antagonisme des deux blocs (l'URSS a utilisé cent fois son droit de veto entre 1946 et 1962. Les États-Unis n'en ont pas eu besoin avant 1970). De ce fait, le « maintien de la paix et de la sécurité internationales » dévolu en principal au Conseil de sécurité a failli (aucun des conflits impliquant les deux super-Grands n'a été traité – crise de Cuba, Vietnam, Afghanistan) ou bien il s'est exercé de manière détournée. Soit en contournant le blocage du Conseil (« résolution Acheson » visant à permettre la poursuite de l'opération onusienne sous commandement des États-Unis déclenchée contre l'agression de la Corée du Sud par la Corée du Nord, v. *supra*, p. 122), soit en instituant un substitut *ad hoc*, fragile et contesté (les opérations de maintien de la paix sur lesquelles nous reviendrons plus loin), soit en revenant purement et simplement aux alliances défensives. Ce dernier moyen fut, sans conteste, privilégié par les deux blocs qui entreprirent de régionaliser leur défense autour d'organisations militaires et de pactes défensifs fonctionnant également comme autant d'alliances politiques : l'Organisation des États américains sur le continent américain (OEA, 1948, reprenant l'engagement d'assistance réciproque du pacte de Rio, 1947, mais qui ne dispose pas de forces permanentes et manifestera surtout pendant la Guerre froide un alignement sans faille sur la politique étrangère des États-Unis) ; l'Otan en Europe occidentale (doté d'un Comité militaire aux fonctions comparables à celles prévues pour le Comité d'état-major des Nations unies et pourvu d'accords spéciaux semblables à ceux que le Conseil de sécurité aurait dû conclure au titre de la Charte) ; le Pacte de Varsovie (1955), système est-européen symétrique et rival du système euro-atlantique, à la différence que Moscou y entretenait un pouvoir de contrainte implacable : un retrait du Pacte, à l'instar de la France qui s'était retiré des organes intégrés de l'Otan en 1966, pouvait entraîner une intervention armée (Hongrie, 1956) ou des représailles économiques (Albanie, 1961*)* et toute déviation portant atteinte à la domination soviétique était susceptible de répression brutale (Printemps de Prague, 1968). Cette régionalisation de la sécurité collective fut complétée par de nombreux traités d'assistance mutuelle, ce que l'on a appelé la « pactomanie » du secrétaire d'État Foster Dulles (traité de sécurité entre l'Australie, la Nouvelle-Zélande et les États-Unis, ANZUS, 1951 ; traités bilatéraux avec la Corée du Sud, le Pakistan, la Chine de Formose en 1951-1952 ; Organisation du traité de l'Asie du Sud-Est, OTASE, 1954 ; pacte de Bagdad entre l'Irak, la Turquie, le Pakistan, l'Iran, le Royaume-Uni et les États-Unis, rebaptisé Organisation du traité central – CENTO –, après le retrait irakien en 1959). Tous ces projets défensifs régionaux ont connu des fortunes diverses. La plupart ont disparu avec la fin de la Guerre froide (le Pacte de Varsovie a été officiellement dissous en 1991). L'OEA a conservé dans sa Charte un chapitre VI consacré à la sécurité collective du continent américain (articles 28 et 29) et s'est associée à certaines missions de paix des Nations unies (Nicaragua, Haïti). Quant à l'Otan, elle s'est étendue (12 membres en 1949, 28 en 2015) et engagée dans plusieurs actions de paix et interventions armées (Bosnie, Kosovo, Afghanistan, Libye). Mais le passage du monde bipolaire à celui de l'après-Guerre froide a surtout profité au Conseil de sécurité.

L'impulsion post-bipolaire

Dès la rencontre de R. Reagan et de M. Gorbatchev à Reykjavik, à l'automne 1986, l'atmosphère a changé dans les relations Est-Ouest, et par conséquent aux Nations unies. Au printemps 1987, les cinq membres permanents commencent à travailler ensemble de façon informelle, à se réunir discrètement hors du Conseil, d'abord dans le bureau du Secrétaire général J. Perez de Cuellar, puis dans la résidence de l'un ou l'autre selon une rotation bientôt organisée. Dans cette nouvelle ambiance, un article publié le 27 septembre 1987 dans la *Pravda* vient préciser la « nouvelle pensée » de M. Gorbatchev en ce qui concerne l'ONU et les mécanismes de maintien de la paix. Le président soviétique développe longuement son souhait de voir les Nations unies renforcées et mieux à même d'intervenir dans la solution des conflits régionaux. Il avance des propositions concrètes et, dans les mois qui suivent, l'URSS présente des notes et des mémorandums de plus en plus précis demandant la réactivation du Comité d'état-major, l'élargissement des compétences de la Cour internationale de justice, allant jusqu'à proposer une assistance logistique à des troupes qui seraient mises en permanence à la disposition du Conseil de sécurité et spécialement entraînées.

Un désir de coopération sans précédent entre les Grands va replacer le Conseil de sécurité au cœur du dispositif onusien. L'URSS souhaite se désengager des conflits régionaux, à commencer par l'Afghanistan. De leur côté, les États-Unis ne veulent pas rester seuls à porter « le fardeau du monde ». Cette entente nouvelle permet une véritable concertation des cinq membres permanents. Elle offre à l'ONU un certain nombre de succès entre 1988 et 1992 : fin de la guerre entre l'Irak et l'Iran, dans le cadre d'un accord négocié grâce à l'ONU ; retrait des troupes soviétiques d'Afghanistan selon des modalités discutées avec les Nations unies ; aide au désarmement des *Contras* au Nicaragua ; présence au Guatemala, au Salvador ; et surtout, indépendance de la Namibie organisée par la plus grande opération de maintien de la paix jamais encore lancée par les Nations unies. Lorsque survient la crise du Golfe, les membres permanents ont déjà pris l'habitude de travailler en étroite concertation depuis près de trois ans. Dans la phase cruciale où furent préparées la plupart des résolutions, entre le 2 août et le 31 octobre 1990, les cinq permanents se sont réunis soixante-dix fois de façon informelle, « le jour, la nuit, à l'aube, au crépuscule, le dimanche, etc. » raconte Pierre Louis-Blanc, alors Représentant de la France et responsable de la coordination entre les Cinq.

Ces nouvelles habitudes de travail ont transformé la vie quotidienne aux Nations unies. Le centre de gravité s'est déplacé. Les sessions de l'Assemblée générale sont devenues moins prisées. Celles de l'Ecosoc, traditionnellement assez mornes, s'animent lorsque l'on s'affronte sur le point de savoir comment sortir cet organe de sa torpeur. Tous les regards se tournent vers le Conseil de sécurité et le Secrétaire général.

Depuis les années 1990, ce regain d'activité du Conseil de sécurité a été abondamment documenté sans qu'il soit la peine d'y insister longuement [Malone, 2004 ; Luck, 2006 ; Hatto et Lemay-Hebert, 2007 ; Petiteville, 2009].

- *Le rythme soutenu des réunions.* Qu'elles soient publiques ou privées, formelles ou informelles, les réunions du Conseil sont devenues extrêmement fréquentes. De quelques dizaines par an au temps de la Guerre froide, elles dépassent le chiffre de 300 dans les années 1990 et de 500 au cours de la décennie suivante. En 2014, au titre des réunions officielles, le Conseil a tenu 267 séances (dont 241 publiques) et 167 consultations (http://www.un.org/fr/sc/documents/hihlights.shtlm). La pratique de deux sessions par jour est devenue habituelle [Luck, 2006, p. 19]. La négociation est permanente. La fréquence s'accompagne d'une diversité des formes : les consultations informelles dans une petite salle adjacente à la salle plénière, mieux connue des médias, offrent l'occasion de débats approfondis et de nombreux réglages préalables aux séances publiques ; à partir de 1992, le Conseil inaugure la formule des sommets avec la participation des ministres des Affaires étrangères et/ou des chefs d'État et de gouvernement ; les missions sur place se font de plus en plus nombreuses (une quarantaine depuis 2000 : Mali en janvier 2014) ; depuis 1998, des séminaires de réflexion fournissent l'opportunité d'utiles échanges de vues tout comme les déjeuners mensuels de travail autour du Secrétaire général auxquels peuvent participer d'anciens membres élus du Conseil pour faire partager leurs expériences [Hulton, 2004, p. 248].
- *L'augmentation du nombre et de la portée des résolutions.* Dans le sillage de réunions plus fréquentes, les résolutions adoptées par le Conseil ont

été également beaucoup plus nombreuses[1]. De 1946 à 1989, le Conseil de sécurité adoptait en moyenne 11 résolutions par an. À partir de 1990, il en adopte environ 60 par an : comme le notent Wallensteen et Johansson, le Conseil est passé *grosso modo* d'une décision par mois à une décision par semaine [Wallensteen et Johansson, 2004, p. 18]. Le plus spectaculaire réside surtout dans l'adoption d'un nombre croissant de résolutions prises en application du chapitre VII de la Charte des Nations unies, c'est-à-dire se référant explicitement à des situations de « menace contre la paix, de rupture de la paix et d'actes d'agression » qui habilitent le Conseil à recourir à l'usage de la force (sanctions économiques et/ou recours à la force militaire). Plus de 90 % des résolutions de ce type ont été adoptées depuis 1989 (depuis 2010, environ la moitié des résolutions adoptées par le Conseil). Cette pratique témoigne d'abord de la volonté du Conseil d'affirmer son rôle directeur dans « le maintien de la paix et de la sécurité internationales » conformément aux dispositions de la Charte des Nations unies et sans exclure, par conséquent, des actions coercitives. Les références plus fréquentes au chapitre VII signifient ensuite que le Conseil s'accorde à qualifier un nombre croissant de situations comme pouvant représenter une « menace à la paix et à la sécurité internationales » justifiant une intervention de nature coercitive. Ces situations peuvent relever de conflits internes et s'accompagner de périls humanitaires : Somalie (1992), ex-Yougoslavie (nombreuses résolutions durant la guerre de Bosnie, 1992-1995), Rwanda (1994)[2], Haïti (1994), Zaïre (1996), Albanie (1997), Côte d'Ivoire (2003), Soudan (2007), Libye (2011). Il y a là un changement notable dans les pratiques du Conseil et un recul relatif du principe de la non intervention même si l'on note une forte résistance de la part des Non-Occidentaux depuis l'intervention en Libye (2011).

- *La diminution de l'usage du veto.* Elle accompagne logiquement l'amélioration de la coopération : contre 5 veto par an de 1946 à 1989, on compte à peine plus d'un veto annuel de 1990 à 2010 (1,1) avec une nette tendance à la hausse (2,5 veto par an de 2011 à 2014). Jusque dans les années 1970, les veto sont essentiellement soviétiques, puis ils deviennent majoritairement états-uniens (17 veto sur 29 de 1989 à 2009), principalement contre les résolutions critiquant la politique d'Israël, avant d'être plus fréquemment

1. Ainsi que les déclarations de la présidence du Conseil de sécurité (présidence mensuelle dans l'ordre alphabétique anglais des pays membres du Conseil) qui ont suivi, globalement, la même progression que les résolutions.
2. Il s'agit de la résolution 929 du 22 juin 1994 autorisant, après la phase la plus aiguë du génocide, une « opération multinationale humanitaire » (ce sera l'opération « Turquoise » dirigée par la France) pour la protection « des personnes déplacées, des réfugiés et des civils en danger ».

opposés par la Russie (7 veto sur 12 de 2011 à 2015 : Syrie, Ukraine) et la Chine (4 veto sur 10 : Syrie)[1].

- *L'extension des domaines de compétence.* Par nature, le champ de la paix et de la sécurité est « dynamique, élastique et insatiable » [Luck, 2006, p. 129]. Pour autant qu'il veuille bien s'en saisir dans un esprit de délibération collective, le Conseil n'a guère de limites à son agenda. Celui-ci s'élargira ainsi, à partir des années 1990, à des questions qui ne sont pas circonscrites au seul périmètre d'un conflit précis : rôle des femmes dans la prévention et la résolution des conflits, situation des enfants soldats, protection des civils dans les conflits armés, consolidation de la paix après les conflits, coopération avec les organisations régionales dans le maintien de la paix et de la sécurité internationales. S'y ajoutent des thématiques transnationales : mobilisation contre les épidémies et autres maladies infectieuses, contrôle du commerce illicite des diamants bruts, lutte contre le trafic illicite des armes légères, non-prolifération des armes de destruction massive, et surtout menaces résultant d'actes terroristes depuis les attentats du 11 septembre 2001 contre les États-Unis.
- *L'élargissement des consultations.* À mesure que le Conseil étoffait ses activités, ses membres (en particulier les non-permanents) ont éprouvé le besoin de disposer de plus amples sources d'information et d'ouvrir un peu ce qui avait été pendant plus de quarante ans un club très fermé. Depuis le milieu des années 1990, plusieurs types d'invités sont associés à certaines sessions du Conseil : représentants de pays fournisseurs de troupes aux opérations de maintien de la paix, représentants d'institutions spécialisées des Nations unies ou des institutions de Bretton Woods (FMI, Banque mondiale), responsables de missions ou de programmes des Nations unies, représentants d'ONG. Désormais, les consultations occupent une place importante dans le programme mensuel du Conseil qui ouvre certaines sessions à des pays non membres qui le demandent [Hulton, 2004, p. 245] et organise des « débats participatifs informels ». L'aspect le plus médiatique de cette ouverture a sans doute été les auditions d'ONG [Paul, 2004]. Initialement, la « formule Arria » (du nom de l'ambassadeur du Venezuela à l'ONU en 1993) était destinée à permettre au Conseil d'auditionner des responsables politiques de haut niveau. Certains membres (et notamment Juan Somavia, représentant du Chili au Conseil de sécurité en 1996-1997, et futur directeur général de l'OIT en 1999) saisiront l'opportunité pour encourager des « briefings » avec les ONG : une vingtaine de 2010 à 2014. Néanmoins, malgré quelques profits réciproques (ainsi les résolutions sur la protection des civils dans les

1. Il s'agit ici du nombre de veto calculé selon le nombre de membres permanents du Conseil de sécurité l'ayant opposé et non selon le nombre de résolutions tenues en échec (chiffre privilégié par les documents officiels qui minore le nombre effectif de veto), http://www.un.org/fr/docs/sc/quick/veto

conflits armés furent largement inspirées par les échanges avec les ONG – CARE, Oxfam, MSF, notamment), la formule ne plaît guère aux cinq permanents[1]. Elle est attentivement contrôlée et s'accompagne de réunions dites « bilatérales » entre certaines ONG (parfois regroupées en collectifs) et des délégations nationales au Conseil. La décision politique est préservée, mais d'une certaine façon, le lobbying non gouvernemental sur le Conseil est renforcé.

- *L'appui d'organes subsidiaires.* Le travail du Conseil ne repose plus seulement sur la capacité de ses membres. Avec plus de vingt comités et groupes de travail, le Conseil peut désormais suivre beaucoup plus précisément la situation jugée préoccupante de certains pays, documenter des activités suspectes (terrorisme, enrôlement d'enfants soldats), vérifier l'effectivité de ses décisions (comité des sanctions et comité 1540 sur la non-prolifération d'armes de destruction massive) et amorcer une réflexion sur les retours d'expérience (tribunaux internationaux, maintien et consolidation de la paix). Spécialistes et pays non membres du Conseil s'associent ainsi au Conseil (une autre façon de pratiquer l'ouverture) et le dotent à travers leurs rapports, leurs missions, leurs enquêtes (qui s'ajoutent au travail du Secrétariat général) d'une expertise substantielle. Organe de décision politique, le Conseil ne se contente plus de joutes idéologiques.

Dans l'ensemble, le Conseil de sécurité a donc profondément changé depuis la fin de la Guerre froide. Il a montré une remarquable capacité d'adaptation et une ouverture indéniable qui ont conforté son statut unique et son rôle irremplaçable dans le dispositif des Nations unies. Mais, dans le même temps, ces changements ont buté sur deux limites importantes. La première tient à la composition inégalitaire du Conseil partagé entre les cinq permanents (P5), nantis d'un droit de veto, et les dix autres membres non permanents, sans droit de veto et élus pour un mandat de deux ans (E10). Sur ce point, on a vu que les tentatives de réforme se heurtaient, pour l'instant, aux résistances des P5 et aux propres divisions des candidats potentiels. En pratique, les E10 souffrent d'un déficit d'information et peuvent difficilement capitaliser leur expérience compte tenu de la courte durée de leur mandat. Ils n'ont pas réussi non plus à encadrer le droit de veto des membres permanents ni à « codifier » les règles de travail du Conseil qui demeurent toujours officiellement « provisoires » (*provisional*) [Mahbubani, 2004, p. 259]. Paradoxalement, les

1. Voir également le témoignage d'une responsable de la Ligue internationale des femmes pour la paix et la liberté – WILPF – concernant la résolution 1325 (2000) sur les femmes, la paix et la sécurité, « Le point de vue des ONG : les ONG et le Conseil de sécurité », http://www.unidir.org/pdf/articles/pdf-art10.pdf.

plus actifs des P5 (France et Royaume-Uni) sont également ceux qui ont le plus besoin de justifier leur statut aujourd'hui : ils ne sont donc pas les mieux placés pour faire avancer les réformes dans la mesure où ils risqueraient aussi d'en faire les frais. Mais la conséquence directe et essentielle de cette structure inégalitaire se répercute surtout sur le fonctionnement très sélectif de la sécurité collective. C'est là, en effet, une seconde limite importante aux changements du Conseil de sécurité depuis les années 1990.

L'impossible doctrine

Si, depuis plus de vingt ans, le Conseil de sécurité n'hésite pas à « agir en vertu du chapitre VII de la Charte des Nations unies », les conditions du recours à la force collective sont beaucoup moins claires. Selon le système prévu par le chapitre VII, c'est le Conseil qui est chargé d'entreprendre l'action coercitive lorsqu'il estime se trouver dans un cas de « menace à la paix, de rupture de la paix ou d'acte d'agression ». En pratique, puisqu'il n'a jamais disposé de forces armées propres, le Conseil s'est contenté d'autoriser ou de déléguer ce recours à la force.

La formule de l'autorisation (ou de la délégation) est devenue classique. Exceptionnelle avant 1990 (Corée, 1950, selon des modalités contestées), elle s'est banalisée depuis. Le Conseil a ainsi autorisé des coalitions dirigées par les États-Unis (Irak-Koweit, 1990-1991 ; Somalie, 1992 ; Haïti, 1994), des forces militaires nationales (la France au Rwanda en 1994 ; l'Italie en Albanie en 1997 ; l'Australie au Timor oriental en 1999) ou des formes mixtes de forces militaires nationales et d'organisations régionales (Otan durant la guerre de Bosnie, 1992-1995, et contre le régime libyen de M. Kadhafi en 2011 ; CEDEAO et UA au Mali en 2012) à faire usage de la force militaire pour le rétablissement de « la paix et la sécurité internationales ».

Ces autorisations données sous différentes formes et dans des situations variées ont suscité de nombreuses analyses juridiques et politiques (pour une étude particulièrement fouillée, [Corten, 2008]). On retiendra ici deux questions qui soulignent les conditions relativement incertaines qui président à la légalité internationale du recours à la force[1] : la qualification de la situation justifiant la décision du Conseil de sécurité et le caractère plus ou moins explicite de l'autorisation.

1. Rappelons que d'après la Charte des Nations Unies, le recours à la force dans les relations entre les États membres n'est autorisé que dans le cadre d'une action décidée par le Conseil de sécurité ou dans celui du « droit naturel de légitime défense, individuelle ou collective », en cas d'agression armée et jusqu'à l'intervention du Conseil (art. 51).

• Sur le premier point, l'autorité du Conseil reste inchangée : il demeure maître de ce qui constitue une « menace à la paix », une « rupture de la paix » ou un « acte d'agression », susceptible d'enclencher des actions coercitives (économiques et/ou militaires). La définition de ces termes n'a jamais été fixée et elle est laissée à l'appréciation du Conseil. Les cinq permanents disposent ici d'un pouvoir de blocage en exerçant leur droit de veto (ou une menace de veto) s'ils veulent protéger un allié (Israël par les États-Unis, le régime syrien de Bachar el-Assad par la Russie) ou empêcher une autorisation *explicite* du recours à la force par le Conseil (la Russie lors de l'intervention annoncée de l'Otan au Kosovo contre la Serbie en 1999 ; la France à la veille de l'intervention américaine en Irak en 2003). *A contrario*, ils peuvent aussi s'accorder pour élargir la notion de « menace à la paix », comme le Conseil l'a fait en considérant que des conflits *internes* constituent une « menace à la paix et à la sécurité *internationales* » : innovation remarquable, comme nous l'avons déjà souligné, et qui concerne de très nombreuses interventions depuis les années 1990 (Bosnie-Herzégovine, Somalie, Rwanda, Albanie, Haïti, RDC, Côte d'Ivoire, Soudan, Libye, Mali, Centrafrique). Mais, inversement, le Conseil peut aussi se réfugier dans la non-action collective en estimant que les faits rapportés à son attention ne sont pas suffisamment graves et/ou qu'il est inopportun d'agir (invasion de la Géorgie par le Russie, 2008). La passivité du Conseil pendant les semaines les plus meurtrières du génocide au Rwanda (avril-mai 1994) relève de ce cas de figure. Que les résistances du Secrétariat général de l'ONU à anticiper correctement le drame aient ralenti la mobilisation du Conseil est probable (telle est du moins la thèse de Barnett et Finnemore [Barnett et Finnemore, 2004]), mais il est tout aussi vraisemblable que les Cinq et notamment les États-Unis ne voulaient pas entendre autre chose et n'étaient nullement prêts à intervenir après le fiasco de l'opération somalienne[1] et alors que la guerre en Bosnie mettait déjà le Conseil en grande difficulté de définir un mandat clair pour la Force de protection des Nations unies (Forpronu) dépêchée sur place.

La qualification d'une situation de menace à la paix et à la sécurité internationales s'effectue donc selon des critères variables dont l'appréciation est laissée à la discrétion du Conseil, à commencer par les cinq

1. Autorisé une première fois par le Conseil de sécurité (rés. 794/1992) à déployer une force multinationale en soutien à une opération de maintien de la paix des Nations unies dans le cadre de la guerre civile somalienne (Onusom), le gouvernement américain est autorisé une deuxième fois (rés.837/1993) à engager ses troupes contre des factions somaliennes, responsables de la mort de plusieurs soldats de l'Onusom. La situation ne cesse de se dégrader. Les affrontements dégénèrent causant un nombre élevé de victimes somaliennes, près de 150 militaires de l'Onusom et, sous le regard des médias, une vingtaine de soldats américains. Les États-Unis décident de se retirer et leur désengagement devient effectif au moment même où le drame s'annonce au Rwanda.

permanents qui exercent un véritable pouvoir de sélection sur les cas retenus. Nombre de conflits ont ainsi échappé et échappent au Conseil (Irlande du Nord, Sri Lanka, Algérie, Birmanie/Myanmar, Colombie, Tchétchénie, Kirghizistan, etc.). Il n'existe pas un droit automatique à intervenir mais seulement des opportunités. De ce point de vue, ni le Conseil ni l'Assemblée générale n'ont consacré un quelconque « droit d'ingérence humanitaire » [Corten, 2008, p. 737-805]. Tout au plus, le Conseil a-t-il admis que des violations graves des droits de l'homme, perpétrées à l'occasion d'un conflit interne, pouvaient être constitutives d'une menace contre la paix internationale. Mais sur cette évaluation, il reste maître de ses appréciations.

C'est sans succès que le Secrétaire général Kofi Annan a voulu restreindre cette marge d'appréciation du Conseil. Sa « doctrine », formulée en 1999 devant l'Assemblée générale des Nations unies tendait à imposer à l'ONU une obligation d'intervention en cas de violations massives des droits de l'homme. L'accueil fut réservé de la part des pays occidentaux et hostile ailleurs. De manière assez habile, la « Commission internationale de l'intervention et de la souveraineté des États » (CIISE), créée en appui des propositions Annan par le gouvernement canadien, substitua à l'idée d'une obligation d'intervenir celle d'une « responsabilité de protéger » (R2P pour *responsability to protect*) : de la sorte on réaffirmait les prérogatives principales des souverainetés, mais sans rien céder sur le principe d'une intervention humanitaire lorsque les États n'étaient pas en mesure de protéger leur peuple. La responsabilité étant une obligation inhérente à la souveraineté, l'intervention devenait la conséquence nécessaire d'une souveraineté défaillante. Les plus souverainistes pouvaient être rassurés [CISSE, 2001].

La notion reçut néanmoins un accueil circonspect et c'est avec prudence qu'au Sommet mondial de 2005, les États membres de l'ONU admirent un « devoir de protéger des populations contre le génocide, les crimes de guerre, le nettoyage ethnique et les crimes contre l'humanité » en se déclarant « prêts à mener en temps voulu une action collective résolue, par l'entremise du Conseil de sécurité, conformément à la Charte, notamment son chapitre VII, au cas par cas et en coopération, le cas échéant, avec les organisations régionales compétentes, lorsque [les] moyens pacifiques se révèlent inadéquats et que les autorités nationales n'assurent manifestement pas la protection de leurs populations contre le génocide, les crimes de guerre, le nettoyage ethnique et les crimes contre l'humanité » [ONU, AG, 2005, paragraphe 139].

Pour les partisans de la « responsabilité de protéger », il ne s'agissait là que d'un demi-succès. Il n'échappait, en effet, à personne que le Conseil de sécurité demeurait maître de la qualification des situations pouvant déclencher une autorisation de recours à « une action collective résolue »[1]. Suivant en cela les propositions du « Groupe de personnalités de haut niveau sur les menaces, les défis et le changement » [ONU, AG, 2004], Kofi Annan avait pourtant recommandé de fonder les autorisations du recours à la force armée par le Conseil sur des critères objectifs (gravité de la menace ; légitimité du motif de l'intervention ; plausibilité qu'une solution autre puisse faire cesser la menace ; proportionnalité de l'intervention à la menace considérée ; chances raisonnables que l'intervention réussisse) [Annan, 2005]. Mais cette tentative d'encadrement des pouvoirs du Conseil sera purement et simplement écartée par le Sommet mondial de 2005. Il en avait été de même lorsqu'il s'était agi d'améliorer l'effectivité des sanctions économiques. Divisés, les Cinq firent échec à des règles contraignantes [Cortright et Lopez, 2004]. L'autorisation d'intervenir en Libye (2011) pour « protéger les populations et les zones civiles menacées », qui se transformera *de facto* en un soutien de l'OTAN au renversement du régime Kadhafi, constituera, paradoxalement, un sérieux revers pour la R2P. De nombreux États non-occidentaux ont prétendu être trompés et ils ont retenu que cette notion fournissait surtout une nouvelle occasion d'ingérence. Le Brésil a tenté de résoudre le dilemme (l'inaction ou l'ingérence) en proposant la notion de « responsabilité en protégeant » (RWP pour *responsability while protecting*) : renforcer l'assistance pacifique aux États pour protéger leur population avant d'envisager une action militaire en dernier ressort[2]. D'un point de vue pratique, ce type de prévention ne paraît pas simple à opérationnaliser. Politiquement, la notion témoigne du refus de nombreux États (notamment des BRICS) d'accroître les pouvoirs coercitifs du Conseil de sécurité. Enfin, et surtout, elle n'a pas, pour l'instant, offert de solution aux crises les plus pressantes (Syrie). De manière plus pragmatique, la France a suggéré qu'en cas de « crimes de masse » (qualification par le Secrétaire général des Nations unies saisi par au moins 50 États), les

1. Il n'en fera rien lors des extrêmes violences perpétrées au Kirghizistan contre la minorité ouzbèke du sud, en juin 2010, alors que deux conseillers du Secrétaire général de l'ONU, Francis Deng et Edward Luck, estimaient que la « responsabilité de protéger » aurait dû être invoquée, *Le Monde*, 18 juin 2010. La Résolution 1973 (2011) autorisant des mesures militaires « pour protéger les populations et les zones civiles menacées d'attaque en Jamahiriya arabe libyenne » semble assez proche d'une application de la « responsabilité de protéger », le principe étant opposé aux autorités libyennes. Plus généralement, sur la R2P [Jeangène Vilmer, 2015].

2. La présidente brésilienne Dilma Rousseff évoque une distinction entre « *responsability to protect* » et « *responsability in protecting* » à l'Assemblée générale des Nations unies en septembre 2011 (A/66/PV.11). La distinction est explicitée par une déclaration du ministre des Relations extérieures du Brésil, Antonio de Aguiar Patriota, au Conseil de sécurité en novembre 2011 (S/PV.6650). En réalité, la novation est limitée, la dimension préventive de l'action de protection étant déjà soulignée dans le Document final du Sommet mondial de 2005 (paragraphe 139, A/60/L.1, 20 septembre 2005).

membres permanents du Conseil de sécurité s'engagent à renoncer à faire usage de leur droit de veto sauf cas où des « intérêts vitaux nationaux » seraient en cause (Laurent Fabius, ministre français des Affaires étrangères, *Le Monde*, 4 octobre 2013). La proposition est ambiguë : que viennent faire les « intérêts vitaux nationaux » dans une situation où les populations sont victimes de « crimes de masse » ? Le sentiment domine que les membres permanents du Conseil n'abandonnent jamais tout à fait leur pouvoir d'empêchement. Et même lorsqu'il ne s'agirait que d'une modeste tentative d'encadrement des prérogatives du Conseil de sécurité, d'un appel à « la responsabilité de ne pas user du veto », afin de contourner les appréhensions de la R2P et les impuissances de la RWP, la tâche de persuasion s'annonce laborieuse.

En résumé, bien que plus active, la politique du Conseil de sécurité reste dictée par des considérations d'opportunité. La pratique de la « sécurité collective » se définit au cas par cas et sa doctrine demeure indéchiffrable.

• Une incertitude supplémentaire surgit sur le point de savoir ce qu'il faut entendre par « autorisation ». En effet, depuis les années 1990, plusieurs opérations armées sont intervenues sans bénéficier d'une autorisation *explicite* du Conseil, mais dans des conditions telles que les intervenants ont soutenu que l'attitude du Conseil était consentante et que son autorisation était *implicite.* L'opération *Provide Comfort* dans le Kurdistan irakien en 1991, l'opération *Force alliée* contre la Yougoslavie en 1999, l'opération *Liberté immuable* contre l'Afghanistan en 2001 et, de manière encore plus contestable, l'opération *Iraqi Freedom* contre l'Irak en 2003, relèvent notamment de ces interventions armées fondées sur une présomption d'autorisation du Conseil de sécurité. Il en va de même de l'action de la Coalition internationale contre l'EIIL (État islamique en Irak et au Levant) ou de l'intervention militaire de l'Arabie Saoudite au Yémen (2015). Sans rentrer dans des débats assez techniques soutenant ou contestant l'existence de résolutions antérieures ou postérieures du Conseil qui pourraient justifier ou non les interventions controversées [Roberts, 2004 ; Corten, 2008, p. 535-606], il convient surtout de souligner que c'est, encore une fois, l'absence de doctrine claire qui provoque des pratiques confuses.

Idéalement, la « sécurité collective » suppose que plusieurs conditions soient remplies en même temps :

- que tous les États participants aient la même définition de l'agresseur, qu'ils qualifient de la même façon les actes des unités politiques en conflits (États, communautés, factions, ethnies, etc.) ;

- que tous les États s'engagent à assumer les charges, les risques, les sacrifices éventuels d'une action commune pour rétablir l'ordre ou le maintenir ;
- qu'une instance de décision internationale représentative décide clairement quand et comment une action commune doit être lancée et qu'elle ait à sa disposition, et sous son commandement, les forces nécessaires pour mener à bien cette action ;
- que les forces mises à la disposition de la collectivité soient nettement supérieures à celles de l'agresseur. Comme le signalait Raymond Aron, si l'agresseur est à lui seul aussi fort que la coalition des États défenseurs du droit, l'exercice de la « sécurité collective » risque de transformer une guerre limitée ou localisée en guerre générale ou totale.

Jusqu'à présent ces conditions n'ont été que très imparfaitement remplies. Peuvent-elles l'être ? La sécurité collective suppose des perceptions semblables et des objectifs partagés. De ce point de vue, l'élargissement du Conseil de sécurité n'apporterait pas nécessairement en cohérence ce qu'il gagnerait en légitimité. En revanche, on peut penser qu'un encadrement plus précis du recours à la force rassurerait de nombreux États membres et renforcerait globalement la légitimité du Conseil, quelle que soit la composition qu'il serait appelé à prendre dans l'avenir.

Depuis plus de vingt ans, le Conseil de sécurité s'est indéniablement renforcé. À l'instar de l'ONU dans son ensemble, son regain d'activité et de visibilité a suscité des attentes... et des déceptions. Paradoxalement, ses réussites soulignent ses insuffisances qui n'en paraissent que plus dommageables pour l'avenir de la sécurité collective.

Le maintien de la paix

La grande réussite des organisations internationales et de leurs artisans depuis la SDN a été d'accréditer l'idée que la paix était une fin en soi : à la fois la « paix négative » (l'état de non-guerre) et la « paix positive » (l'amélioration du bien-être des peuples et des individus) ; l'une étant au service de l'autre et réciproquement. La paix des organisations internationales connaît donc une forme de dédoublement fonctionnel et le « maintien de la paix » en est l'un de ses deux versants, la version courante de la paix négative.

Aujourd'hui, l'expression « maintien de la paix » évoque la mission principale du Conseil de sécurité (art. 24.1) et les moyens qu'il s'est donnés à cet effet. Mais en réalité, la notion couvre un champ bien plus vaste dans lequel se retrouvent des initiatives variées et un grand nombre d'organisations internationales (intergouvernementales et non gouvernementales). Tous les organes et toutes les institutions spécialisées de l'ONU ainsi que de nombreuses organisations partenaires prétendent contribuer, d'une manière ou d'une autre, au développement de la paix et donc, *a fortiori*, à son maintien, premier but déclaré de la Charte des Nations unies (art. 1.1). Les très nombreuses ONG associées à l'ONU poursuivent, chacune à leur manière, le même objectif. Les organisations régionales et sous-régionales affichent également un but de paix à travers la promotion de la coopération économique et se sont même parfois expressément dotées d'un mécanisme de « maintien de la paix » face à d'éventuels conflits. Le contrôle des armements et l'établissement de mesures de confiance (OSCE), la lutte contre l'armement chimique (OIAC) et la non-prolifération nucléaire (AIEA), la Cour pénale internationale, jouent aussi par leur mission de surveillance, leurs fonctions de dissuasion et leur pouvoir de sanction, un rôle dans le maintien de la paix.

De cette prolifération d'acteurs et d'actions, en deçà et au-delà du Conseil de sécurité et de ses interventions, émerge plus ou moins progressivement une nouvelle conception du maintien de la paix : non plus seulement des actions ponctuelles défensives, mais un espace continu d'initiatives qui tendent tout à la fois à prévenir les conflits, les résoudre et empêcher leur répétition. Le maintien de la paix est devenu un continuum d'actions qui s'est professionnalisé et régionalisé.

Multiplication et extension

En 1956, pour éviter que l'échec de la sécurité collective ne fasse subir à l'ONU le même sort qu'à la SDN, dans une atmosphère de grand découragement né de la simultanéité de deux crises qui avaient bafoué l'autorité des Nations unies (Suez et Hongrie), le représentant du Canada, Lester Pearson, appuyé par les États-Unis, avait convaincu le Secrétaire général Dag Hammarskjoeld de proposer la création de forces armées d'un type nouveau pour des interventions d'une nature non prévue par la Charte. La première opération armée de maintien de la paix fut inaugurée cette année-là pour surveiller le retrait des forces anglaises, françaises et israéliennes du Sinaï et instaurer une zone tampon entre l'Égypte et Israël (la Force d'urgence des Nations unies, FUNU I) [Carroll, 2009]. Cette première expérience a posé les fondements d'une doctrine qui repose sur trois principes fort éloignés de la sécurité collective :

- Le consentement des parties. Le déploiement d'une force des Nations unies ne s'opère qu'avec le consentement des parties au différend.
- L'impartialité. Dans le système de sécurité prévu par la Charte, lorsqu'une

agression est constatée, l'agresseur est désigné et des mesures coercitives sont adoptées. À l'inverse, dans l'esprit initial du maintien de la paix, la Force des Nations unies ne doit pas se mêler du conflit. Elle n'est pas coercitive, elle n'a pas la mission de punir l'agresseur et de départager les adversaires sur le terrain. Elle est une force tampon déployée après la conclusion d'une trêve ou d'un cessez-le-feu pour s'interposer entre les belligérants et éviter une reprise des hostilités. Son rôle est de « geler » la situation afin de donner à la diplomatie le temps de négocier une solution politique sur la substance du conflit.

- Le non-recours à la force. Là encore le *peacekeeping* se différencie de la sécurité collective. La mission de la Force n'est pas de livrer combat. Soit elle s'apparente à une mission de police : les Casques bleus sont dotés d'armes légères défensives dont ils n'ont l'autorisation de se servir qu'en cas de légitime défense. Soit elle est une mission d'observation : les Bérets bleus sont des militaires chargés d'observer le déroulement du cessez-le-feu et de faire rapport. Ils ne sont pas armés (une innovation mise en place dès 1948 pour surveiller les conventions d'armistice après la guerre israélo-arabe et, en 1949, avec l'envoi d'observateurs pour surveiller le cessez-le-feu entre l'Inde et le Pakistan dans l'État du Jammu-et-Cachemire. Historiquement, ce sont les deux premières opérations de maintien de la paix de l'ONU. Elles sont toujours en cours en 2015).

Les premières opérations de maintien de la paix (OMP) ont été considérées comme une innovation intéressante et un succès pour l'ONU. Elles permettaient de sortir l'Organisation de l'impuissance à laquelle la condamnait l'affrontement Est-Ouest et de jouer un rôle secondaire mais utile dans les conflits régionaux. Elles participaient au jeu subtil auquel se livraient les deux Grands : poursuivre la compétition, mais toujours en évitant l'escalade.

Néanmoins, la base juridique des OMP demeurait fragile. Introuvable dans la Charte, elle s'est établie sur ce que l'on appelle parfois un « chapitre VI et demi » de la Charte, un système d'assistance à la paix non codifié, intermédiaire entre le règlement pacifique des différends prévu par le chapitre VI de la Charte et le système organisé par le chapitre VII. Cette construction purement coutumière est toujours susceptible d'être remise en cause : l'autorisation des OMP relève du Conseil de sécurité, mais en vertu de la (très controversée) « résolution Acheson », l'Assemblée générale peut également y prétendre (v. *supra*, p. 122). Le financement des OMP n'est pas assuré par le budget ordinaire de l'ONU. Chaque opération est lancée sur une base *ad hoc* parfois contestable et souvent contestée. La France et surtout l'URSS refusèrent longtemps d'en assumer le coût au motif qu'elles étaient contraires à la Charte et donnaient au Secrétaire général des compétences exorbitantes. La crise du Congo (1960-1964) fit éclater les contradictions de ce genre d'opérations. Pour la première fois, les Nations unies se virent confrontées sur le terrain à une situation de guerre civile dans laquelle ne pas intervenir revenait à sacrifier le plus faible : on accusa l'opération de l'ONU d'avoir laissé assassiner Lumumba en refusant aux avions soviétiques d'atterrir et d'apporter des renforts à l'ex-Premier ministre du Congo. Attaqués, les Casques bleus durent livrer bataille et furent autorisés à faire usage de la force de façon tardive et ambiguë. Il ne s'agissait plus de « maintien de la paix » (*peacekeeping*), ni même de « rétablissement de la paix » (*peacemaking*), mais bel et bien d'« imposition de la paix » (*peace enforcement*). Cette opération des Nations unies au Congo (ONUC) fut un succès pour le camp occidental en empêchant l'URSS de prendre pied sur le continent africain, mais elle se révéla désastreuse pour l'ONU. L'Organisation allait être durablement ébranlée par la crise financière provoquée par cette opération, par les graves attaques portées contre le Secrétaire général et par sa mort suspecte dans un accident d'avion. Son successeur, U Thant, eut pour première préoccupation de sortir l'ONU du guêpier congolais et de ne pas lancer l'Organisation dans de nouvelles aventures armées. Cette prudence excessive devait l'inciter, sur la demande du président égyptien Nasser, à retirer les Casques bleus de la FUNU, sans en référer au Conseil de sécurité, ce qui lui valut l'accusation d'être partiellement responsable du déclenchement de la guerre des Six Jours. Le coup fut rude pour les OMP, réduites à trois durant les vingt années qui suivirent (1967-1987)[1] : la FUNU II, en 1973, pour superviser le cessez-le-feu entre l'Égypte et Israël après la guerre d'octobre 1973 ; la FNUOD, en 1974, chargé d'observer le dégagement des forces israéliennes et syriennes après la même guerre et la FINUL, en 1978, chargé de confirmer le retrait des forces israéliennes après leur intrusion dans le sud-Liban en mars de la même année.

Il faut attendre la fin de la Guerre froide et le nouvel esprit de coopération qui souffle au Conseil de sécurité pour que la confiance dans les capacités de l'ONU à « maintenir la paix » soit restaurée. L'Organisation est alors sollicitée de tous côtés. Elle monte plus d'opérations de maintien de la paix en sept ans qu'elle ne l'avait fait en quarante ans : 22 opérations de 1988 à 1994 contre 13 de 1946 à 1987. L'année 1988 constitue l'année charnière avec trois opérations, c'est-à-dire autant qu'en vingt ans (1967-1987) : une mission de bons offices en Afghanistan et au Pakistan ;

1. Toutes nos informations chiffrées sur le nombre des OMP sont calculées à partir des données disponibles sur le site du Département des opérations de maintien de la paix (DOMP ou selon le sigle anglais DPKO) des Nations Unies, http://www.un.org/fr/peacekeeping/ (août 2015).

une mission de surveillance du désarmement en Sierra Leone ; une mission de supervision du cessez-le-feu entre l'Iran et l'Irak.

En 2015, le Département des opérations de maintien de la paix (DOMP) des Nations unies administre 16 opérations (71 depuis 1948), mobilisant environ 106 000 personnes en uniforme (auxquels il faut ajouter plus de 20 000 civils) provenant de 120 pays. Le nombre des opérations est à peu près stable depuis 25 ans, mais les effectifs militaires ont triplé alors que la création des opérations s'est ralentie. Forte progression de 1989 à 1999 : 35 au total soit presque trois par an. Ralentissement depuis 2000 : 16 opérations sont lancées, soit une par an.

Ce ralentissement n'est pas sans rapport avec les problèmes politiques et opérationnels posés par le véritable emballement des OMP dans les années 1990. D'un côté, les OMP ont été banalisées : d'un instrument *ad hoc* et très épisodique, elles sont devenues des pratiques courantes et admises par la majorité des États. Depuis 1948, 50 États ont bénéficié de ces opérations soit près de 25 % des 193 États composant l'ONU en 2015. Par ordre décroissant, les États africains sont les premiers concernés (21 États)[1] suivis par ceux du Moyen-Orient (9), de l'Amérique et de l'Asie-Pacifique (7 pour chaque ensemble) et de l'Europe (6). Les OMP se sont en quelque sorte universalisées en se régionalisant. Mais d'un autre côté, leur extension s'est accompagnée d'un changement de nature.

Inaugurées avec l'opération en Namibie (1989), les OMP dites « de la deuxième génération » ont innové par rapport à la doctrine forgée par Dag Hammarskjoeld et ses collaborateurs. Il ne s'agit plus seulement de s'interposer entre deux États et de constituer une force tampon chargée de « maintenir la paix ». Il convient aussi d'intervenir dans la construction politique interne : aider à la réconciliation nationale par des mesures de confiance rassurant les parties, préparer et contrôler les élections, désarmer les factions, protéger les droits de l'homme, etc. Au maintien de la paix (*peacekeeping*) traditionnel, s'ajoute le « rétablissement de la paix » (*peacemaking*). Cette forme d'aide à la reconstruction nationale s'est révélée de plus en plus fréquente : Angola (1989), Salvador (1991), Mozambique (1992), Cambodge (1992) et depuis la fin des années 1990, Haïti, Kosovo, Timor Leste, RDC, République centrafricaine, notamment. Naturellement, ces opérations sont plus lourdes que celles consistant à superviser un cessez-le-feu : à la fois plus longues et plus coûteuses.

Avec les opérations en Somalie et en ex-Yougoslavie (1992-1995), l'ONU a franchi une étape supplémentaire. Pour la première fois, des

1. En 2015, l'Afrique occupe 9 opérations de maintien de la paix sur 16, soit 87 % des membres en tenue et 80 % du budget annuel dédié aux opérations [ONU, 2015].

opérations militaires à vocation humanitaire étaient lancées dans un contexte de lutte armée entre des factions (Somalie) et de guerre déclarée (ex-Yougoslavie). Commencées comme des opérations de protection de l'assistance humanitaire, elles ont changé de nature en cours de route lorsque le recours à la force a été autorisé par le Conseil de sécurité au titre du chapitre VII, pour autre chose que la légitime défense. Ces opérations dites « de la troisième génération » n'appartenaient plus au « maintien de la paix » classique. Elles ne correspondaient pas non plus à des opérations de sécurité collective telle que les prévoit la Charte. Il s'agissait d'opérations d'« imposition de la paix » (*peace enforcement*), sans qu'il y ait ni les conditions de la paix ni l'intention de l'imposer. Dans le langage inimitable de l'ONU, on parlait de « maintien de la paix en temps de guerre ».

En Somalie comme en ex-Yougoslavie, ces opérations de « *peace enforcement* » connurent un échec retentissant. Non seulement elles se révélèrent incapables d'imposer la paix, mais plus dramatique, elles furent impuissantes à protéger les civils : en juillet 1995, le massacre de 8 000 Bosniaques par des miliciens serbes dans l'enclave de Srebrenica (Bosnie-Herzégovine), pourtant déclarée « zone de sécurité » par les Nations unies, mit un terme à ce type d'opération. Leur faiblesse constitutive tenait au fait d'être présentées comme des opérations de sécurité collective, mais sans en avoir ni le mandat ni les moyens. Au fond, en se rapprochant de la sécurité collective, les OMP finissaient par se heurter aux limites du concept lui-même, c'est-à-dire à l'absence de doctrine claire et de forces adéquates mises à disposition. Le Conseil tenta, à partir des années 2000, de trouver une issue en autorisant, au coup par coup, certaines OMP à utiliser la force pour combattre des groupes armés, arrêter des perturbateurs ou faire cesser des violences visant les civils (par exemple, la Monuc puis la Monusco en RDC) : on parlera de « *peacekeeping robuste* », mais sans en faire une stratégie systématique (nécessairement contradictoire à l'impartialité et au non-recours à la force qui fondent le maintien de la paix).

Malgré ces tâtonnements, le développement et les transformations des OMP léguaient un riche capital d'expériences. Parmi elles, émergeait l'idée que le « maintien de la paix » ne s'accomplissait pas seulement par une intervention ponctuelle, mais qu'il constituait un processus plus global dont toutes les étapes devaient être pensées dans une vision d'ensemble. Dès 1992, l'*Agenda pour la paix* du Secrétaire général Boutros Boutros-Ghali invitait ainsi à mieux intégrer le « maintien de la paix » dans une stratégie globale d'instauration de la paix en distinguant quatre phases étroitement liées [Boutros-Ghali, 1992] :

- la diplomatie préventive (empêcher qu'un différend ne se transforme en conflit ouvert) ;
- le rétablissement de la paix (rapprocher les parties par des moyens pacifiques) ;
- le maintien de la paix (établir une présence des Nations unies sur le terrain) ;
- la consolidation de la paix (définir et étayer les structures propres à raffermir la paix).

Boutros-Ghali proposait également de distinguer clairement, d'une part, des forces chargées de tout ce qui relève du maintien de la paix et, d'autre part, des « unités d'imposition de la paix » appelées à intervenir « en cas d'agression caractérisée, en cours ou imminente ». En recommandant au Conseil de sécurité la création de ces « unités d'imposition de la paix » qui seraient « tenues en réserve », « lourdement armées » et mobilisables sur la base d'un « mandat défini à l'avance », les propositions du secrétaire général revenaient en fait à réactiver le système initialement prévu par la Charte des Nations unies (chapitre VII) en guise de sécurité collective.

De manière prévisible et au-delà de la considération avec laquelle fut accueilli l'*Agenda pour la paix*, le Conseil de sécurité s'abstint de donner suite à tout ce qui pouvait se rapprocher d'une clarification des conditions du recours à la force : nous l'avons déjà vu, les Cinq permanents ne veulent pas de « doctrine ». Le déclenchement des OMP s'est pourtant poursuivi, mais, à partir des années 2000, dans des contextes de plus en plus difficiles (pas de paix à maintenir, extrémisme violent) et avec des résultats de moins en moins probants (RDC, Soudan notamment) : la population n'hésitant pas à conspuer et attaquer les forces censées la protéger. Comme le note, en 2015, le rapport du Groupe indépendant de haut niveau chargé d'étudier les opérations de paix des Nations unies (sollicité par le Secrétaire général et présidé par l'ancien président du Timor Oriental, Prix Nobel de la paix, José Ramos-Horta. Ci-après : rapport Ramos-Horta), « l'écart se creuse de toute évidence entre ce qui est demandé aujourd'hui aux opérations de paix et ce qu'elles sont en mesure de fournir » [ONU, 2015]. Pour les auteurs du rapport, il faut en revenir à l'essentiel : « faire primer le politique » en définissant une stratégie claire d'intervention dans le but de parvenir à une solution politique. Le recours à la force doit être précisément encadré, ne pas se confondre « à des opérations militaires anti-terroristes », et n'être autorisé que de manière exceptionnelle et limitée dans le temps.

Ce n'est pas la première fois que des experts rappellent au Conseil de sécurité de prendre ses responsabilités. De ce point de vue, le rapport

Ramos-Horta innove assez peu. De même, à l'instar de l'*Agenda pour la paix*, il plaide vigoureusement pour une approche intégrée des opérations de paix.

En amont du conflit ouvert, la diplomatie préventive s'est affirmée. L'idée n'était pas neuve. Le deuxième Secrétaire général de l'ONU, Dag Hammarskjoeld, en avait fait la doctrine et l'avait appliquée dès les années 1950. Ses successeurs s'y sont tous employés avec plus ou moins de succès. L'exercice de la diplomatie préventive comprend de multiples moyens : des enquêtes pour établir les faits, des bons offices pour instaurer une communication entre les parties, des médiations pour proposer des bases de négociation, des mesures de confiance pour apprendre aux parties à se connaître mieux et se redouter moins ; il peut s'agir, par exemple, de dispositions visant à assurer la libre circulation de l'information, de mécanismes organisant une surveillance mutuelle d'accords de paix ou de désarmement, de l'échange systématique de missions militaires. La diplomatie préventive fait appel à des représentants spéciaux, des envoyés spéciaux, des « groupes de contact » officiels ou officieux.

La technique est ancienne. La nouveauté est d'admettre que la diplomatie préventive puisse s'exercer en cas de crise interne et pour limiter les dangers d'ordre économique et social : risque de famine et d'épidémie, déplacements massifs de population, explosion de violences internes, risques de contagion de conflits limitrophes. L'*Agenda pour la paix* de B. Boutros-Ghali insistait déjà sur cette dimension et a encouragé plusieurs actions préventives réussies dont le lancement d'un important programme d'assistance alimentaire au Burundi qui a permis d'éviter le pire en 1993 avant que la tragédie du Rwanda ne vienne bouleverser toute la région ou encore le déploiement préventif, en 1995, dans l'ex-république yougoslave de Macédoine, d'une force détachée de la Forpronu qui a dissuadé les velléités d'extension du conflit. Le rapport Ramos-Horta y revient : « Les activités de prévention et de médiation doivent être ramenées au premier plan » [ONU, 2015].

Dès 1992, la création du Département des affaires politiques (DAP) a confirmé cette idée d'intervenir à toutes les étapes du maintien de la paix et notamment en renforçant la place de la diplomatie préventive dans l'arsenal de l'ONU. Le DAP administre 23 missions sur le terrain (2015) à travers des bureaux régionaux et des actions de bons offices et de médiation. Celles-ci sont confiées au Secrétaire général ou, plus fréquemment à ses représentants et envoyés spéciaux. En 2004, le rapport des personnalités de haut niveau sur les menaces, les défis et le changement notait que « la demande de services de médiation de l'ONU a littéralement explosé ces dix dernières années » [ONU, AG, 2004, paragraphe 102]. En 2009, le service d'information de l'ONU indiquait que l'Organisation exerçait ses activités de médiation dans plus de vingt processus de paix. Peut-être en raison de sa pratique de la diplomatie discrète intercoréenne, le Secrétaire général Ban Ki-moon a montré un très fort intérêt pour la médiation et la nécessité de la rendre plus performante [ONU, CS, 2009]. Récemment, il a encouragé la création d'un « groupe d'appui à la médiation », sous la responsabilité du DAP, et celle d'un site Internet offrant des ressources en ligne et un support à la médiation aux professionnels du *peacekeeping* : « *UN Peacemaker* » (www.un.org/peacemaker). Le rapport Ramos-Horta constate néanmoins que les actions de prévention des conflits sont « sous-financées » et demeurent « le parent pauvre » des opérations de paix onusiennes [ONU, 2015].

D'une manière ou d'une autre, la diplomatie préventive ou ce que l'on appelle aussi la prévention des conflits a été adoptée par toutes les organisations dont le mandat participe au maintien de la paix. Au plan européen, l'OSCE a été pionnière en établissant dès 1990 un Centre de prévention des conflits (CPC) et en conduisant des missions de prévention des conflits. En revendiquant une dizaine d'opérations sur le terrain (Europe orientale, Europe du Sud-Est, Caucase, Asie centrale), l'OSCE affiche volontiers son expérience en matière de prévention comme la contribution la plus originale de l'organisation (pas toujours convaincante comme dans le cas ukrainien). De son côté, après la création d'un « mécanisme de réaction rapide » (2001), l'UE a rationalisé et renforcé ses moyens de prévention en se dotant en 2007 d'un « instrument de stabilité ». En Afrique, la création du Conseil de paix et de sécurité (CPS) a été également l'occasion pour les États membres de l'Union africaine d'affirmer leur attachement au travail de prévention des conflits et au rôle de la médiation (constitution d'un « Groupe des Sages »). Ces dispositifs, complétés par ceux des organisations régionales économiques, ont l'avantage d'être moins lourds qu'une opération de paix classique et surtout plus respectueux des souverainetés. Néanmoins, les réalisations du « système continental d'alerte rapide » (Union africaine) sont encore à démontrer.

Dans l'esprit du maintien de la paix comme espace continu d'interventions, c'est aussi en aval du conflit que les efforts ont porté. Si l'on n'avait jamais ignoré l'aide à la reconstruction et les différents programmes d'assistance aux victimes, la consolidation de la paix (*peacebuilding*) devient, à partir de l'*Agenda pour la paix*, une mission inscrite dans le sillage des opérations qui l'ont précédée pour que le conflit ne se répète pas : désarmement, démobilisation, rapatriement (les fameux programmes « DDR » caractéristiques des OMP à partir des années 1990) auxquels s'ajoutent des tâches politiques (renforcement des institutions, assistance électorale), économiques et sociales (aide alimentaire et médicale, réinsertion des ancien(ne)s combattant(e)s, réinstallation des familles, etc.). Avec la conviction de plus en plus répandue que certains États (notamment africains) ne disposent pas des « capacités » nécessaires à l'établissement d'un gouvernement souverain (États « faillis », « fragiles », « vulnérables », etc. [Zartman, 1995 ; Châtaigner et Magro, 2007])[1], le *peacebuilding* se constitue en discipline savante avec ses experts, ses centres de recherches et ses revues spécialisées [Richmond, 2010, Petiteville 2013]. Les méthodes et autres techniques pour reconstruire l'État (*state-building*) et la nation (*nation-building*) alimentent une littérature (occidentale) abondante, parfois critiquée pour son ethnocentrisme, parfois critique sur les limites de la « paix libérale » [Richmond, Mac Ginty, 2015]. Le *peacebuilding* est d'autant plus attractif que de très nombreuses organisations internationales (intergouvernementales et non gouvernementales) peuvent faire valoir leurs compétences sectorielles.

Au sein des Nations unies, le « post-conflit » fait son apparition avec la création du DAP, mais l'initiative paraît de moins en moins suffisante à mesure que les tâches de reconstruction prennent plus d'importance (pratique et académique). En 2000, un rapport sur les OMP (rapport Brahimi du nom de l'ancien ministre des Affaires étrangères algérien) recommande le renforcement des capacités de l'ONU à élaborer des « stratégies de consolidation de la paix » et le Sommet mondial de 2005 décide l'institution d'une « Commission de consolidation de la paix », organe intergouvernemental consultatif, commun à l'Assemblée générale et au Conseil de sécurité. La nouvelle commission comprend notamment un fonds de consolidation de la paix, alimenté par des contributions volontaires, qui finance avec 100 millions de dollars par an, de nombreux projets dans une vingtaine de pays (majoritairement des États africains). Assez lente à émerger, l'affirmation institutionnelle d'une fonction de consolidation de la paix boucle, d'une certaine façon, le cycle du maintien de la paix. Non seulement, la Commission de consolidation de la paix tend à restituer aux élites locales la restauration de la paix, mais elle participe également à un travail préventif « qui ne dit pas son nom » [Azar, 2009, p. 146].

D'actions ponctuelles, les opérations onusiennes de maintien de la paix (mais aussi celles de l'UE et de l'UA, tout du moins en théorie) sont donc devenues des « opérations de paix » qui s'attachent désormais à toutes les séquences possibles d'un conflit[2]. Théoriquement, les Nations unies peuvent faire état d'une doctrine relativement complète. En pratique, les difficultés ne manquent pas.

1. Depuis 2005, le think-tank états-unien *Fund for Peace* et la revue *Foreign Policy* publient une liste annuelle des « États faillis » : le *Failed States Index*.
2. Sur les multiples aspects de ces « opérations de paix », on consultera le site très documenté du Réseau francophone de recherche sur les opérations de paix (ROP), http://www.operationspaix.net/

Rationalisation et régionalisation

Après plus de cinquante ans d'expérience, les conditions nécessaires pour qu'une opération de paix réussisse sont connues. Il faut un mandat clair, une mission précise et des moyens suffisants. Au cours des années 1990 et 2000, il apparut que les opérations engagées remplissaient très imparfaitement ces conditions. À des décisions politiques imprécises, la complexité des conflits post-bipolaires dans lesquels se trouvaient impliquées les Nations unies ajoutait des difficultés supplémentaires : conflits intra-étatiques, populations mélangées sur le plan ethnique et religieux, frontières incertaines, économies en ruine, absence de société civile organisée. Les tâches à mener quasi simultanément étaient multiples : humanitaires pour secourir les populations, militaires pour faire plier les agresseurs, politiques pour définir les bases d'un accord durable, financières pour aider à la reconstruction, techniques pour suppléer des administrations inexistantes. Alors que l'Organisation mondiale était de plus en plus sollicitée, le bilan de ses opérations de paix demeurait mitigé, voire parfois tragiquement défaillant (Somalie, Rwanda, Bosnie) et de plus en plus coûteux. Outre le rappel du « primat du politique » (*supra*, p. 196),toutes les réponses envisagées depuis cette période s'orientent autour de deux pistes : la professionnalisation et la rationalisation, d'une part, la régionalisation, d'autre part.

En ce qui concerne le premier point, le rapport Brahimi sur les opérations de paix des Nations unies (2000) constitue une étape importante. Même si les recommandations les plus politiques concernant l'élaboration d'une doctrine du maintien de la paix et le processus de définition des mandats n'auront guère de suites, les propositions consistant à renforcer les capacités opérationnelles des missions feront leur chemin. On note ainsi une tendance continue à la professionnalisation du Département des opérations de maintien de la paix (DOMP) : spécialisation des divisions, intégration des services de formation, recension des « pratiques optimales », etc. Dans le même esprit, la logistique est renforcée avec la création (2007) d'un Département d'appui aux missions (DAM) ainsi que le contrôle de la déontologie et de la discipline des personnels en mission (après le signalement au cours des années 2000 de plusieurs cas d'exploitation et d'abus sexuels). Plus généralement, il s'agit de construire un maintien de la paix aux « capacités renforcées », selon la terminologie fréquemment utilisée.

Mais en 2015, le rapport Ramos-Horta ne semble pas convaincu par les réformes entreprises. La critique est ferme. Alors que la protection des populations civiles doit être « l'obligation fondamentale » des Nations unies, le rapport déplore que les exigences du terrain ne sont pas suffisamment prises en compte, que les contraintes bureaucratiques sont « exaspérantes », que les déploiements manquent de rapidité, que la présence des femmes au niveau de responsabilité est trop faible, que les sanctions disciplinaires en cas d'abus sont mises en œuvre trop lentement, que la communication des OMP est dépassée [ONU, 2015]. En 2019, c'est une nouvelle réforme qui tente de répondre à ces critiques en cherchant à mieux intégrer les missions de paix de l'Organisation autour de deux départements réorganisés : le Département des affaires politiques et de la consolidation de la paix (DPPA) et le Département des opérations de paix (DPO).

À la décharge du secrétariat, il faut admettre que le travail de coordination est devenu considérable à mesure que les opérations sont de plus en plus multidimensionnelles (militaires, humanitaires, policières, administratives) et qu'elles mettent en présence des équipes mixtes (des Nations unies ou non), civiles et militaires, qu'il faut faire travailler ensemble (la Minuk au Kosovo ou la Minustah à Haïti). Il convient également que les opérations soient suffisamment financées. Le budget du maintien de la paix est alimenté par tous les États membres de l'ONU selon un barème de quote-parts. Il s'élève pour 2014-2015 à 8,4 milliards de dollars (7,4 milliards d'euros) : un montant très élevé au regard des normes onusiennes (trois fois le budget ordinaire de l'ONU), mais qui reste malgré tout assez faible (0,5 % des dépenses militaires mondiales), comparé à d'autres interventions militaires (la guerre américaine en Irak aurait coûté, selon les estimations, entre 500 et 3000 milliards de dollars en sept ans soit entre 71 et 430 milliards par an). Un document de réflexion commun à la DOMP et à la DAM dresse le constat : « Pour dire les choses simplement, les moyens existants ne correspondent pas à l'ampleur et à la complexité des activités actuelles de maintien de la paix » (« Un nouvel horizon », 2009).

Jusqu'à présent, le maintien de la paix onusien paraît pourtant irremplaçable. Qui donc accepterait d'intervenir là où personne n'est disposé à aller ? Le coût humain n'est pas négligeable (environ 3000 morts au cours des 71 opérations depuis 1948, avec une aggravation des pertes au cours des années 2000 : plus d'une centaine par an). S'agissant précisément des troupes, leur provenance quasi exclusive des pays du Sud représente un autre sujet de préoccupation (Éthiopie, Bangladesh, Pakistan, Inde, Rwanda sont les cinq principaux contributeurs de troupes en 2015). Pour les pays les plus pauvres, le *peacekeeping* est un moyen de rémunérer les militaires (taux de base mensuel de 1000 dollars par soldat plus les primes) et parfois aussi de les éloigner de la scène politique. Cela ne garantit pas nécessairement des troupes très professionnelles. Cet état de fait crée surtout une situation malsaine entre les pays riches du Nord qui sont les principaux financeurs et ceux du Sud qui paient le « prix du sang ». Le malaise est redoublé en raison d'un soupçon qui pèse sur l'établissement d'une division implicite du travail : aux pays du Sud le *peacekeeping* que personne ne veut faire et aux pays du Nord le *peace enforcement* là où le requièrent leurs intérêts (en Côte d'Ivoire, par exemple, depuis 2004, avec la force onusienne de maintien de la paix, ONUCI, et l'Opération Licorne des Français, sous mandat des Nations unies pour « soutenir » l'ONUCI). S'il peut y avoir une logique militaire à ce partage (commandement plus intégré, meilleure logistique, équipements plus performants, etc.), elle parvient difficilement à convaincre (des équipements modernes sont aussi nécessaires pour protéger les populations...) et jette, à tort ou à raison, une ombre de partialité sur les opérations onusiennes.

Pour surmonter les difficultés techniques et politiques, la régionalisation du maintien de la paix est un palliatif qui semble offrir à première vue des avantages : la notion d'intérêt collectif paraît moins abstraite au niveau régional qu'à l'échelle mondiale ; l'existence de perceptions communes et d'objectifs partagés passe pour moins invraisemblable ; un minimum de culture commune et une meilleure connaissance du terrain peuvent éviter certaines erreurs grossières dues à la méconnaissance des réalités locales. La régionalisation peut aussi permettre de gérer des conflits oubliés par le reste du monde, y réagir de manière plus rapide et peut-être moins coûteuse.

Depuis l'*Agenda pour la paix*, l'idée est communément admise que le maintien de la paix peut trouver matière à renforcer ses capacités grâce au « partenariat régional » [ONU, AG, 2005, paragraphe 93]. La proposition rencontre à la fois des raisons fonctionnelles (partager le fardeau) et politiques (éviter aux grandes puissances l'enlisement dans des conflits interminables). Elle se fonde sur le chapitre VIII de la Charte qui n'est pas de toute clarté : rien ne s'oppose à « l'existence d'accords ou d'organismes régionaux » pour maintenir la paix (art. 52.1), mais toute « action coercitive » de leur part est subordonnée à l'autorisation du Conseil de sécurité (art. 53.1).

Malgré les appels du Secrétaire général et du rapport Ramos-Horta à « entrer dans l'ère du partenariat au service de la paix », la question demeure ambiguë.

En 2015, il n'existe qu'une seule opération militaire commune des Nations unies avec un partenaire régional : au Soudan avec l'UA. C'est peu et l'opération n'est guère concluante jusqu'à maintenant. Dans les autres cas, l'ONU n'apporte qu'une assistance politique à des organisations régionales impliquées sur le terrain : Afghanistan (OTAN, UE), Guinée-Bissau (CEDEAO), Kosovo, Serbie (OTAN, UE, OSCE), Somalie (UA, UE). En réalité, sous les appels aux partenariats, on attend donc surtout un renforcement des capacités opérationnelles de l'UA et des organisations sub-régionales africaines, ce qui permettrait, entre autres choses, de soulager les États financeurs (rappelons qu'en 2015, 9 OMP sur 16 se déroulent en Afrique).

Par ailleurs, cet engouement officiel pour le partenariat suscite également certaines inquiétudes. La régionalisation du maintien de la paix a ses avantages, mais aussi ses revers. D'abord, la proximité peut servir la partialité : les troupes de l'Ecomog (Force d'interposition de la CEDEAO) n'ont guère convaincu de leur neutralité dans les conflits de la Sierra Leone, du Liberia ou de la Côte d'Ivoire. Elles seront remplacées par des opérations onusiennes. Ensuite, la rapidité de l'intervention masque souvent la réaction d'une puissance dominante qui habille son intervention sous les dehors du multilatéralisme régional : États-Unis (Otan, OEA), Nigeria (CEDEAO), Russie (CEI), Afrique du Sud (SADC). La politique de puissance paraît moins bien contrôlée dans le cadre régional que mondial. Enfin, l'autonomisation régionale du maintien de la paix est préoccupante. Elle exigerait préalablement une clarification des règles du chapitre VIII de la Charte. Bien que le Conseil de sécurité organise de plus en plus de réunions avec et sur les organisations régionales [Tavares, 2010], les niveaux d'autorité demeurent aléatoires. Certaines organisations régionales ne font pas mention de la nécessité d'une autorisation préalable du Conseil de sécurité pour recourir à la force (Otan, UA, CEI) et si les conflits de légalité et de légitimité (comme celui provoqué par l'intervention de l'Otan contre la Yougoslavie, en fait, la Serbie, 1999) devaient se multiplier et se durcir, c'est la sécurité internationale tout entière qui serait en péril.

Les opérations de paix se sont banalisées, professionnalisées et très partiellement régionalisées. Celles de l'ONU ont connu un net ralentissement depuis les années 2000 : limites des capacités opérationnelles ? Sans doute. Mais les raisons sont également politiques : retour d'un discours souverainiste, réapparition de débats difficiles au Conseil de sécurité, réticences des pays du Sud à accepter de trop nombreuses ou de trop longues interventions sur leur territoire. La conception générale du maintien de la paix est également en question : les opérations peuvent-elles connaître une telle extension qu'elles satisfassent *à la fois* les tâches de la pacification (paix négative) et celles du développement politique, économique et social (paix positive) ? Le risque de la déception engendrée par des OMP multidimensionnelles est aussi sérieux pour l'ONU que celui de l'inaction [Autesserre, 2014, Di Razza, 2010 ; Pouligny, 2004]. S'il paraît illusoire de vouloir entièrement (re) construire un État (*state-building*), des institutions (*institution-building*) et une nation (*nation-building*) de l'extérieur, faut-il pour autant en revenir à une conception minimaliste du maintien de la paix ? Dernier en date, le rapport Ramos-Horta propose des mandats plus ciblés : protéger d'abord les populations, avant d'impulser des opérations multidimensionnelles, en accompagnant le tout d'une stratégie politique « réaliste » [ONU, 2015].

Les opérations de paix ne disparaîtront pas de l'agenda international [Hatto, 2015]. Nées comme substitut à la sécurité collective prévue par la Charte des Nations unies, elles sont devenues l'outil principal de la communauté des États rassemblée à l'ONU pour prévenir, gérer et surmonter certains conflits internationaux et intranationaux. L'invention a paru appropriée, au point que les organisations régionales l'ont adoptée à leur tour. Plus souples qu'un mécanisme de sécurité collective *stricto sensu*, les opérations de paix se prêtent à des usages extensibles. Ceux de ces usages qui consistent en des actions militaires offensives s'apparentent à une forme de sécurité collective et se heurtent aux mêmes difficultés. En revanche, les autres usages des opérations de paix ont montré que le maintien de la paix était pluriel (prévention, observation, interposition plus ou moins « robuste », consolidation). En ce sens, les opérations de paix témoignent de la diversité des dimensions de la sécurité internationale.

La sécurité au XXIe siècle

L'histoire des opérations de paix des Nations unies est instructive. Parmi les changements que nous avons observés, deux méritent une attention particulière : d'une part, la reconnaissance qu'un conflit interne peut menacer la paix internationale et, d'autre part, le parti de plus en plus affirmé de défendre les populations civiles et de participer à la reconstruction des sociétés. Ces deux orientations nous paraissent caractéristiques de la sécurité vue par les organisations internationales (c'est-à-dire par leurs bureaucraties et à travers leurs productions collectives). Plus précisément, elles se confondent avec l'évolution de la notion de sécurité et de ses pratiques telle qu'elle est encouragée par les OI : à la fois une approche globale (où l'on retrouve la tendance à effacer la distinction interne-externe) et des stratégies différenciées (qui rencontrent le souci d'identifier toujours plus précisément les objets de la sécurité).

Il ne s'agit pas ici de présenter les « théories de la sécurité » [Balzacq, 2015] ni de commenter l'évolution des *International security studies* [Buzan et Hansen, 2009] bien que les unes et les autres aient pu influencer les délibérations des OI et, réciproquement, être influencées par elles (une histoire qui reste à faire). On se risquera encore moins sur le terrain de la prospective en anticipant ce que sera « la sécurité » au XXIe siècle. Notre propos est plutôt rétrospectif. Il consiste à se demander ce que les OI ont défendu au titre de la protection et de la promotion de la sécurité, objectif au fondement de leur mandat (notamment pour l'ONU). Deux idées se distinguent : la globalisation des menaces et l'individualisation des stratégies. Ces deux orientations ne sont pas contradictoires mais liées d'une manière apparemment paradoxale : plus les menaces sont globalisées, c'est-à-dire censées être communes à tous, plus les stratégies conçues pour y faire face encouragent de nouvelles formes de différenciation. En pratique, il s'agit d'un double mouvement dans une même dynamique, un peu comme si à l'instar de la transformation des sociétés, le passage à un niveau d'intégration supérieur s'accompagnait toujours d'une nouvelle poussée d'individualisation [Elias, 1991 c].

La globalisation des menaces

La vocation naturelle ou fonctionnelle, si l'on préfère, des OI consiste à rendre commun ce qui semble particulier à chacun de ses membres. Bureaucraties internationales et défenseurs des OI y trouvent les raisons de justifier leurs actions. Les États les plus puissants et/ou les plus nombreux peuvent également y voir des avantages selon les cas. Ce sont donc des configurations d'acteurs changeantes qui contribuent à l'idée que certaines menaces, à un moment donné, deviennent globales. Il en a été ainsi, par exemple, de l'usage des drogues [Dudouet, 2009].

Trop divisées pendant la Guerre froide, les OI seront peu productives de concepts globaux. Entre l'Est et l'Ouest, le Nord et le Sud, la confrontation domine et les délibérations internationales butent sur des notions contestées (liberté, démocratie populaire, droit des peuples à disposer d'eux-mêmes, sous-développement, etc.). Pourtant, dès les années 1970, la social-démocratie européenne entame une réflexion qui va avoir des incidences importantes sur le rétablissement des capacités de l'ONU à produire un discours unificateur.

Depuis l'enlisement des États-Unis au Vietnam, les Sociaux-démocrates (scandinaves et allemands, notamment) cherchent à se démarquer d'un alignement atlantique inconditionnel. Le renouvellement de la génération militante de l'après-Guerre froide, la politique de puissance des États-Unis (économique avec le dollar ; politique et militaire à travers le soutien de dictatures et de coups d'État en Amérique latine et en Grèce) et la volonté de se rapprocher des pays du Sud (mouvements de libération nationale, crise énergétique) conduisent les partis et les gouvernements sociaux-démocrates en Europe à se montrer de plus en plus contestataires [Devin, 1993]. À leurs yeux, l'Union soviétique ne constitue plus le seul repoussoir et les convulsions du monde ont des causes variées. Dans une démarche très typiquement « troisième voie » entre le capitalisme et le communisme, la social-démocratie s'attache à renouer les fils d'un monde divisé et à penser les problèmes en termes globaux.

Les Sociaux-démocrates européens ont toujours été de fervents supporters des Nations unies et des OI associées. Depuis longtemps, ils y trouvent (comme auparavant au sein de la SDN) un forum qui incarne, au moins symboliquement, leur idéal de paix par la loi. Réciproquement, les responsables des institutions internationales apprécient ces compagnons fidèles, souvent politiquement proches et avec qui les échanges sont nombreux. De cette conjonction d'intérêts, vont naître plusieurs rapports de « commissions indépendantes », dirigées par des leaders sociaux-démocrates de premier plan (Willy Brandt, Olof Palme, Gro Harlem Brundtland) et dont les approches vont avoir un fort impact sur la production discursive onusienne. Il s'agit de quatre rapports qui déclinent une façon globale de penser le monde à travers : 1) les relations économiques Nord-Sud (*North-South : A Program for Survival*, Commission Brandt, 1980 ; *Common crisis : North-South Cooperation for World Recovery*, Commission Brandt, 1983), 2) la sécurité internationale (*Common Security : A Program for Disarmament*, Commission Palme, 1982) et 3) les relations environnement et développement (*Our Common Future*, Commission Brundtland, 1987).

Ces rapports recueillent une audience exceptionnelle, bien au-delà des seuls fonctionnaires internationaux. Le rapport Brandt de 1980 est salué comme la première tentative d'une commission internationale de concevoir le développement économique d'une manière globale ; le rapport Palme, présenté à l'Assemblée générale des Nations unies, est accueilli comme une contribution importante permettant de mieux lier sécurité et désarmement ; le rapport Brundtland, réanimant l'esprit de la Conférence de Stockholm (1972), est adopté comme le premier panorama mondial sur les problèmes d'environnement et sur les moyens de lier coopération et développement « durable » (*sustainable*) : une expression que le rapport contribuera à populariser.

Les trois leaders sociaux-démocrates se connaissent bien (Brandt et Palme étaient de proches amis). Ils ont suivi attentivement leurs travaux respectifs voire y ont participé. Les titres des rapports sont explicites : *Common Crisis, Common Security, Common Future* ; qu'il s'agisse des problèmes économiques, de la sécurité des États, de l'environnement et du développement, les défis sont à la fois liés et mondiaux. Le maître mot est celui de l'interdépendance. Très en vogue dans la littérature académique de la même période, la notion est redécouverte au moment où les thèses réalistes connaissent un certain reflux (Morse, Rosenau, Keohane, Nye, furent parmi les premiers auteurs « interdépendantistes » des années 1970). Dans le même temps, l'hégémonie des deux super-Grands est battue en brèche par de nombreuses manifestations d'autonomie (contestations de la guerre américaine au Vietnam, différends économiques et monétaires entre les États-Unis et l'Europe, crise pétrolière, durcissement des revendications économiques des pays du Sud, dissidence à l'Est, etc.). Le monde se fragmente et la planète se fragilise. Après les avertissements retentissants du Club de Rome sur une croissance sans limites (*The Limits to Growth*, 1972), ce sont les risques d'accident nucléaire civil qui deviennent de plus en plus menaçants (accident de Three Mile Island, 1979, et de Tchernobyl, 1986), tandis que les catastrophes écologiques semblent se multiplier (Seveso, *Amoco Cadiz*, Bhopal). D'un contenu assez vague, à la fois descriptif et normatif [Devin, 2008 a], la notion d'interdépendance va devenir la grille de lecture habituelle de la plupart de ces événements et celle qui sera privilégiée dans les milieux onusiens : un véritable paradigme qui permet de décrire et d'expliquer en quoi les défis posés aux États sont mondiaux, et qui permet à l'occasion de confirmer toute l'importance des OI.

Si les défis apparaissent mondiaux (le développement économique, la paix ou la survie des espèces) et qu'ils ne sont pas traités, ils se transforment en menaces globales. L'accélération de la mondialisation et la fin de la Guerre froide vont fortifier cette conviction en encourageant les institutions spécialisées de l'ONU à élargir de plus en plus le contenu de la sécurité au-delà de sa stricte définition militaire. La conception commune de la sécurité tend à devenir « systémique », au sens utilisé par Barry Buzan pour définir un problème de sécurité « dans lequel les individus, les États et le système jouent un rôle, et dans lequel les facteurs économiques, sociétaux et environnementaux sont aussi importants que les facteurs politiques et militaires » [Buzan, 1991, p. 368]. Le Conseil de sécurité lui-même élargit son analyse des conflits en y introduisant des causes économiques et sociales [Wallensteen et Johansson, 2004, p. 29].

Les attaques terroristes du 11 septembre 2001 contre les États-Unis ne modifieront pas fondamentalement cette approche. Certes, sous la pression de l'administration du président G. W. Bush, la dimension militaire de la sécurité retrouvera la priorité de nombreux agendas internationaux, mais elle sera, à son tour, plus globalisée que jamais. Bien que les États membres de l'ONU ne s'accordent pas sur une définition du terrorisme, celui-ci est désigné par le Conseil de sécurité comme une « menace à la paix et à la sécurité internationale » (résolution 1373, 2001), justifiant « l'application intégrale des conventions internationales relatives au terrorisme » et la création d'un « Comité contre le terrorisme » chargé de renforcer les capacités de tous les États membres à lutter contre le terrorisme et – ingérence sans précédent – de veiller à ce que les États prennent les mesures appropriées (rapports soumis au Comité, visites dans les pays). Parallèlement, la criminalité organisée, la corruption et la prolifération des armes de destruction massive (ADM) sont qualifiées de « menaces globales » et toutes considérées comme « interdépendantes » entre elles et avec le terrorisme. Dans l'ensemble, la mobilisation contre le terrorisme a donc renforcé la croyance à des menaces « globales » et à leur « interdépendance ».

Menaces globalisées parce qu'interdépendantes et réciproquement, la thèse est activement soutenue par les responsables des OI depuis au moins trente ans. Le rapport du « groupe de personnalités de haut niveau sur les menaces, les défis et le changement » qui inspirera fortement le rapport présenté par le Secrétaire général des Nations unies, Kofi Annan, au Sommet mondial de 2005, en propose une lecture très explicite : les menaces sont « sans frontières [...] étroitement liées entre elles et ce qui constitue une menace pour l'un d'entre nous est une menace pour tous ». Six catégories de menaces sont retenues (dans le classement suivant) : menaces d'ordre économique, conflits entre États, conflits internes, armes de destruction massive, terrorisme, criminalité transnationale organisée. Le groupe en appelle donc à l'idée d'une « sécurité collective plus globale », ce à quoi le Secrétaire général souscrira pleinement [ONU, AG, 2004 ; Annan, 2005]. Les États sont plus circonspects. Comme l'avait relevé le « groupe de haut niveau », « pour qu'il y ait sécurité collective, il faut que tout le monde s'accorde sur ce qui constitue une menace » [ONU, AG, 2004, p. 12]. Or, précisément, les États ne s'y entendent guère : ni sur la nature des menaces ni, *a fortiori*, sur leur hiérarchie. De manière significative, la déclaration finale du Sommet mondial de 2005 écarte toute idée de hiérarchisation des menaces et se contente d'une référence générale à l'interdépendance.

Les OI et le désarmement

L'action multilatérale a toujours été en faveur du désarmement, mais avec des succès limités. La paix par l'arbitrage, la sécurité et le désarmement était au cœur des objectifs de la SDN et a connu les échecs que l'on sait. Organisée autour d'un directoire de grandes puissances chargées de veiller au maintien de la paix et de la sécurité internationales, la Charte des Nations unies ne dit rien de précis sur le désarmement. D'après le règlement intérieur de l'Assemblée générale de l'ONU, la Première Commission de l'Assemblée est chargée de traiter les « questions de désarmement et de sécurité internationale ». Chaque année, elle produit de nombreuses résolutions mais les divergences restent fortes et ces textes ont peu de portée pratique.

Depuis 20 ans, et grâce à l'activisme de nombreuses ONG, trois accords significatifs sont entrés en vigueur : la Convention sur les mines anti-personnel (1999), la Convention sur les bombes à sous-munitions (2010) et le Traité sur le commerce des armes (2014). Néanmoins, en 2015, la Chine, les États-Unis et la Russie demeurent extérieurs à ces instruments multilatéraux (les États-Unis ont signé le Traité sur le commerce des armes mais ne l'ont pas ratifié).
En revanche, le Traité d'interdiction complète des essais nucléaires (TICE) n'est toujours pas entré en vigueur, vingt ans après les premières signatures, et les conférences d'examen du TNP déçoivent régulièrement (peu de progrès en matière de désarmement nucléaire, désaccords sur une zone exempte d'ADM au Moyen-Orient). Sur le terrain nucléaire, les appels non gouvernementaux ont plus de mal à être entendus (voir l'action de *Global Zero* depuis 2008).
Seul, le succès fragile et laborieux des négociations sur le programme nucléaire de l'Iran (2015) tempère ce terne bilan.
Les OI ont tout de même construit un certain « sens commun » sur ce que devrait être la sécurité au XXIe siècle : une réponse à la hauteur de la globalisation et de l'interdépendance des menaces. La production discursive de l'ONU et des institutions spécialisées a joué un rôle essentiel dans cette conceptualisation. Les organisations régionales ont emboîté le pas. Les Nations unies conserveront partiellement ce *leadership* lorsqu'il s'agira de définir les stratégies à suivre.

L'individualisation des stratégies

Lorsque les menaces sont perçues comme globales, ce n'est plus seulement aux États qu'elles s'adressent mais également à leurs populations. On connaissait déjà le paradoxe de la dissuasion nucléaire qui prétend fonder la sécurité des États en hypothéquant celle de leur population. Toutefois, on peut considérer que, dans ce cas, la menace globale est censée être maîtrisée par les États possesseurs de l'arme nucléaire en suivant une chaîne de décision relativement courte. Il n'en va pas de même dans le monde des « interdépendances » : les chaînes d'interactions sont plus longues, plus complexes, et les menaces (politico-militaires, économiques, financières, environnementales, etc.) se construisent de manière très largement non planifiée. Les États n'y sont plus les seuls acteurs, ni comme perturbateurs ni comme victimes. La sécurité « systémique » ou globale, privilégiée par les institutions onusiennes, ne repose donc pas exclusivement sur les États ni ne s'adresse uniquement à eux, soit parce qu'ils n'en n'ont plus les moyens, soit parce qu'ils les utilisent de manière contestable. Les sociétés, les groupes et les individus acquièrent une nouvelle visibilité.

Dès 1982, le rapport Palme adopte un ton nouveau. Bien qu'encore très marqué par le contexte de confrontation bipolaire (1982), il prône une « sécurité commune », faite de concessions réciproques, mais qui n'est plus tout à fait une affaire exclusivement interétatique. En critiquant l'insécurité généralisée dans laquelle l'arme nucléaire plonge les populations et en affirmant le droit des « citoyens de toutes les nations » à choisir les « principes et idéaux sur lesquels [sont] fondés leur pays », certains auteurs estiment que le rapport annonce déjà l'idée d'une *sécurité individuelle* [Buzan et Hansen, 2009, p. 137-138]. Cinq ans plus tard, le rapport Brundtland en appelle à l'humanité pour la survie de la planète, mais il individualise clairement son propos : « Au tout premier rang de ses préoccupations, la Commission a placé les personnes, les habitants de tous les pays, les gens de toutes conditions. Et c'est aux personnes qu'elle adresse son rapport. » (*Une Terre, un monde.*) Cette individualisation du « sujet environnemental » est très frappante dans les années qui suivent. Alors que la convention sur la pollution atmosphérique transfrontière de 1979 ne parle que de « promouvoir la coopération dans le champ de la protection environnementale », un de ses protocoles en 1991, tout comme le protocole de Montréal (sur les substances appauvrissant la couche d'ozone, 1987) font une référence explicite à la « santé de l'homme ». La déclaration de Rio (Sommet de la Terre, 1992) sur l'environnement et le développement est sans ambiguïté : « Les êtres humains sont au centre des préoccupations relatives au développement durable. Ils ont droit à une vie saine et en harmonie avec la nature. » (*Principe 1*)

Cette individualisation qui accompagne la désignation de « menaces globales » doit être mise en relation avec la pression qui s'exerce, notamment de la part des ONG, en faveur du droit humanitaire et des droits de l'homme. La fin de la Guerre froide facilite le consensus et la création de nouvelles institutions onusiennes : le Département des affaires humanitaires en 1991 (réorganisé, en 1998, en Bureau de la coordination des affaires humanitaires – OCHA selon l'acronyme anglais) ; l'institution d'un haut-commissariat aux droits de l'homme dans le prolongement de la Conférence mondiale de Vienne sur les droits de l'homme en 1993. De 1984 à 2000, 12 instruments juridiques internationaux sont enregistrés auprès du secrétariat de l'ONU (art. 102 de la Charte), au chapitre des droits de l'homme. Cette importante production normative se conjugue à l'actualité des conflits intraétatiques et leurs cortèges de grandes violences (El Salvador, Angola, Mozambique, Liberia, Haïti, ex-Yougoslavie, Somalie, Rwanda, etc.). Ceux-ci convainquent que l'État peut non seulement faillir à sa tâche de protection mais se transformer en bourreau. Pour la première fois en 1999, le Conseil de sécurité s'engage explicitement à protéger les civils dans les conflits armés (résolution 1265) : l'individu (homme, femme, enfant ou toute autre personne vulnérable) est au cœur des préoccupations.

Cette conjonction de la globalisation des menaces et des multiples insécurités qui assaillent les individus conduit à proposer « un nouveau paradigme de la sécurité ». Ce sera la trouvaille du PNUD en 1994 avec la notion de « sécurité humaine ». Celle-ci, qui s'inscrit dans le prolongement d'une nouvelle mesure du « développement humain » (l'Indice de développement humain, créé également par le PNUD en 1990), ne consiste pas à se substituer à la conception traditionnelle de la sécurité étatique, mais à la compléter en centrant la sécurité sur la personne humaine et non exclusivement sur l'État [Commission sur la sécurité humaine, 2003]. D'après le PNUD, la sécurité humaine comprend sept éléments [PNUD, 1994] :

- la sécurité économique (protection contre la pauvreté),
- la sécurité alimentaire (accès à une alimentation suffisante),
- la sécurité sanitaire (accès aux soins),
- la sécurité environnementale (gestion rationnelle des ressources naturelles),
- la sécurité personnelle (sécurité physique contre les agressions diverses),
- la sécurité communautaire (protection des cultures et traditions),
- la sécurité politique (respect des droits politiques et civils fondamentaux).

À l'évidence, la sécurité humaine est un concept assez vague, extensif et aux définitions variables selon les auteurs [Paris, 2001]. Certains États l'accueilleront favorablement (Canada, Japon, pays scandinaves), mais la majorité restera beaucoup plus réservée. Au fond, la sécurité humaine peut être perçue comme une nouvelle occasion d'ingérence pour vérifier si les États remplissent correctement leurs devoirs de protection, s'ils sont bien « responsables » envers leurs populations : il y a là des risques d'atteinte à la souveraineté que la plupart des États ne sont pas prêts à accepter. Onze ans après la création de la notion, les États n'y font qu'une référence polie au Sommet mondial de 2005 en déclarant : « Nous nous engageons à définir la notion de sécurité humaine à l'Assemblée générale » [ONU, AG, 2005, p. 34]. Il faudra attendre 7 ans pour que l'Assemblée finisse par donner une définition clairement restrictive : « La sécurité humaine est assurée dans le strict respect des buts et principes énoncés dans la Charte des Nations unies, notamment de la souveraineté de l'État, de l'intégrité territoriale et de la non-ingérence dans les affaires qui relèvent essentiellement de la compétence nationale » [ONU, 2012].

La sécurité humaine a suscité une littérature abondante et constitué un champ de recherche propre avec ses spécialistes [Tadjbakhsh et Anuradha, 2007]. Malgré tout, le concept reste largement onusien. Son empreinte demeure légère sur les organisations régionales qui peuvent « faire de la sécurité humaine » mais n'utilisent guère le terme (l'Union européenne). Il aurait pu en être autrement avec l'OSCE qui affiche une approche « globale et coopérative » de la sécurité en traitant notamment de la « dimension humaine » de la sécurité. Mais les termes ne recouvrent pas les mêmes préoccupations. À l'OSCE, la « dimension humaine » de la sécurité est directement issue de l'introduction de la fameuse « troisième corbeille » dans l'Acte final d'Helsinki de la Conférence sur la sécurité et la coopération en Europe (CSCE, 1975) : la coopération dans le domaine des droits de l'homme. Désignant l'ensemble des engagements relatifs à ces droits ainsi que toute autre question d'ordre humanitaire, la « dimension humaine » au sein de la CSCE a été consacrée par la Conférence de suivi de Vienne en 1989. Depuis, elle est dotée d'une structure (le Bureau des institutions démocratiques et des droits de l'homme avec quatre départements principaux : élections, démocratisation, droits de l'homme, tolérance et non-discrimination), d'un personnel (environ 150 personnes sur les 2500 employées par l'OSCE) et d'un budget (16 millions d'euros soit 11 % du budget total de l'organisation en 2015). Cette « dimension humaine » de la sécurité n'est qu'une des trois dimensions de la sécurité « globale et coopérative » vue par l'OSCE (les deux autres correspondent aux deux autres « corbeilles » de la CSCE : la « dimension politico-militaire » et la « dimension économico-environnementale »). Elle recouvre approximativement le volet de la « sécurité politique » de la sécurité humaine, qui demeure par conséquent beaucoup plus large. En outre, la conception de la sécurité de l'OSCE, assez proche de la « sécurité commune » envisagée par le rapport Palme et fondée sur des mesures de confiance et des actions de coopération entre États, ne connaît pas ce décentrage vis-à-vis de l'État qui fait la marque du concept onusien.

Au sein des Nations unies et malgré les réserves sur la généralité de la notion, la sécurité humaine a eu une certaine influence. Ardemment défendue par la Commission sur la sécurité humaine (présidée par Sadako Ogata, ancienne haut-commissaire des Nations unies pour les réfugiés et Amartya Sen, prix Nobel d'économie) elle donne d'abord naissance à de nouvelles institutions : une Unité spéciale, un Conseil consultatif et un Fonds pour « intégrer la sécurité humaine dans toutes les activités de l'ONU » (350 millions de dollars depuis 1999 pour des projets dans plus de 70 pays, selon le site officiel http://ochaonline.un.or/humansecurity/). Il n'est pas sûr que ce nouvel assemblage bureaucratique soit déterminant. De manière plus diffuse et sans doute plus réussie, la notion de sécurité humaine a donné un nouveau souffle à de nombreuses institutions et programmes onusiens en leur permettant de présenter leurs missions sous des habits neufs (voir, par exemple, le rapport de l'Unesco, *La*

Sécurité humaine : approches et défis, 2009), en les encourageant à élargir leur mandat (pour le HCR, [Aubin, 2009, Maertens, 2012]) ou en ciblant mieux leurs missions (création en 1996 et 1997 de deux nouveaux conseillers spéciaux auprès du Secrétaire général, l'un pour les enfants dans les conflits armés, l'autre sur les questions de genre). Dans l'ensemble, c'est une orientation commune que la notion de sécurité humaine semble avoir offerte : tenter de réconcilier sécurité, développement durable et droits de l'homme dans les différentes missions des institutions spécialisées. Les Objectifs du millénaire pour le développement (OMD) et les Objectifs de développement durable (ODD) pourraient en constituer une application concrète. En revanche, la question de savoir si une définition de référence aussi large a ordonné les pratiques ou plutôt favorisé leurs chevauchements demeure posée.

Quoi qu'il en soit, l'individualisation qui est au principe des stratégies de sécurité humaine a débordé la seule protection des victimes pour s'adresser également à la punition des perturbateurs. La transformation des pratiques de sanctions et les développements de la justice pénale sont à cet égard significatifs.

Les sanctions, quasiment impossibles durant la Guerre froide en raison de la paralysie du Conseil de sécurité de l'ONU (deux exceptions contre la Rhodésie du Sud et l'Afrique du Sud), sont devenues un instrument coercitif beaucoup plus fréquent à partir des années 1990. Elles visent à répondre à des « menaces à la paix » lorsque l'action diplomatique est censée avoir échoué. La principale préoccupation depuis une quinzaine d'années consiste, selon l'expression consacrée, à « affiner » les mécanismes de sanctions c'est-à-dire à les cibler de manière à éviter des « effets collatéraux » sur l'ensemble de la population (frapper des victimes innocentes et provoquer des réactions de soutien aux éléments sanctionnés, à l'inverse des effets attendus). L'innovation du Conseil de sécurité (et des comités des sanctions subordonnés) a donc été d'identifier les cibles – des États (Iran, Soudan, Libye, etc.) et autres entités non gouvernementales (Talibans, Al-Quaida, etc.) – puis d'individualiser les groupes de dirigeants au sein de ces ensembles et enfin les principaux responsables au sein de ces groupes (625 personnes et 426 entités non gouvernementales sont inscrites sur la Liste des sanctions du Conseil de sécurité en août 2015). En bref, c'est une forme d'individualisation des sanctions qui a orienté la pratique récente du Conseil de sécurité (gel des avoirs, interdiction de voyager des personnes visées) [Cortright, Lopez et Gerber-Stellingwerf, 2008]. Si la tendance est globalement acceptée, elle n'est pas sans soulever d'éventuelles contradictions avec la protection des droits fondamentaux exercée dans le cadre d'un ordre juridique régional (voir l'affaire Kadi et Yusuf, CJCE, 3 septembre 2008). Ces possibles contrariétés de décisions, favorisées par des opportunités de recours juridictionnels, soulignent encore plus l'importance de la place prise par l'individu dans l'action publique internationale.

La justice pénale internationale en fournit également une illustration remarquable. Depuis la création du Tribunal pénal international pour l'ex-Yougoslavie (TPIY) par le Conseil de sécurité (1993), on compte quatre instances pénales internationales nouvelles créées par le Conseil (le TPI pour les crimes commis au Rwanda, 1994) ou en association avec lui (le cas des juridictions internationales « mixtes » : les Chambres extraordinaires au sein des tribunaux cambodgiens pour juger les crimes des hauts dirigeants khmers rouges, 2001 ; le Tribunal spécial pour la Sierra Leone chargé de poursuivre les principaux responsables des crimes commis durant la guerre civile, 2002 ; le Tribunal spécial pour le Liban chargé de poursuivre les personnes suspectées de l'attentat ayant entraîné la mort de l'ancien Premier ministre libanais Rafic Hariri et de plusieurs autres personnes, 2007). Il faut également ajouter les Chambres africaines extraordinaires (constituées à la suite d'un accord entre le Sénégal et l'UA pour juger l'ex-dictateur tchadien Hissène Habré, 2013) et mentionner l'encouragement à la création d'une chambre spéciale chargée de juger les criminels de guerre (Bosnie-Herzégovine) ainsi que les missions d'appui de juges internationaux dans le cadre d'opérations de paix onusienne (Timor Leste, Kosovo) ou régionales (Eulex au Kosovo). À ces initiatives, s'ajoute surtout la création de la Cour pénale internationale (CPI) sur la base d'une convention internationale (Rome, 1998), entrée en vigueur en 2002.

Après une longue parenthèse depuis les tribunaux militaires internationaux de Nuremberg et de Tokyo (1945-1946), les individus sont de nouveau passibles de poursuites pour crimes internationaux graves. Mais la justice pénale internationale va beaucoup plus loin. D'abord, à l'instar de la CPI, elle a étendu et précisé le champ des infractions poursuivies au titre des crimes internationaux. Ensuite, ce ne sont plus les seuls chefs militaires qui sont susceptibles de poursuite, mais tous ceux qui, civils, policiers ou militaires auraient participé aux exactions incriminées. Ainsi, parmi les 161 personnes mises en accusation par le TPIY (80 condamnés, chiffres 2015), figurent un ancien chef d'État (Slobodan Milosevic, décédé au cours de son procès en 2006), des responsables de partis politiques (Radovan Karadzic), des policiers ou des miliciens ; parmi la quarantaine de condamnés du Tribunal pour le Rwanda, on compte un ancien Premier ministre (Jean Kambanda), des maires, des dirigeants d'organismes publics, des fonctionnaires, des prêtres, etc. Disposant d'une compétence subsidiaire (elle n'intervient que si les juridictions nationales ne peuvent pas ou ne veulent pas agir), la Cour pénale internationale vise plutôt de hauts responsables civils, policiers ou militaires. Parmi les affaires en cours, sont poursuivis : des commandants en chef de milices (Ouganda), des dirigeants politiques et hauts gradés militaires (RDC), un dirigeant politique et ancien vice-président de la RDC (République centrafricaine), des ministres, des chefs de milice et le président en exercice de la République du Soudan (Omar el-Béchir).

Pour la première fois depuis les procès de Nuremberg, un ex-chef d'État a été condamné définitivement par un tribunal pénal international en 2013 (le libérien Charles Taylor par le Tribunal spécial pour la Sierra Leone).

La Cour pénale internationale

Création : Conférence diplomatique de Rome, 1998 (Statut de Rome, entré en vigueur le 1er juillet 2002). Entrée en fonctionnement à La Haye en 2003.

Administration par l'Assemblée des États parties ayant ratifié le Statut de Rome : 123 États (avril 2015) principalement africains, européens et latino-américains. Parmi les États n'ayant pas ratifié le statut de Rome : Chine, Inde, États-Unis, Pakistan, Russie, la plupart des États du Moyen-Orient.

Composition : 18 juges et un procureur (élus par l'Assemblée des États parties pour un mandat de 9 ans non renouvelable), un greffier (élu par les juges). Effectif total : 790 personnes. Budget 2015 : 130 millions d'euros.

Compétence. Crimes internationaux commis après l'entrée en vigueur du Statut de Rome : crimes de guerre, crime contre l'humanité, crime de génocide, crime d'agression (art. 5 à 8 *bis* du Statut de Rome)[1].

Complémentarité : compétence subsidiaire à celle des juridictions pénales nationales (art. 17.1 § a).

Conditions d'exercice de sa compétence : soit un ou plusieurs crimes visés a été commis sur le territoire d'un État partie, soit les auteurs des crimes sont ressortissants à un État partie, soit un État non partie accepte la compétence de la Cour pour le crime dont il s'agit, soit la Cour est saisie par le Conseil de sécurité au titre du chapitre VII de la Charte des Nations unies (art. 12 et 13). Ce dernier cas de figure explique que la Cour ait pu entamer des poursuites contre des personnalités soudanaises pour des crimes commis sur le territoire soudanais (Darfour), alors que le Soudan n'est pas partie au Statut de Rome (résolution 1593 du Conseil de sécurité, 2005).

Droit de saisine : un État partie, le procureur ou le Conseil de sécurité.

Sursis à enquêter ou à poursuivre : ouvert de droit au Conseil de sécurité pendant une période de douze mois renouvelable (art. 16). Le procureur peut également renoncer à ouvrir une enquête s'il lui apparaît que celle-ci ne sert pas « les intérêts de la justice » (art. 53). Aucun de ces deux articles n'a été appliqué pour l'instant.

Fonds de réparation au profit des victimes (art. 79) : 5 millions d'euros (2014).

22 affaires ouvertes dans le contexte de 8 États : Ouganda, RDC, Centrafrique, Mali,

1. Le crime d'agression a été défini lors de la conférence de révision de l'Assemblée des États parties au Statut de Rome en août 2010. En pratique, l'exercice de la compétence de la Cour à l'égard de ce crime est renvoyé en 2017.

Côte d'Ivoire, Kenya, Soudan, Libye. Plusieurs examens préliminaires par le bureau du procureur dans un certain nombre de pays dont l'Afghanistan, la Géorgie, la Guinée, la Palestine, l'Ukraine, la Colombie. Aucun verdict depuis sa création.
Site officiel de la CPI : http://www.icc-cpi.int/

La justice pénale internationale est encore balbutiante. Relativement dépendante des États (rôle du Conseil de sécurité, manque de coopération dans l'exécution des mandats d'arrêt, financement, etc.), elle demeure encombrée de nombreuses entraves politiques (sur le TPIY [Hartmann, 2007]). Elle doit parfois reconnaître son impuissance (Soudan, Kenya). Plus grave, elle est contestée pour sa partialité (pressions politiques sur les juges du TPIY ; enquête controversée sur les crimes commis lors de la crise post-électorale en Côte d'Ivoire en 2010-2011). Toutes les affaires ouvertes par la CPI en 2015 concernent des États africains (parfois à leur propre initiative). Certains États de l'UA s'en irritent et proposent d'accélérer la création d'une Cour proprement africaine (dont les Chambres africaines extraordinaires pourraient constituer le modèle ?). Reste à voir si un nouveau mécanisme régional présentera plus de garanties d'indépendance et d'impartialité et comment seront maîtrisés les risques de jurisprudences contradictoires.

La justice pénale internationale incarne une dynamique fragile mais son rôle dissuasif et/ou répressif dans le maintien et le rétablissement de la paix s'affirme. Les bourreaux ne sont plus à l'abri de toute impunité et les victimes peuvent être entendues. Cette justice à « dimension humaine » constituera un des grands défis de la sécurité au XXIe siècle [Hazan, 2010].

Chapitre 3

La régulation de la mondialisation

La mondialisation, entendue comme l'extension et l'intensification des échanges de toute nature, a des effets ambivalents sur les organisations internationales. En multipliant les nouveaux espaces d'interactions, elle les contourne, mais en resserrant les transactions, elle réclame leur intervention : les OI sont sollicitées pour « réguler ». Dans le monde des OI, la « régulation » appartient un peu à cette rhétorique des mots abstraits avec lesquels tout le monde compose sans savoir exactement de quoi il s'agit [Rist, 2002]. Nous l'entendrons ici comme une *activité* (rendre « normal », stable, prévisible) exercée par des *agents* (les OI comme acteurs composites) qui se dotent à cet effet d'*instruments* (toutes formes de règles). En ce sens, la régulation est un fait social complexe, indissociable des premiers arrangements interétatiques, mais qui n'a pas toujours pris la même forme dans l'histoire des relations internationales. Au fil du temps, l'activité est devenue continue, les agents permanents et les instruments extensifs. Son histoire demanderait bien plus qu'un simple ouvrage sur les organisations internationales. On se bornera ici à rendre compte de son état en ce début du XXIe siècle comme celui d'un moment dans une évolution de bien plus longue durée. Vue à travers le rôle des OI, la régulation de la mondialisation semble faire face à un certain nombre de difficultés. Elle apparaît ainsi hiérarchisée, fragmentée et contestée.

L'emprise marchande

Les organisations internationales ne retiennent pas toutes de la même manière et en tout temps l'intérêt des responsables politiques, des acteurs non gouvernementaux et des médias. Leur importance, réelle ou supposée, reste toujours à démontrer. Le monde des organisations internationales est devenu un monde hiérarchisé en compétition permanente.

L'ascension du FMI et de la Banque mondiale

Dans l'immédiat après-guerre, la famille des Nations unies figurait au sommet de cette hiérarchie. Non seulement elle constituait le socle institutionnel de la coopération mondiale mais, dans un contexte dominé par le conflit Est-Ouest, elle représentait l'arène où se poursuivait la lutte entre les deux blocs. À cette époque, ce qui se passait dans l'Organisation était suivi attentivement par les diplomates du monde entier. Le Secrétaire général des Nations unies disposait d'une audience considérable. Les débats de l'Assemblée générale rythmaient l'agenda politique international.

Puis vint le temps de la décolonisation, de l'assouplissement du bipolarisme et d'une contestation croissante de l'hégémonie américaine dans l'Organisation mondiale. Les décennies 1960-1970 furent propices au non-alignement, qui allait se confondre avec la constitution d'un « Sud » (les « 77 ») coalisé contre le « Nord » (les pays de l'OCDE). Aux Nations unies, les questions économiques commencèrent à éclipser les questions de sécurité d'autant que l'Organisation s'était révélée impuissante dans les crises les plus graves : crise de Berlin (1958, 1961), crises des missiles (1962), guerre du Vietnam (1964-1975).

Toutefois, les dossiers économiques importants se traitaient ailleurs : les besoins en financement au FMI, le financement des projets à la Banque mondiale, l'aide multilatérale à l'OCDE, les règles du commerce au Gatt. La CNUCED ne fut jamais érigée au rang d'institution spécialisée et demeura un organe subsidiaire de l'Assemblée générale. Qu'il s'agisse de la définition des politiques de développement, de leur mise en œuvre, de leur financement, et plus généralement, de la production du savoir sur le développement, les enceintes où le Sud dominait se trouvèrent marginalisées par des organisations contrôlées par le Nord : Banque mondiale, FMI, OCDE. C'est au sein des institutions de Bretton Woods que furent créés, dès 1974, les premiers organes de rang ministériel composés de vingt-quatre membres représentant l'ensemble des États : le Comité intérimaire du FMI devenu, en 1999, le Comité monétaire et financier international du FMI (CMFI), chargé de donner des avis et de faire rapport, notamment sur le suivi de l'évolution de la liquidité globale et des transferts de ressources aux pays en développement (sa transformation en instance permanente susceptible de remplacer le G7 a été parfois envisagée) ; le Comité du développement, forum commun à la Banque mondiale et au Fonds monétaire, invité à fournir des avis sur les questions cruciales de développement et sur les ressources financières requises pour promouvoir l'essor économique des pays en développement.

Pour enrayer ce lent déclassement de l'ONU, plusieurs propositions furent avancées dans les années 1980-1990 pour réformer l'Ecosoc et

« revitaliser » l'Assemblée générale [Taylor et Groom, 2000]. Elles émanaient de sources diverses : groupe d'États (les pays nordiques), hautes personnalités (*Commission on Global Governance*), Comités de tout ordre, et même Secrétariat de l'ONU. L'idée principale consistait à réviser la composition de l'Ecosoc pour le ramener de cinquante-quatre membres à vingt-quatre ou vingt-cinq de façon à lui donner une véritable capacité de négociation. Il était également proposé que les réunions se tiennent au niveau ministériel et que l'Ecosoc devienne un authentique Conseil de sécurité en matière économique. Aucune de ces propositions ne fut jamais retenue [Schechter, 1999].

Pendant que l'ONU s'épuisait dans des discussions sans fin sur la réforme de l'ordre économique mondial, l'essor d'une économie de crédit international privée allait venir supplanter la problématique de l'aide. Alors que, jusqu'au milieu des années 1960, l'aide publique au développement (APD) fournissait environ les deux tiers des flux financiers du Nord vers le Sud, dix ans plus tard, les marchés internationaux de capitaux privés étaient devenus la principale source de financement des pays en développement. Seuls les pays à faibles revenus restaient tributaires des financements publics, de façon croissante pour l'Afrique, décroissante pour l'Asie. D'où une économie de surendettement qui a fait basculer les grands pays latino-américains, et la plupart des pays en développement, dans une crise majeure au début des années 1980.

La « crise de la dette » déclenchée par l'annonce de cessation de paiement du Mexique, en août 1982, menaçait de conduire à une cessation généralisée des paiements et à un effondrement du système de crédit international. Toute l'attention s'est tournée vers le Fonds monétaire international (FMI) pour qu'il aide massivement les pays endettés et prévienne la débâcle du système financier international. Il y a trouvé opportunément une mission de substitution à sa mission originelle.

À sa création, à Bretton Woods en juillet 1944, le FMI avait reçu une mission claire : garantir la stabilité du nouveau système monétaire international (fondé sur la convertibilité du dollar en or) en faisant respecter la stabilité des taux de change. Il lui revenait de surveiller les politiques monétaires des États membres et de veiller à l'équilibre des paiements courants. Son activité de prêteur était étroitement liée à ce rôle de stabilisateur. Elle ne devait s'exercer que de façon limitée, et seulement pour éviter aux États la tentation de recourir à des dévaluations, en les aidant à surmonter leurs difficultés temporaires de balance de paiement par l'octroi de crédits à court terme [Lenain, 2011].

Avec la reconstruction et la reprise de la croissance dans les années d'après-guerre, le volume du commerce international et des transactions financières a suscité des besoins accrus en liquidité internationale, tandis que la capacité des États-Unis à garantir la valeur du dollar par rapport à l'or soulevait des doutes sérieux, dès la fin des années 1950. Pour compléter l'offre internationale d'avoirs de réserve, le FMI a été autorisé, en 1969, à créer un nouvel instrument de réserve internationale : le droit de tirage spécial (DTS, voir l'encadré). Deux ans plus tard, l'annonce de la suspension de la convertibilité du dollar par les États-Unis (août 1971) annonçait la fin du système monétaire instauré à Bretton Woods, effondrement consacré par les accords de la Jamaïque qui entérinèrent le passage à un régime monétaire de changes flottants (1976). Chaque pays avait désormais la liberté de fixer le régime de change de son choix. Non seulement la mission de surveillance du FMI n'avait plus d'objet mais la libéralisation des mouvements de capitaux assurait la liquidité internationale tout en étant censée offrir à tous les pays l'accès aux capitaux nécessaires pour financer leur développement. Le rôle du FMI était à redéfinir.

La crise de la dette lui a offert opportunément une mission de substitution : il devenait le « pompier » appelé au secours des pays en voie de cessation de paiement, le « gendarme » des efforts d'ajustement structurel, et par là même, le « gardien » du système financier international. Toute l'activité du Fonds s'est concentrée sur l'un des buts que lui assignaient ses statuts : « Donner confiance aux États membres en mettant les ressources générales du Fonds temporairement à leur disposition moyennant des garanties adéquates, leur fournissant ainsi la possibilité de corriger les déséquilibres de leurs balances des paiements sans recourir à des mesures préjudiciables à la prospérité nationale ou internationale » (art. 1.v). Les interventions du FMI sont devenues de moins en moins « temporaires » et les « garanties adéquates » exigées pour consentir un prêt aux pays en difficulté se sont traduites par des conditionnalités multiples à remplir, sous peine de voir les prêts suspendus (dix-sept en moyenne, jusqu'à une centaine en Indonésie). L'obligation pour les pays emprunteurs de mettre en place des plans d'ajustement structurels (PAS) censés rétablir leurs équilibres macroéconomiques était ressentie comme une mise sous tutelle, d'autant que tous les PAS étaient construits sur le même triptyque : libéralisation, privatisation, déréglementation. Partout étaient préconisées les mêmes mesures : diminution des dépenses publiques, démantèlement des protections tarifaires, vérité des prix et de la monnaie, désengagement de l'État. Ce que l'on a appelé le « consensus de Washington » (v. *supra*, note p. 145).

Les Droits de tirages spéciaux (DTS)

Les DTS (en anglais SDR pour *Special Drawing Rights*) ont été imaginés à la fin des années 1960 afin de permettre au FMI de créer des liquidités nécessaires pour répondre aux besoins de l'économie mondiale. Le DTS est un instrument de réserve international dont peuvent bénéficier tous les États membres du FMI en complément de leurs avoirs de réserve existants. Les allocations sont réparties au prorata des quotes-parts. Les États membres qui reçoivent des DTS peuvent les utiliser pour leurs opérations avec d'autres États membres, avec des « détenteurs agréés » (Banque mondiale, FIDA, BRI, etc.) ainsi qu'avec le FMI pour rembourser des emprunts ou payer une partie des augmentations de quote-part, par exemple.

Le marché des DTS fonctionne sur la base d'« accords d'échange volontaires ». Un pays qui souhaite acheter ou vendre des DTS s'adresse au FMI qui possède des accords avec plusieurs pays et un détenteur agréé (la BCE) sert d'intermédiaire pour la transaction.

Le DTS est aussi l'unité de compte du FMI et de plusieurs organisations internationales. Des dépôts monétaires libellés en DTS sont acceptés auprès de la BRI et des banques commerciales des pays industrialisés. Sa valeur est calculée chaque jour à partir d'un « panier » de quatre monnaies, celles de pays dont les exportations de biens et de services sont les plus importantes (dollar, euro, yen, livre sterling et, depuis novembre 2015, le yuan). Chacune de ces monnaies est affectée d'une pondération reflétant sa part relative dans le commerce et les paiements internationaux. Le « panier » qui sert à calculer la valeur du DTS est revu par le FMI tous les cinq ans. En août 2015, la valeur d'un DTS oscillait autour de 1,5 dollar.

Jusqu'à 2009, le FMI n'a procédé qu'à deux allocations, étalées sur plusieurs années (1970-1972 ; 1979-1981), pour un total de 21,4 milliards de DTS. Les États-Unis considéraient avec méfiance tout accroissement de cet actif international susceptible de concurrencer le dollar tandis que les pays du Sud réclamaient de nouvelles allocations. À la suite de la crise financière et économique de 2007 et sur demande du G20, le FMI a approuvé en 2009 une troisième allocation pour un montant beaucoup plus significatif de 161,2 milliards de DTS. Cette augmentation de « liquidités protectrices » est censée bénéficier à l'économie mondiale. Certains cercles de la Banque centrale européenne (BCE) l'ont critiquée pour ses risques inflationnistes.

Outre l'allocation générale, le FMI peut également, depuis 2009, procéder à des allocations spéciales. Leur montant s'élève à 21,5 milliards de DTS.

En gérant un stock important de DTS, on pourrait imaginer que le FMI puisse agir comme une banque centrale mondiale en injectant des liquidités ou en en retirant selon les besoins du système monétaire international. Mais les DTS disponibles ne représentent qu'une infime partie de l'ensemble des réserves mondiales, environ 3 %. Cependant l'idée d'une refonte du système monétaire international autour des DTS est parfois agitée. En mars 2009, le gouverneur de la banque centrale de Chine a proposé que les pays cessent de se positionner par rapport au dollar et adoptent une nouvelle monnaie de réserve internationale gérée par le FMI. Dans ce schéma, les DTS seraient appelés à remplacer le dollar dans les échanges commerciaux internationaux. Simple message politique à l'adresse des États-Unis ou début d'une offensive sérieuse contre le dollar ?

Page sur les DTS sur le site officiel du FMI:
http://www.imf.org/external/np/exr/facts/fre/sdrf.htm

Alors que rien ne l'y obligeait, la Banque mondiale s'est, elle aussi, lancée dans l'ajustement structurel, au cours des années 1980, avec la même brutalité que le Fonds, en appliquant les mêmes recettes, fondées sur la même idéologie, inspirée par le plus pur des dogmes néoclassiques : le simple jeu des forces du marché et la libre insertion de l'économie nationale dans le marché mondial garantissent la croissance de la production, l'allocation optimale des facteurs de production, et l'équité dans la rémunération de ces facteurs. Sous la présidence de A. W. Clausen, ancien président de la *Bank of America*, elle est devenue un bastion de l'ultralibéralisme et a poussé la centaine de pays où elle intervenait à se tourner vers l'exportation et à ouvrir leurs marchés, quelles que soient les réalités locales.

Jusqu'alors son activité avait été peu contestée. Elle jouissait d'une réputation de savoir-faire remarquable dans le financement, le montage et la mise en œuvre des « projets » de développement. Elle n'avait cessé de s'étoffer. Créée, comme le FMI, à Bretton Woods en 1944, la Banque ne comportait à l'origine qu'une seule institution : la BIRD (Banque internationale pour la reconstruction et le développement), chargée selon l'article 1 de ses statuts « d'aider à la reconstruction et au développement des territoires des États membres, en facilitant l'investissement des capitaux consacrés à des fins productives [...] et l'encouragement au développement des ressources et moyens de production des pays les moins avancés ». Sa mission première était de participer au financement de la reconstruction des infrastructures en Europe. Il est apparu très vite qu'elle n'aurait pas les ressources suffisantes pour aider l'Europe à se relever. Avec le plan Marshall, les États-Unis se sont substitués à la Banque en apportant environ 13 milliards de dollars sous forme de dons et de prêts aux pays d'Europe de l'Ouest. Dès 1948, la BIRD a dû réorienter son activité. Elle s'est tournée vers le financement des projets de développement dans les pays du Sud.

La BIRD est une banque, avec une culture de banque. Elle emprunte à bas taux sur les marchés financiers internationaux et prête aux pays « à revenu intermédiaire » à des conditions intéressantes. Selon ses statuts, elle ne peut intervenir que pour satisfaire des besoins de financement ne pouvant être remplis par les banques privées. En réalité, elle cherche à prêter à des pays solvables et à faire des bénéfices pour réalimenter sa capacité de prêts. À la BIRD a été ajoutée, à l'initiative des États-Unis, la Société financière internationale, destinée à financer les entreprises du secteur privé (1956). La SFI fonctionne comme une banque d'affaires et intervient en priorité dans les pays solvables.

Les projets non rentables (éducation, santé...) dans les pays pauvres ne pouvaient pas bénéficier des prêts de la BIRD et de la SFI, trop élevés pour eux. Les pays en développement ont fait pression pour que soit créé, au sein des Nations unies, un organisme susceptible de leur offrir des prêts de long terme à des taux « concessionnels », inférieurs à ceux des marchés. Les États-Unis ont fini par y consentir, à condition que le nouvel organisme soit placé sous contrôle de la Banque. L'Agence internationale de développement (AID) a été créée, en 1960, comme une filiale de la BIRD. Il faut remarquer que, la même année, toujours sous l'impulsion des États-Unis, était fondé ce qui deviendra le Comité d'aide au développement de l'OCDE (CAD), lieu de rencontres et porte-parole des principaux donneurs bilatéraux à l'échelle mondiale.

Outre la BIRD, la SFI et l'AID, le groupe de la Banque mondiale comprend deux autres organismes : le Centre de règlement des différends relatifs aux investissements (CIRDI, 1966) et l'Agence multilatérale de garantie des investissements (MIGA, 1988).

Au début des années 1980, la Banque mondiale est en excellente position. Elle a 135 États actionnaires, son Conseil des gouverneurs vient d'autoriser une augmentation de capital de 44 milliards de dollars, son président McNamara lui a donné un nouvel essor, elle a augmenté et diversifié ses interventions en s'orientant moins vers les grandes infrastructures et davantage vers la lutte contre la pauvreté. Elle figure parmi les plus gros fournisseurs de capitaux dans les pays en développement où son rôle est devenu prépondérant. La Banque apparaît à la fois comme un intermédiaire financier, une agence d'aide au développement, un fournisseur d'assistance technique, un consultant en développement, un gigantesque bureau d'études dont les données s'imposent au monde entier.

Sans en avoir un besoin existentiel (à la différence du FMI), sous prétexte d'aider les pays à « mettre de l'ordre dans leurs affaires », elle va se lancer dans des prêts « programmes » consentis sous condition de réformes macroéconomiques et se placer dans le sillage du FMI : ses prêts d'ajustement dans un pays sont conditionnés à un accord préalable du pays avec le Fonds. Dans un premier temps, cette politique lui permet d'étendre son emprise, de s'immiscer en profondeur dans les politiques des pays soumis aux PAS, d'avoir « un siège à la table » [Roubaud, Cling, 2010]. Bien vite, elle la conduit à perdre son identité et à se voir englobée dans la vague de protestation inspirée par les exigences du Fonds monétaire. En outre, cette politique se révélera désastreuse. Un rapport commandé par la Banque sur ses activités, le rapport Wapenhans (1992), signalait qu'un tiers des projets arrivés à échéance en 1991 avaient été des échecs complets : 37,5 % d'échecs en 1991, 30,5 % en 1989... 15 % en 1981. La Banque s'était compromise pour rien.

Devant les dégâts humains causés par l'ajustement structurel dans les populations vulnérables, certaines institutions spécialisées ont essayé de faire entendre la voix des « développeurs » face aux « ajusteurs ». Dès 1987, un rapport remarqué de l'Unicef sur les premiers PAS, *L'Ajustement à visage humain*, avait proposé de moduler les politiques d'ajustement standard afin de réduire les conséquences sociales négatives des PAS et poser les bases d'une croissance durable et équitable [Cornia *et alii*, 1987, 1988]. Cette initiative a été relayée par d'autres agences de l'ONU, des ONG et des universitaires. Elle a eu pour effet d'infléchir quelque peu la rhétorique du Fonds et de la Banque. Les notions d'équité et de protection des besoins fondamentaux sont venues orner les discours. Mais le « consensus de Washington » n'était pas entamé : sous le contrôle étroit du Trésor américain, leur principal actionnaire, le Fonds et la Banque ont continué plus que jamais à travailler dans le cadre unique du paradigme néoclassique.

Placés sous la surveillance de ces puissants créanciers et soumis à leurs pressions, les pays en difficulté n'ont eu d'autre choix que de s'engager dans des processus d'ajustement récessif, au prix de coûts sociaux considérables, ou bien de ruser et de contourner les conditionnalités, au prix de manœuvres frauduleuses et de désordre administratif accru.

Le recours au FMI est une humiliation à laquelle les pays font tout pour échapper. Dans la première décennie 2000, les grands pays du Sud ont profité de la hausse des produits de base et de leur forte croissance pour rembourser par anticipation la totalité de leur dette auprès du Fonds (Brésil, Argentine, Thaïlande...). Le budget de l'institution en a été gravement affecté car la chute de l'encours des prêts réduisait les intérêts versés, et par conséquent les recettes. En 2006, la plupart des pays qui avaient subi la tutelle du FMI se trouvaient en meilleure posture et avaient, de nouveau, accès aux financements privés (Pologne, Russie, Argentine, etc.). Le Fonds n'avait plus que quelques pays de petite taille dans lesquels appliquer ses programmes ; il se retrouvait avec un budget en déficit et des capacités de mobilisation en baisse. Après vingt-cinq ans d'omniprésence dans la vie internationale, son influence déclinait et l'on s'interrogeait sur son utilité. Les crises simultanées de l'Ukraine, de la Hongrie et de l'Islande, en 2008, l'ont remis dans son rôle de fournisseur public de liquidités. En 2010, pour la première fois, il a été appelé à intervenir dans un pays de la zone euro, afin de bloquer l'emballement des marchés provoqué par la crise grecque. La crise financière secouant les pays avancés l'a confirmé dans son rôle malgré un bilan très contesté [Stiglitz, 2002].

La Banque a abandonné les programmes d'ajustement structurel à la fin des années 1990 pour se consacrer à la lutte contre la pauvreté, du moins dans le discours officiel. L'influence de la Banque et sa prédominance dans la hiérarchie institutionnelle proviennent moins de son rôle de prêteur que d'une stratégie de présence tentaculaire dans tous les mécanismes d'aide multilatérale et dans tous les secteurs, en grignotant les programmes des institutions spécialisées de l'ONU (Unesco, OMS, BIT, FAO) et les prérogatives du PNUD censé les coordonner. La Banque mondiale est partout et montre une capacité remarquable pour absorber les thèmes en vogue et présenter comme siens les concepts et stratégies élaborés par d'autres : besoins essentiels (OIT), biens publics mondiaux (PNUD), indicateurs du développement humain (PNUD), éducation pour tous (Unesco), sécurité alimentaire (FAO), lutte contre la pauvreté (PNUD). Elle est le partenaire obligé de pratiquement tous les Fonds internationaux montés pour lutter contre un fléau ou promouvoir une cause : Fonds mondial pour l'environnement, Partenariat pour faire reculer le paludisme, Programme mondial pour l'agriculture et la sécurité alimentaire, et si nécessaire, elle en prend l'initiative : Fonds carbone lancé en 1999, Fonds vulnérabilité en 2009. Sa plus grande réussite est de s'être imposée au fil du temps comme la principale source de savoir et d'information sur le développement, ce qui lui donne une véritable hégémonie intellectuelle quant à la définition des politiques dans le domaine [Roubaud, Cling, 2010].

Pendant longtemps, ces deux institutions majeures du financement et du développement ont bénéficié d'un monopole. La Banque mondiale et le FMI pouvaient s'accommoder des critiques : les ONG ne les inquiétaient guère et les États contestataires demeuraient marginalisés. Mais les grands pays du Sud s'impatientaient de ne pas être mieux représentés. Depuis 2014, ils ont pris l'initiative en créant deux nouvelles organisations : la Banque de développement des BRICS (NDB) et la BAII.

La première doit être dotée d'un Fonds de 100 milliards de dollars (87,6 milliards d'euros) destiné à protéger les pays membres des crises de liquidités et à soutenir des travaux d'infrastructures. C'est encore assez peu mais le monopole est entamé. La Banque asiatique d'investissement pour les infrastructures (BAII) est un projet bien plus ambitieux. Soutenu par la puissance financière de la Chine, il pourrait concurrencer la Banque mondiale en déstabilisant au passage la Banque asiatique de développement (BAD) sous influence japonaise. Le ralliement de nombreux pays (plus d'une cinquantaine dont plusieurs pays occidentaux qui ne veulent pas se couper de la diplomatie économique chinoise) témoigne du succès de l'entreprise. Les institutions de Bretton Woods vont devoir vivre avec cette nouvelle concurrence.

Les organisations « principales » dans l'engrenage des crises

La hiérarchie des organisations internationales reflète les rapports de force et les valeurs dominantes. Dans un monde structuré par un capitalisme universel, les organisations économiques et financières – OMC,

OCDE, FMI, Banque mondiale – apparaissent comme les plus importantes, avec le BIT si l'on doit prendre en compte la dimension sociale de la mondialisation. Ce sont leurs dirigeants que les responsables politiques réunissent en tant que « dirigeants des principales organisations internationales » et qu'ils invitent dans les sommets économiques.

Chacune sait qu'il lui faut s'adapter voire se réformer. Le monde qui les a créées n'existe plus. Les pays émergents s'installent dans le jeu mondial et veulent y tenir toute leur place. L'emprise marchande devient plus forte que jamais mais elle n'est plus synonyme de domination occidentale tandis que l'engrenage des crises depuis les années 1980 témoigne des difficultés croissantes à contenir les problèmes d'instabilité et d'asymétrie inhérents à la mondialisation. À des degrés divers, chacune doit envisager de redéfinir son périmètre d'intervention et son identité.

La plus touchée semble l'Organisation mondiale du commerce. Créée, en 1995, avec la mission de parachever la libéralisation du commerce international, l'OMC peine à conclure un cycle de négociations ouvert depuis 2001 (Cycle de Doha). Finirait-il par déboucher sur un accord *a minima*, cela ne suffirait pas à redonner de l'influence à une organisation désorientée, critiquée par les altermondialistes et de plus en plus éloignée des défis immédiats de l'économie mondiale. Le monde n'a plus rien à voir avec celui de 1947, où 23 pays s'étaient entendus sur un accord général sur les tarifs et le commerce (Gatt) dont l'OMC a recueilli l'héritage [Rainelli, 2012]. Dans un premier temps, il s'agissait de conjurer le souvenir de la crise de 1929 en mettant en place un système de libre-échange qui faciliterait le commerce des marchandises. Depuis 1973 (lancement du Cycle de Tokyo, 1973-1979), l'objectif est de faire entrer les économies des pays en développement dans ce système et d'étendre la libéralisation des échanges à de nouveaux domaines [Siroën, 2009]. Le Cycle de l'Uruguay (1986-1994) s'est conclu par l'accord de Marrakech prévoyant la création d'une véritable Organisation mondiale du commerce avec des compétences élargies aux échanges de services (GATS) et à la propriété intellectuelle (TRIPS) ; 123 pays en étaient membres mais la « Quadrilatérale » (États-Unis, Communautés européennes, Canada, Japon) dominait encore le jeu. Quand s'est ouvert le Cycle de Doha, la Chine était rentrée à l'OMC et l'Organisation comptait 144 membres (161 en 2015). Les puissances émergentes y ont montré leur capacité à mobiliser des coalitions de blocage, parfois inattendues ; l'Inde et le Brésil se sont imposés comme des acteurs majeurs, aux intérêts souvent divergents. Cette hétérogénéité ne favorise pas la négociation de blocs à blocs. Le jeu s'apparente de plus en plus à un jeu onusien.

L'OMC est un forum de négociations qui, depuis sa création n'a réussi à conclure aucune négociation d'envergure [Petiteville, 2014]. Ses conférences ministérielles s'apparentent à des psychodrames, parfois violents (Seattle en 1999), parfois sans enjeu. Les négociations se sont crispées sur le « noyau dur » de la protection, ceux sur lesquels des concessions seraient politiquement coûteuses pour des bénéfices économiques incertains : soutiens internes à l'agriculture (États-Unis), accès aux marchés agricoles (Union européenne), accès aux marchés des produits non agricoles (AMNA, pays émergents) [Siroën, 2007]. Pour les États en présence, l'extension continue de la libéralisation du commerce n'est plus une fin en soi.

La grande innovation apportée par l'OMC a été son Organe de règlement des différends. Il permet à l'Organisation de remplir son rôle de gardienne des règles et principes régissant le commerce international. Au 1er janvier 2015, l'ORD avait été saisi de 488 plaintes, le plus souvent contre les États-Unis (122) et l'Union européenne, ex-Communautés européennes (80), lesquels sont aussi les plus grands plaignants (107 plaintes pour les premiers, 95 pour les secondes). Le Brésil, l'Inde et le Mexique ont eu à connaître l'ORD une vingtaine de fois comme plaignants et autant comme défendeurs ; la Chine a fait l'objet de 17 plaintes. Le système fonctionne, malgré des procédures complexes et chères, peu accessibles aux PMA. On note cependant une diminution sensible des différends soumis à l'ORD depuis 2002. La concurrence des accords régionaux et bilatéraux, dont plusieurs prévoient leur propre mode de solution des différends, se fait sentir. Une telle tendance pourrait indiquer un risque de marginalisation. Si l'on considère que la fonction première de l'OMC consiste à garantir le respect des règles de base du commerce international, il ne s'agirait pas d'une bonne nouvelle pour la régulation mondiale.

De façon beaucoup moins aiguë et peu médiatisée, l'OCDE traverse, elle aussi, une période d'interrogation sur sa mission et son avenir. Lorsqu'elle fut créée, en 1961, pour prendre la suite de l'OECE, première institution européenne de l'après-guerre, l'OCDE hérita d'une instance d'harmonisation où les États avaient pris l'habitude de réfléchir sur les politiques économiques et d'en discuter ensemble. Ils avaient développé des méthodes de travail qui furent reprises et font la réputation de l'OCDE : un examen annuel et une analyse critique des politiques suivies à partir des données fournies par les pays membres ; la réunion périodique des conseillers économiques et hauts fonctionnaires des gouvernements autour d'une question précise de politique publique ; l'étude de problèmes sectoriels à travers des comités verticaux ; l'élaboration de directives et recommandations (sur la corruption par exemple). La création du Comité d'aide au développement (CAD) a élargi la mission de l'OCDE. Sa tâche n'est pas seulement de favoriser les relations entre ses membres mais de contribuer au développement des échanges avec les pays en développement. Le CAD publie chaque année un rapport très attendu sur l'état de l'aide au développement et les principaux défis rencontrés sur la scène internationale de l'aide.

Pendant longtemps, l'OCDE a été le lieu qui réunissait les 24 pays les plus riches de la planète. Elle se confondait avec eux, agissant comme un remarquable *think tank* à leur disposition. Son identité était claire. Après la chute du Mur et devant l'émergence de nouveaux États industrialisés, l'OCDE se trouva devant un choix : devait-elle continuer à fonctionner comme un club de pays riches à majorité européenne ou bien s'ouvrir pour devenir une organisation d'influence mondiale ? Depuis 1994, l'OCDE a commencé à intégrer le Mexique (1994), la République tchèque (1995) la Corée, la Hongrie et la Pologne (1996), la Slovaquie (2000), le Chili, l'Estonie, Israël et la Slovénie (2010), tous flattés d'entrer dans ce club des pays les plus développés. La Russie a été invitée à entamer des négociations d'adhésion. Un « engagement renforcé » est offert à l'Afrique du Sud, au Brésil, à la Chine, l'Inde et l'Indonésie, première étape vers un futur statut de membre. Cette ouverture renforce la représentativité de l'Organisation mais aussi son hétérogénéité, au service de quel projet ? « Pour un meilleur fonctionnement de l'économie mondiale » répond l'OCDE. La réponse est courte et, sur ce terrain, l'Organisation ne manque pas de concurrents même si elle reste l'un des meilleurs et plus importants centres d'analyse des politiques publiques au monde. Depuis la crise financière de 2008 (qu'elle n'a pas vu venir), le G20 en a fait son « acteur fiscal » : l'OCDE y trouve l'occasion de se présenter comme le champion de la transparence (fin du secret bancaire, échange automatique des données pour 2017) et de la lutte contre l'évasion fiscale (programme Beps lancé en 2013).

À la différence des autres institutions, les organisations de Bretton Woods ont la particularité de se porter bien quand les pays vont mal. La Banque mondiale se disait à court d'argent fin 2009. En avril 2010, ses 186 pays actionnaires lui ont consenti la première augmentation de capital depuis vingt ans : 86,2 milliards de dollars pour la BIRD, 200 millions pour la SFI. La crise financière internationale a conforté le FMI dans sa mission traditionnelle. En avril 2009, le G20 a triplé les capacités de prêts du Fonds (de 250 milliards de dollars à 750 milliards) et lui a confié officiellement la surveillance de l'économie mondiale. Le FMI est réputé le seul acteur international à avoir une expérience, des équipes et une technique bien rodées pour agir vite et fort auprès des États en faillite. Son intervention sert de déclencheur à celle des autres bailleurs de fonds. Tout en valorisant cette mission traditionnelle, il est question de placer le Fonds au cœur de la discussion mondiale sur la régulation financière en multipliant annonces et propositions hétérodoxes dont celle de taxer le secteur financier. L'ambition est de faire du FMI non seulement le superviseur des politiques macroéconomiques mais le superviseur de la finance mondiale.

Le premier écueil sur lequel pourrait achopper cette ambition est celui de la légitimité du FMI. On sait que la critique repose sur la représentativité contestable des organes de décision du Fonds et de la Banque. Rappelons que la répartition des droits de vote s'y fait en fonction de la contribution des États membres, exprimée en DTS, selon la formule : un dollar = une voix. La quote-part d'un pays au Fonds et à la Banque est déterminée par le Conseil des gouverneurs du FMI d'après le poids du pays dans l'économie mondiale, évalué au moyen d'équations complexes. Un minimum de droit de vote, dit « voix de base », est attribué à tous les pays, pour permettre aux plus petits États de participer aux décisions. Ce mode de décision favorise les États de la zone euro qui réunissent, en août 2015, 22,6 % des droits de vote au FMI… alors qu'ils ne possèdent plus de monnaie nationale. Les voix groupées des pays de l'UE en représentent près de 32 %.

Depuis la création du G20, les pays émergents n'ont cessé de réclamer une réforme des institutions financières internationales, à la fois dans la répartition des droits de vote et dans la composition des instances de décision. Des ajustements limités en 2008 n'ont pas été jugés satisfaisants et la négociation s'est poursuivie au sein du G20 des ministres des Finances. À la suite d'un accord, le Conseil d'administration du FMI a adopté en novembre 2010 une réforme présentée par son directeur général comme « la plus fondamentale du FMI… depuis sa création [....] et le plus grand transfert opéré en faveur des pays émergents et des pays en développement » (Dominique Strauss-Kahn). Les BRICS compteront parmi les dix plus gros actionnaires du FMI, aux côtés des États-Unis, du Japon, de l'Allemagne, de la France, du Royaume-Uni et de l'Italie, ce qui devrait réaliser un transfert de plus de 6 % des quotes-parts aux pays émergents et « en développement dynamique ». Les pays européens qui disposent de 9 sièges ont accepté d'en céder deux aux pays émergents selon des modalités à préciser.

Malgré les avancées proclamées, la question du déséquilibre entre pays du Sud et pays occidentaux reste posée et la surreprésentation des Européens se trouve au cœur du débat sur la légitimité. Il a fallu que les États-Unis menacent de réduire de 24 à 20 le nombre des administrateurs pour que les Européens entrent dans la négociation. La renonciation aux deux sièges n'est donc pas acquise. Les Européens pourraient envisager une rotation-partage de l'Espagne et de la Belgique au sein des diverses coalitions (chaque administrateur représente une coalition de pays) afin de ne perdre, en réalité, qu'un seul siège. Leur obstruction est mal ressentie et la pression reste forte pour que soit établie une représentation unique de l'Eurogroupe, voire de l'Union européenne. Ceci serait évidemment la porte ouverte à une représentation unique dans toutes les instances internationales importantes : Banque mondiale, G7, G20, OCDE, Conseil de sécurité. Pour l'Allemagne, la France et le Royaume-Uni, cette nouvelle représentation unique entraînerait également la perte des sièges de gouverneurs qu'ils occupent en tant que principaux actionnaires. Les vieux États européens rechignent à abandonner des prérogatives de puissance nationale à forte portée symbolique. Par ailleurs, il faut l'accord des trois cinquièmes des États membres du FMI, disposant de 85 % des voix, pour adopter une réforme. On imagine mal les parlements des trois pays accepter de tels renoncements. La bataille pour la redistribution du pouvoir entre pays émergents et pays européens au sein du FMI n'est pas finie. Les États-Unis, qui sont les principaux contributeurs et détiennent une minorité de blocage avec 16,74 % des droits de vote, pourraient en être le principal arbitre. La création de la Banque des BRICS et de la BAII (v. *supra*, p. 225) risque également d'accroître la pression.

Le deuxième écueil pour le FMI est la nature de la crise ouverte par la crise des *subprimes* et la faillite de Lehman Brothers, aux États-Unis. Avant de dégénérer en crise étatique, la crise financière a été une crise du secteur financier privé. Dans un contexte de globalisation financière, les plans de relance adoptés par les États n'ont pas pu empêcher les banques et les fonds spéculatifs de diffuser la crise dans tout le système financier international et de l'amplifier. Puis est venue l'attaque des marchés contre les dettes souveraines.

L'intervention du FMI a beau être fortement médiatisée, la régulation financière internationale ne lui appartient pas. Elle reste essentiellement du ressort des ministères des Finances, des grandes banques centrales et des instances dans lesquelles ils se réunissent : la Banque des règlements internationaux (BRI), le Conseil de stabilité financière (CSF). Ces organisations discrètes sont moins connues que les organisations de Bretton Woods. Leurs documents techniques sont illisibles pour les profanes et décourageants pour les médias. Elles se trouvent pourtant au sommet de la hiérarchie institutionnelle dans le monde de la finance.

La BRI a été créée, en 1930, pour régler le double problème des réparations allemandes et des dettes interalliées accumulées pendant la Première guerre, c'est la plus ancienne institution financière internationale. Installée à Bâle, en territoire neutre, elle devait servir de mandataire pour la perception des annuités de réparation versées par les vaincus et leur répartition entre les créanciers. Elle devait aussi gérer les emprunts internationaux émis pour permettre une mobilisation partielle de cette dette et rétablir ainsi les circuits de crédit internationaux. La contribution de la

BRI au fonctionnement des paiements internationaux et sa remarquable capacité d'adaptation lui ont donné une place centrale dans le dispositif de coopération monétaire et financière. Ce « club des banquiers centraux » réunit les banques centrales ou autorités monétaires de 59 pays, plus la Banque centrale européenne. Il est connu pour l'action de son « Comité de Bâle sur le contrôle bancaire ». Créé en 1974, après la faillite de deux grandes banques en Allemagne et au Royaume-Uni, ce comité est composé des représentants des banques centrales et autorités de surveillance bancaire de 27 pays (dont tous ceux du G20), plus l'UE. Il a pour mission d'œuvrer à l'amélioration et à l'harmonisation des réglementations bancaires, en particulier s'agissant de la solvabilité des banques, ainsi qu'au renforcement de la sécurité et de la fiabilité du système financier : établissement des standards minimaux en matière de contrôle prudentiel ; diffusion et promotion des meilleures pratiques bancaires et de surveillance ; promotion de la coopération internationale en matière de contrôle prudentiel. Le Comité est à l'origine des accords de Bâle qui définissent une norme de solvabilité internationale imposant aux établissements financiers de couvrir leur risque de crédit par un minimum de fonds propres par rapport à l'ensemble des crédits accordés (Bâle I, 1988 ; Bâle II, 2006 ; Bâle III, 2010).

Bien avant qu'éclate la crise des *subprimes*, en 2007, les banquiers centraux de la BRI avaient averti de l'imminence d'un dérapage de la finance mondiale. Dès la faillite de Lehman Brothers, ils ont présenté un ensemble de propositions, trop techniques pour que la presse et les responsables politiques s'en fassent l'écho mais qui ont été validées politiquement par le G20 en avril 2009 [Chavagneux, 2010]. La BRI abrite le secrétariat de l'organisme qui se trouve au sommet des institutions s'occupant de régulation financière : le Conseil de stabilité financière (*Financial Stability Board*). Le CSF a succédé au Forum de stabilité financière fondé, en 1999, par le G7 au lendemain de la crise asiatique. Le « club du G7 » ayant échoué à prévenir la crise de 2008, en pleine tempête un nouvel instrument de régulation et de supervision a été créé par le G20 pour rétablir la stabilité financière (sommet de Londres, avril 2009). Son mandat et son périmètre de supervision ont été élargis pour s'étendre à tous les éléments susceptibles de déstabiliser la finance internationale : la sphère bancaire, les établissements financiers, les paradis fiscaux, les agences de notation, les principes de rémunération (bonus, etc.). Outre l'identification des facteurs de risque systémique, le CSF a pour mission de proposer des actions à entreprendre et de veiller à leur mise en œuvre par les autorités nationales. Les instances nationales de régulation et de supervision dans le domaine de la banque, de l'assurance et des marchés de tous les membres du G20 en font partie, plus celles de l'Espagne, Hong Kong, les Pays-Bas, la Suisse et Singapour. Sont aussi conviés : l'OCDE, la BRI, le FMI ainsi que les grands faiseurs de normes (*standards settlers*) : Comité de Bâle, Bureau des standards comptables internationaux (BSCI/IASB), Comité sur les systèmes de paiement et de règlement (CSPR/CPSS), Association internationale des contrôleurs d'assurance (AICA/IAIS). Tous ont l'obligation de faire rapport au CSF sur les informations en leur possession. Un mécanisme d'examen du secteur financier des pays membres par les pairs a aussi été mis sur pied. Adossé au G20, le CSF a une légitimité forte d'où il tire son autorité. Il est l'arène où se déroulent les négociations décisives sur la régulation financière internationale, le lieu politique par excellence, celui qui compte aujourd'hui.

Une certaine répartition des tâches s'est donc instaurée : au FMI la supervision macroéconomique du système, au Conseil de stabilité financière la coordination multilatérale des initiatives de régulation financière. Pour être pérenne, cette répartition suppose un respect des périmètres de chacun et un degré de coopération entre organisations dont l'histoire des institutions a donné peu d'exemples.

Un multilatéralisme social fragmenté

La multiplicité d'organisations et acteurs internationaux intervenant dans un même domaine, chacun avec sa culture, ses objectifs et ses méthodes, engendre une fragmentation de la coopération multilatérale. Dans chaque forum se poursuit une ou plusieurs négociations, sans coordination avec les négociations se poursuivant ailleurs sur des sujets connexes. Alors que les défis mondiaux sont de dimensions multiples, vastes et interdépendantes, les processus multilatéraux sont cloisonnés, étriqués et fragmentaires. D'où une prolifération de déclarations et de normes juxtaposées qui rendent illusoire une possibilité de gouvernance mondiale.

La responsabilité en incombe moins aux organisations internationales qu'à leurs États membres. Certes, chaque institution a des intérêts bureaucratiques à défendre, dans un contexte de ressources rares où la compétition pour les financements est féroce, mais les OI ne sont pas hostiles à la coopération avec leurs homologues, au contraire. Sur le terrain opérationnel, les projets menés conjointement sont nombreux. Le problème se situe en amont, au sein des gouvernements nationaux. La politique extérieure des États membres est segmentée. Ce qui se passe à l'ONU est suivi par les fonctionnaires des Affaires étrangères, à l'OMS par ceux de la Santé, à l'OIT ceux du Travail, à la FAO ceux de l'Agriculture, etc. La Banque mondiale et le FMI relèvent des ministères des Finances et des gouverneurs des banques centrales, souvent plus proches de leurs homologues étrangers et des dirigeants des IFI dont ils partagent la culture que de leurs collègues dans les autres services de leur propre pays. Chaque négociation internationale relève d'un ministère spécialisé dont les fonctionnaires surchargés de travail n'ont ni le goût ni le temps pour « l'interministériel ». La particularité des négociations multilatérales favorise aussi la dépolitisation des dossiers et leur prise en main par les services. Ces négociations sont généralement très longues. Les grandes impulsions politiques données au démarrage ont tendance à se perdre avec le temps dans les méandres de la discussion. Les délégués en arrivent à se donner à eux-mêmes leurs instructions, selon leur culture et leur spécialisation, sans vision politique d'ensemble.

Les manques de cohérence que l'on relève parfois dans les politiques étrangères nationales, où l'on défend dans certaines instances des positions contradictoires avec celles soutenues par ailleurs, s'additionnent au niveau mondial et favorisent les dynamiques contentieuses.

Des configurations polycentriques : le cas de l'environnement

La gouvernance mondiale de l'environnement illustre ces pathologies du multilatéral. Depuis la Conférence de Rio (encadré), une prolifération d'organisations, programmes, fonds, partenariats, réseaux internationaux ont été mis en place sans aucune coordination. Dans le seul secteur de l'eau potable et de l'assainissement, par exemple, on rencontre plus d'une quinzaine d'organismes internationaux : PNUE, PNUD, Banque mondiale, *World Resources Institute*, FAO, OMS, OCDE, Unicef, Unesco, *International Water Sanitation Centre, Water Aid*, Réseau international des organismes de bassin, *Water, Engeneering and Development Centre*, Réseau méditerranéen de l'eau, Conseil mondial de l'eau, Office international de l'eau, Secrétariat international de l'eau (Centre télématique francophone sur l'eau, www.oieau.fr/ReFEA/module6b.html). Depuis 2004, le secrétariat de la Convention sur la diversité biologique essaye de dresser une liste exhaustive des organisations internationales liées à la biodiversité. Une liste provisoire en fait apparaître 56... Selon le ministère de l'Environnement et de l'Assainissement du Mali, il lui faut traiter avec 19 organisations internationales intervenant dans son pays, sans compter la centaine d'ONG présentes. On mesure l'énergie gaspillée et les coûts de transaction d'une telle fragmentation.

La Conférence de Rio sur l'environnement et le développement

Vingt ans après la première conférence mondiale des Nations unies sur l'environnement (Stockholm, juin 1972), le « Sommet planète Terre » a réuni à Rio, en juin 1992, 178 pays, 8 000 délégués, 110 chefs d'État et de gouvernement, près de 2 000 ONG, 9 000 journalistes, dans la plus grande effervescence.
De ce Sommet sont issus :

- une Charte de la Terre ou Déclaration de Rio énonçant 27 grands principes contenus dans les conclusions du rapport Brundtland, adoptée à l'unanimité ;
- un plan d'action, l'Agenda 21, fixant les objectifs, les enjeux et les moyens d'un « développement durable » (sustainable development) pour le XXIe siècle ;
- deux conventions-cadre : sur le changement climatique (CCNUCC), sur la diversité biologique (CDB) ;
- une déclaration de principe « non juridiquement contraignante mais faisant autorité » sur la conservation des forêts ;
- une nouvelle instance : la Commission du développement durable (CDD).

La CDD est une commission technique de l'Ecosoc composée des représentants de 53 pays élus pour trois ans. Les ONG, les institutions spécialisées, la Commission européenne peuvent y prendre la parole. La CDD se réunit deux semaines par an au mois de mai, à New York. Sa mission est de s'assurer du suivi des engagements pris à Rio et regroupés dans l'*Agenda 21*, d'examiner les progrès accomplis par les gouvernements et de renforcer la coopération internationale en matière de développement durable. En confiant cette mission à une nouvelle instance, plutôt qu'au PNUE, ses créateurs affirmaient leur souci de voir se perpétuer l'élan donné par la Conférence de Rio qui avait vu gouvernements, experts, ONG dialoguer passionnément sur tous les thèmes du développement durable : eau, établissements humains, changement climatique, forêts, ressources biologiques, etc.
Ce rôle d'impulsion politique s'est rapidement enlisé dans la pesanteur des débats onusiens. La CDD n'a pas attiré les ministres les plus influents, elle n'a connu ni dialogue ni négociation d'importance, seulement la reproduction de discours convenus. Le sommet de Johannesburg (Rio + 10, 2002) l'a confirmée dans son rôle de forum pour le développement durable au sein des Nations unies. Mais la portée limitée de ce sommet, marqué davantage par le rôle éclatant joué par les entreprises et la promotion des partenariats publics-privés que par l'engagement accru des États, n'a pas contribué à la sortir de sa marginalité chic. En 2012, le sommet Rio+20 a fini par la supprimer pour la remplacer par une nouvelle instance censée témoigner du renforcement de « l'engagement institutionnel » des États membres : le Forum politique de haut niveau sur le développement durable. Mis en place en 2013, il devrait être l'organe principal, au sein de L'Ecosoc, chargé de suivre et de réviser les Objectifs de développement durable de l'après-2015. Un effet d'entraînement politique est attendu. Après la troisième session (2015), il n'est pas encore démontré.

Contrairement aux autres secteurs de l'activité humaine, la protection internationale de l'environnement n'a aucune institution spécialisée qui lui soit dévolue. La plus haute instance mondiale dans ce domaine est le Programme des Nations unies pour l'environnement (PNUE), un organe subsidiaire de l'Assemblée générale créé par la première Conférence des Nations unies sur « L'homme et l'environnement » (Stockholm, 1972). Situé à Nairobi, cet organisme a la particularité d'avoir été la première institution des Nations unies installée dans un pays en développement. Après 40 ans d'existence difficile (peu de moyens et peu de visibilité), et à la suite du Sommet Rio+20, l'Assemblée générale des Nations unies a décidé de renforcer son rôle : ouverture de son conseil d'administration à l'adhésion universelle des États membres de l'ONU et dotation de « ressources financières sûres, stables et élargies en provenance du budget régulier de l'ONU » (A/RES/67/213, 21 décembre 2012). Le budget a nettement augmenté : 631 millions de dollars (558 millions d'euros) pour l'exercice 2014-2015, soit une augmentation d'environ 40 % par rapport à 2011. Mais les missions qui lui sont assignées demeurent considérables [Ivanova, 2009]. La première est de surveiller l'état de la planète et d'en publier régulièrement le bilan à partir des rapports que lui envoient les gouvernements. Sous le titre *Global Environment Outlook* (GEO), le rapport du PNUE dresse un état de l'atmosphère, du sol, de l'eau, de la biodiversité, il évalue les changements intervenus et préconise des actions prioritaires. C'est un document important qui fait autorité malgré les lacunes provenant de la minceur des informations fournies au PNUE par nombre d'États membres. La seconde mission du PNUE est de fournir une plate-forme à partir de laquelle les grands problèmes seraient identifiés, les objectifs définis et les moyens d'action arrêtés. Dans ce rôle de catalyseur, le PNUE a connu un succès certain, et paradoxal. Il a facilité l'élaboration de nombreuses grandes conventions, de codes de conduite et d'accords volontaires dans beaucoup de domaines touchant à l'environnement : la protection de la couche d'ozone, la biodiversité, la gestion des déchets dangereux, des produits polluants. Mais, une fois en vigueur, les accords multilatéraux environnementaux (AME) se sont émancipés et ont éclipsé le PNUE, créant chacun leur bureaucratie, leurs organes subsidiaires, leurs comités d'experts et leurs « groupes de travail à composition non limitée », au rythme de leurs Conférences des parties (CoP) [Biermann et Siebenhüner, 2009 ; Biermann, Siebenhüner et Schreyögg, 2009]. Le PNUE n'est pas le lieu central et obligé des débats et négociations sur l'environnement. Il n'a pas d'influence sur l'évolution des conventions qu'il a contribué à faire naître et leur nécessaire coordination. Le pouvoir de décision n'appartient qu'aux Conférences des parties. Non seulement la scène politique internationale ne dispose d'aucune institution de référence légitime, dotée de moyens et au sein de laquelle discuter de la préservation de l'environnement dans une perspective d'ensemble mais elle accumule un nombre incalculable d'accords environnementaux régionaux et bilatéraux (plus d'un millier) et plus de 250 accords multilatéraux dénombrés par l'OCDE (*Données sur l'environnement*, 2008), dont émergent une dizaine de conventions à portée universelle censées assurer la gouvernance mondiale de l'environnement (encadré).

Les principaux AME de portée universelle

Convention sur le commerce international des espèces de faune et de flore sauvages menacées d'extinction (CITES), adoptée en 1973, entrée en vigueur en 1975.
Convention des Nations unies sur le droit de la mer (Convention de Montego Bay), adoptée en 1982, entrée en vigueur en 1994.
Convention de Vienne pour la protection de la couche d'ozone, adoptée en 1985, entrée en vigueur en 1988, et Protocole de Montréal relatif à des substances qui appauvrissent la couche d'ozone, signé en 1987, entré en vigueur en 1989.
Convention sur la diversité biologique (CDB), adoptée en 1992, entrée en vigueur en 1993.
Convention-cadre sur les changements climatiques (CCNUCC ou Convention Climat), adoptée en 1992, entrée en vigueur en 1994, et Protocole de Kyoto, signé en 1997, entré en vigueur en 2005. Dans le cadre de la CCNUCC, Accords de Paris signés en 2015, en cours de ratification.
Convention sur la lutte contre la désertification, adoptée en 1994, entrée en vigueur en 1996.
Protocole de Carthagène sur la prévention des risques biotechnologiques, adopté en 2000, entré en vigueur en 2003.
Convention de Bâle sur le contrôle des mouvements transfrontières de déchets dangereux et de leur élimination, adoptée en 1989, entrée en vigueur en 1992.
Convention de Rotterdam sur la procédure de consentement préalable en connaissance de cause applicable dans les cas de certains produits chimiques et pesticides dangereux qui font l'objet du commerce international (Convention PIC, *Prior Informed Consent*), signée en 1998, entrée en vigueur en 2004.
Convention de Stockholm sur les polluants organiques persistants (Convention POP), adoptée en 2001, entrée en vigueur en 2004.
Convention de Minamata sur le mercure, adoptée en 2013 (en cours de ratification en 2015).

Chacune des grandes conventions engendre un sous-système multilatéral qui évolue de façon autonome. La Convention climat en donne une illustration exemplaire avec ses conférences des parties drainant des milliers de participants, ses mécanismes de financement sophistiqués (création d'un « marché carbone »), son important secrétariat basé à Bonn (400 employés), ses multiples organes subsidiaires et groupes spéciaux, et le Groupe intergouvernemental sur l'évolution du climat (GIEC/*IPCC*). Ce groupe d'experts, créé en 1988 (v. *supra*, p. 168), mobilise plus de 2000 chercheurs dans le monde entier avec mission de recueillir et d'évaluer toute l'information scientifique existant sur le changement climatique, ses impacts et les mesures de prévention envisageables. L'existence du GIEC a donné aux spécialistes du climat les moyens de se faire entendre et de se constituer en communauté épistémique. En confirmant la responsabilité des émissions anthropiques dans le réchauffement de la Terre, ses rapports ont été décisifs pour l'inscription du changement climatique sur l'agenda international au plus haut niveau, et la poursuite des négociations sur la Convention climat et les implications du Protocole de Kyoto. Quelles que soient les péripéties, le jeu multilatéral continue et personne ne s'en retire : le GIEC donne une crédibilité à l'enjeu des discussions et légitime l'effort international pour limiter de façon concertée les émissions de gaz à effet de serre. L'Accord de Paris (décembre 2015) marque une étape importante. Premier accord universel contre le réchauffement climatique, il fixe un cap : « contenir l'élévation de la température moyenne de la planète nettement en-dessous de 2 °C par rapport aux niveaux préindustriels et [...] poursuivre l'action menée pour limiter l'élévation des températures à 1,5 °C ». L'Accord de Paris (APA) repose sur les engagements volontaires des États, encadrés par de nouveaux dispositifs de « transparence » et de publicité pour accroître la pression des pairs et de la societé civile. Ajoutant de nouvelles fonctions aux organes subsidiaires de la CCUNCC, l'ensemble constitue désormais une machinerie très complexe.

Pendant longtemps, la Convention climat a été le seul AME bénéficiant d'une interface large et institutionnalisée entre la communauté scientifique et les gouvernements. Il semblerait que le sujet de la diversité biologique doive être confié à un organisme comparable au GIEC : après des années de négociations sous l'égide du PNUE, 90 États ont décidé en juin 2010 de soumettre à l'Assemblée générale de l'ONU le projet de création d'un Groupe international sur la biodiversité et les écosystèmes (GIBES)/ *International Platform on Biodiversity and Ecosystems* (*IPBES*). Le principe de la création d'un tel groupe a été adopté par l'Assemblée générale en décembre 2010. Sa mise en place a été confiée au PNUE, témoignant d'une volonté de contrôle des États (v. *supra*, note p. 168). L'ambition de ce « GIEC de la biodiversité » consiste à sensibiliser les gouvernements et les populations à l'érosion de la diversité biologique, sujet sur lequel les ONG et les biologistes peinent à emporter la conviction, et à redonner du lustre aux conférences des parties de la CDB.

La gouvernance mondiale de l'environnement est éclatée entre les AME et un certain nombre d'agences des Nations unies faiblement coordonnées par le PNUE et le PNUD (FAO, OMS, Organisation maritime internationale, Organisation météorologique mondiale, Unesco, Unicef,

ONU-Habitat, OIT), sous la vigilance de plus en plus marquée de l'OMC et le regard de l'OCDE. Tout cet ensemble compose un paysage compliqué. Le coût en est énorme : il a été calculé qu'entre 1992 et 2007, les parties à 18 des principaux AME avaient tenu 540 réunions au cours desquelles 5084 décisions avaient été prises. On peut se demander, avec le directeur exécutif du PNUE, si les pays en développement peuvent participer activement à un tel système et « si le système apporte à ces pays une aide cohérente et leur permet d'atteindre leurs objectifs en matière d'environnement et de développement » (note du directeur exécutif, 2 décembre 2009, UNEP/GCSS. XI/5).

Non seulement la gouvernance mondiale de l'environnement est éclatée entre trop d'accords et d'institutions pour être lisible mais le système institutionnel est déséquilibré : de nombreuses décisions cruciales pour l'environnement se prennent en dehors des AME et de l'ONU, à la Banque mondiale, à l'OMC. Là comme ailleurs, le multilatéral est hiérarchisé.

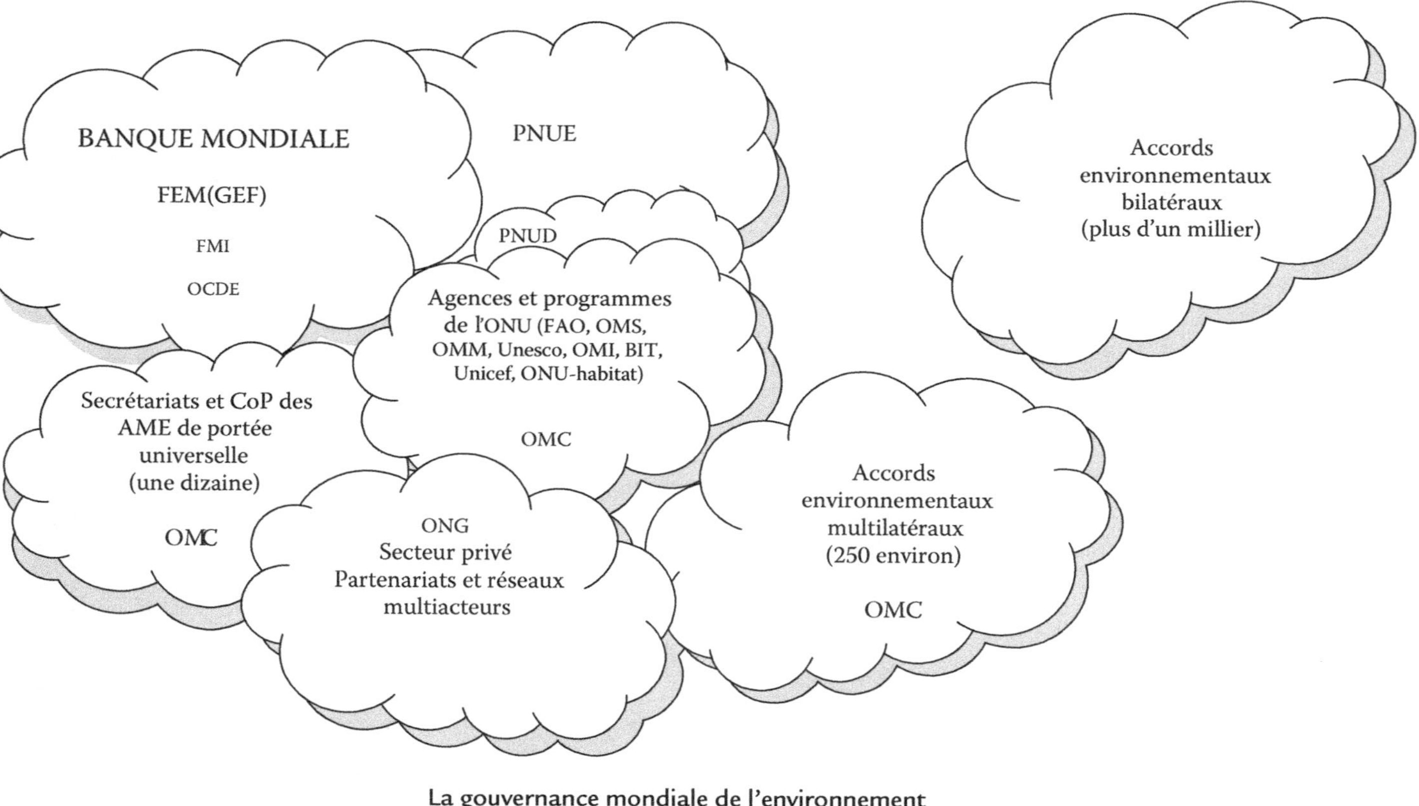

La gouvernance mondiale de l'environnement

Le principal outil financier de l'action internationale pour la préservation de l'environnement est le Fonds pour l'environnement mondial (FEM/*GEF Global Environment Facility*). Ce fonds multilatéral intervient dans les pays en développement et les pays en transition. Il contribue sous forme de dons au financement de projets spécifiques dans six domaines essentiels pour l'environnement : changement climatique, diversité biologique, eaux internationales, dégradations des sols, appauvrissement de la couche d'ozone, polluants organiques persistants. Il a été choisi par les conférences des parties pour être l'instrument financier des grandes conventions sur le climat, la biodiversité, la désertification, les polluants organiques persistants. Bien qu'il se présente comme une institution indépendante, le FEM est étroitement lié à la Banque mondiale. Il est situé dans les locaux de la Banque, sa caisse est administrée par la Banque, ses services administratifs sont en partie fournis par la Banque, et surtout, il travaille comme la Banque. Son budget n'est pas considérable : pour la 6e reconstitution du Fonds (FEM-6), les donateurs se sont engagés, en avril 2014, pour 4,43 milliards de dollars sur quatre ans. Mais surtout, le FEM (*GEF*) a un effet catalyseur : chaque dollar investi dans un projet par le Fonds mondial attire trois dollars d'autres sources de financement. Pour un projet, être « *geffé* » donne une garantie de sérieux qui incite les bailleurs de fonds à entrer dans l'opération. C'est un atout par rapport au PNUE qui s'épuise souvent à essayer de faire prendre au sérieux sa mission de coordination.

Outre le FEM/GEF, l'influence des organisations de Bretton Woods est omniprésente dans la coopération multilatérale environnementale. Le FMI travaille en étroite coopération avec la Banque chaque fois que des questions liées à l'environnement sont abordées dans le cadre du « dialogue sur les politiques » qu'il entretient avec ses pays membres, et le cas est de plus en plus fréquent. La Banque de son côté n'a cessé d'élargir son portefeuille environnemental et de « verdir » ses politiques, dans un dialogue difficile mais soutenu avec les ONG [Le Prestre 2005]. Elle est aujourd'hui la principale source de financement dans le domaine ainsi qu'une source inégalable d'études et d'expertises pour lesquelles elle a la capacité d'engager et de rémunérer les meilleurs spécialistes au monde.

Certes, il revient aux Nations unies d'avoir mis l'environnement sur l'agenda diplomatique, sous l'impulsion des grandes ONG environnementales, et d'œuvrer avec elles pour l'y maintenir. Huit ans après la première Conférence des Nations unies sur l'environnement (Stockholm 1972), la « stratégie mondiale de la conservation » lancée par l'UICN en 1980 fut un détonateur. La nécessité de concilier les exigences du développement et la préservation de l'environnement commençait à s'imposer, pour la première fois apparaissait l'expression « développement durable ».

L'Assemblée générale prit l'initiative de demander la création d'une commission indépendante pour étudier la question et faire des propositions. La commission Brundtland fut installée en 1984, rendit son rapport en 1987 et devint célèbre avec sa définition fameuse du développement durable : « celui qui répond aux besoins du présent sans compromettre la capacité des générations futures à répondre à leurs propres besoins ». La Conférence de Rio allait donner à cette définition l'onction des États et la caution des ONG. Elle fut l'événement fondateur qui déclencha le « verdissement » de tous les organismes de l'ONU et leur conversion au développement durable.

Sous son aura universelle, le concept recouvre bien des interprétations. Les trois « piliers » du développement durable – l'économique, l'environnemental et le social – n'intéressent pas de la même façon tous les acteurs du multilatéral. Les ONG environnementales ont tendance à privilégier le pilier environnement. Certains organismes de l'ONU privilégient le social : l'OMS, l'Unicef qui travaille pour la protection des enfants, l'OIT qui œuvre pour le « travail décent » et l'amélioration de l'environnement humain. Certaines enceintes sont sensibles à l'influence des ONG de solidarité (Unicef/Oxfam), d'autres sont dominées par le secteur privé (Conseil mondial de l'eau, Organisation mondiale du tourisme). Quant aux institutions financières, elles ont une approche sectorielle, des indicateurs de court terme et une idéologie de *best practice* qui les amènent à favoriser les projets plutôt que les trajectoires longues de développement durable.

À l'instar de la gouvernance mondiale de l'environnement, les dispositifs du multilatéralisme social sont tous très éparpillés. D'un point de vue fonctionnel, ce constat est préoccupant. Avec la complicité des États et d'autres acteurs intéressés, l'empilement de nouvelles structures multilatérales entretient le cercle vicieux de la fragmentation et des rivalités. Trop d'institutions finissent par rendre indéchiffrable la régulation : des activités qui se chevauchent, des agents en compétition et des règles en contradiction. Le risque de l'inconsistance doit être pris au sérieux ; celui du « schisme de réalité » aussi (sur le climat [Aykut, Dahan, 2015]) : d'un côté, le tourbillon multilatéral, de l'autre, l'inertie du monde des souverainetés. Toutefois, dans une perspective sociohistorique, l'éparpillement des structures multilatérales révèle aussi autre chose : une croissance et une densification des relations (coopératives et/ou conflictuelles) à l'échelle mondiale. Un phénomène qui s'accompagne d'une spécialisation toujours plus poussée au sein de chaque secteur d'activité, mais qui en bouscule progressivement les frontières en faisant émerger des questions contentieuses transsectorielles.

L'émergence de dynamiques contentieuses

Les conflits ouverts entre organisations internationales sont rarement le fait de leurs organes directeurs ou de leur personnel, encore que les inimitiés et les rancœurs ne soient pas absentes : les responsables du secteur éducation à l'Unesco ou du secteur des soins primaires à l'OMS se plaignent ouvertement de la concurrence de la Banque mondiale (du « pillage » de leurs programmes disent-ils). Les experts forestiers de la FAO s'agacent de voir une petite organisation de produit – l'Organisation internationale des bois tropicaux (OIBT) – augmenter son influence dans le système forestier multilatéral. La CNUCED conteste à la Banque mondiale son quasi-monopole sur les études relatives aux pays en développement. Pour l'ensemble des institutions de l'ONU, les organisations de Bretton Woods et l'OMC sont des partenaires obligés et toujours critiqués. Leur état d'esprit est bien résumé dans ces propos du directeur général de l'OIT : « On a vécu dans un monde où les règles financières et commerciales fixaient le cadre général. On doit aujourd'hui rééquilibrer le système. Les normes financières doivent être des instruments, alors que les normes sociales et environnementales sont des objectifs de société » (Juan Somavia, *Le Monde*, 28 mai 2010).

Mais les dynamiques contentieuses sont portées d'abord par les acteurs internationaux, les ONG, le secteur privé, les gouvernements. Chacun cherche à valoriser l'organisation où ses intérêts peuvent le mieux s'exprimer et, si possible, affaiblir les autres. L'offensive pour la création d'une Organisation mondiale de l'environnement qui ferait jeu égal avec l'OMC est éclairante à cet égard. Elle est portée par les ONG, le milieu de la recherche, et quelques États dont la France.

L'OMC est accusée de favoriser l'extension de la sphère marchande à toutes les activités humaines : la santé, la culture, l'éducation, la biodiversité ; d'entretenir une contradiction entre les règles commerciales internationales et le respect des normes sociales et environnementales ; d'assurer la suprématie du commerce international sur toutes les autres considérations par son Organe de règlement des différends[1]. Dans les propositions

1. Le bilan n'est peut-être pas aussi sombre. Pour un contre-exemple fameux, on rappellera l'affaire « crevettes-tortues » (1998) dans laquelle l'OMC a reconnu que les États ont le droit de prendre des mesures commerciales pour protéger leur environnement et qu'il ne revient pas à l'OMC de leur « accorder » ce droit. Jusqu'à aujourd'hui, aucun AME n'a été directement mis en cause par l'OMC. En revanche, l'enjeu global du changement climatique pourrait provoquer des tensions si certains États (développés) adoptent des mesures contre le réchauffement climatique (taxation des importations de produits à haute intensité de carbone, par exemple) que d'autres (en développement) risquent de percevoir comme une forme déguisée de protectionnisme ou comme une mesure inéquitable compte tenu de la responsabilité historique des pays développés dans le réchauffement climatique [Fickling, Hufbauer, 2012].

avancées pour la création d'une Organisation mondiale de l'environnement, le but n'est pas seulement de réduire le désordre institutionnel de la gouvernance internationale de l'environnement mais d'établir une institution qui jouirait d'une autorité comparable à celle de l'OMC et serait dotée d'un organe de règlement des différends aussi performant que l'ORD afin d'assurer l'application des normes sociales et environnementales et trancher les conflits éventuels entre ces normes et celles de l'OMC. Soutenue par la France depuis 2003, cette position a été réaffirmée par le président de la République française à l'OIT (15 juin 2009) puis devant l'Assemblée générale des Nations unies (23 septembre 2009), en des termes que ne démentirait pas le plus fervent des altermondialistes :

« Nous devons créer une Organisation mondiale de l'environnement... Nous ne pouvons pas laisser le droit du commerce imposer seul sa loi. Je crois au libre-échange mais il y a des normes fondamentales qui existent, nous sommes membres de l'Organisation mondiale de la santé, à quel titre et de quel droit bafouons-nous le droit à la santé de ceux qui n'ont rien ? Nous sommes membres de l'Organisation internationale du travail qui a défini huit normes fondamentales du travail, pourquoi accepter que ces normes soient bafouées ? Le droit à la santé, le droit à un minimum de respect de la question sociale, le droit de la protection de la planète comptent autant que le droit du commerce, il n'y a pas un de ces droits qui est supérieur aux autres »

En réponse à cette offensive, l'OMC poursuit une campagne habile d'éducation et de séduction. Elle explique qu'il n'y a pas de hiérarchie entre ses normes et celles qui ont été élaborées dans d'autres enceintes : « les normes de l'OMC ne l'emportent pas sur d'autres normes internationales ni ne les éclipsent » (Pascal Lamy devant la Société européenne de droit international, 19 mai 2006) et elle rappelle que le mandat de Doha relatif aux AME a pour but de réaffirmer l'importance de l'interaction entre politiques commerciales et politiques environnementales. Parallèlement, l'OMC renforce sa politique de coopération « pragmatique » avec les autres organisations internationales et les AME : accord de coopération avec le secrétariat du PNUE, relations de travail avec près de 200 organisations internationales, octroi du statut d'observateur à certaines OI et quelques AME, et surtout, politique de présence auprès des secrétariats des AME sous forme d'ateliers d'assistance technique. En bref, l'OMC serait loin de jouer le rôle hégémonique qu'on lui prête et on lui ferait un mauvais procès.

Quelle que soit la position adoptée dans ce débat, il n'est pas sûr que le règlement des difficultés passe par la création de nouvelles organisations, dans la mesure où les différends relèvent déjà de plusieurs compétences. C'est en effet la nature transsectorielle qui fait l'originalité des situations contentieuses aujourd'hui : les standards alimentaires du *Codex Alimentarius* sur lesquels se fonde l'OMC doivent-ils primer sur la sécurité alimentaire telle que la conçoit l'Union européenne (affaire du bœuf aux hormones entre les États-Unis et l'UE) ? Les normes sociales édictées par l'OIT doivent-elles être exigées dans les accords commerciaux (débat sur la « clause sociale ») ? La production ou l'importation de médicaments génériques au profit des populations pauvres menace-t-elle les intérêts de l'industrie pharmaceutique ou les droits de propriété intellectuelle (OMS, OMC, OMPI) ? Les remèdes apportés à la crise financière doivent-ils s'attacher aussi à la relance de l'emploi (FMI, OIT) ? La promotion de l'énergie nucléaire civile est-elle compatible avec les exigences de la santé publique mondiale (AIEA, OMS)[1] ? Les biocarburants mettent-ils en péril la sécurité alimentaire (AIE, FAO) ? L'essor de l'élevage est-il préjudiciable à l'environnement ? La déforestation accélère-t-elle la propagation du paludisme ? Le réchauffement climatique risque-t-il d'entraîner des migrations massives de populations ? Etc.

Bien entendu, ces questions ne révèlent pas seulement des querelles de compétences. Cet aspect fonctionnel est secondaire. Elles soulèvent surtout des débats qui exigent des choix politiques et requièrent de se prononcer sur une hiérarchie de préférences collectives. On pourrait imaginer des dispositifs de mutualisation des contentieux. Des organes de règlement des différends ou des juridictions seraient établis par domaines d'activité avec des mécanismes de question préjudicielle permettant de surseoir à statuer afin d'éviter les contrariétés de décision et construire ainsi la jurisprudence d'un « droit commun » (Mireille Delmas-Marty). Mais l'édifice supposerait des décisions politiques dont nous sommes très loin (sauf peut-être à l'échelle de l'Union européenne). Les dynamiques contentieuses entre les organisations internationales apparaissent donc paradoxales. D'un côté, elles témoignent du resserrement du monde, de la multiplication des risques systémiques et d'un état relativement avancé de l'intégration internationale. Mais de l'autre, elles mettent en évidence le peu de conscience que nous avons de cette intégration, le désordre des réponses apportées et le poids des divisions qui menacent à tout moment les timides avancées.

Des principes contestés

Parmi les multiples objets de débats et de contestation que suscitent les organisations internationales dans leurs tâches de régulation (représen-

1. Le débat a récemment rebondi à propos de l'accord du 28 mai 1959 entre l'AIEA et l'OMS qui règle la coopération entre les deux organisations et que les adversaires du nucléaire dénoncent comme une soumission de l'OMS à l'AIEA.

tativité insuffisante, efficacité limitée, légitimité discutable, etc.), deux questions plus générales cristallisent des tensions contradictoires : l'universalité et la réciprocité. Chacune, à sa manière, illustre les difficultés à bâtir ce qui pourrait ressembler à une « communauté internationale ». Ensemble, elles résument les limites de la construction actuelle. D'une part, l'universalité met au défi les organisations à vocation mondiale de produire et d'appliquer ce qu'elles prétendent incarner : une conception commune à tous de l'ordre du monde. D'autre part, la réciprocité rappelle que l'entreprise sera d'autant mieux acceptée (et par conséquent, *a priori*, plus robuste) si elle repose sur une base d'égalité. Le premier principe pousse à l'unification et le second repose sur la différenciation. La contradiction n'est pas insurmontable, mais la compatibilité soulève de nombreuses résistances.

L'universalité défiée

L'apparition des premières OI repose à la fois sur une logique d'inclusion et d'exclusion. Qu'il s'agisse du Concert européen et des unions administratives internationales, la concertation « internationale » organisée est une affaire européenne. En construisant les fondements d'un système de relations organisées, les États européens auto-instituent une « famille des nations » à laquelle ne peuvent accéder que les « nations civilisées ». Celles-ci sont d'abord pensées à travers leur commune appartenance à la communauté des « nations chrétiennes ». Mais à mesure que se multiplient les contacts économiques et politiques avec les pays non européens (expansion économique en direction de l'Asie, colonisation), la notion de « civilisation » se laïcise et finit par se confondre avec les intérêts et les règles de fonctionnement des États libéraux européens. Les juristes européens hésitent sur son contenu précis [Gong, 1984, p. 24-53]. La simple appartenance à une organisation internationale ne suffit pas à conférer un statut « civilisé ». Le respect du droit et des obligations de la « société internationale » semble plus déterminant. Quoi qu'il en soit, à la fin du XIXe siècle, alors que les OI affichent leur vocation mondiale (télégraphe, poste, santé, etc.), le standard de la « civilisation », qui n'est autre que celui de la civilisation européenne, acquiert la portée d'une exigence universelle. Outre l'expansion politique, économique et militaire des pays européens, l'inclusion du Japon et des États-Unis dans le cercle de la coopération des États européens aura également facilité l'imposition de cette première universalisation, synonyme d'occidentalisation [Postel-Vinay, 2004].

Ce critère des « nations civilisées » est au principe des deux conférences internationales de la Paix de La Haye en 1899 et 1907. Le cercle européen s'élargit aux États-Unis, à plusieurs républiques latino-américaines (surtout en 1907 : 17 États dont le Brésil, le Mexique, l'Argentine, le Chili ou le Venezuela) et à quelques pays asiatiques (Chine, Japon, Empire ottoman, Perse, Siam, notamment). Aucun royaume ni « souveraineté africaine » (en pleine invasion coloniale) ne furent invités. Tous les participants célèbrent « les exigences toujours progressives de la civilisation » et les nombreuses conventions adoptées (relatives aux « lois de la guerre ») se placent sous « l'empire du principe du droit des gens tels qu'ils résultent des usages établis entre nations civilisées ». Mais pour les pays non occidentaux, il s'agit clairement d'une soumission aux règles du jeu fixées, en premier lieu, par les Européens : respect des droits personnels (liberté, propriété, sûreté), de la liberté du commerce et du prosélytisme religieux, de la forme étatique de l'organisation politique, du droit des gens et du droit diplomatique, notamment [Gong, 1984, p. 14-15].

À première vue, la guerre de 1914-1918 ébranle cette hiérarchie. Les invitations lancées pour la Conférence de la paix de Paris, en 1919, s'adressent à tous les pays qui se sont rangés aux côtés des Alliés (c'est à ce titre que le Liberia ou le Siam sont invités). La logique des alliances pendant la guerre a primé sur la référence explicite à un standard de « civilisation ». De manière significative, le pacte de la SDN ne mentionne plus les « nations civilisées », mais les « peuples organisés ». Désormais, c'est la forme étatique (territoire, population et gouvernement) qui fait office de critère « civilisé » pour être admis à la première organisation universelle. Le modèle de l'universalité demeure défini et contrôlé par les Occidentaux. Le refus d'insérer une « clause d'égalité raciale » dans le pacte de la SDN en constitue une illustration fameuse[1].

Il reste encore aujourd'hui une trace de cette logique d'exclusion dans l'article 38 du statut de la Cour internationale de justice de l'ONU (hérité de la Cour permanente de justice internationale de la SDN) qui recense parmi les sources de droit applicables par la Cour : « les principes généraux de droit reconnus par les nations civilisées ». On retrouve également une référence aux nations du « monde civilisé » dans la Charte de Philadelphie (1944, v. *supra*, p. 40). Toutefois, au lendemain de la Seconde Guerre mondiale, la référence à la notion de « civilisation » comme

1. La demande avait été formulée par la délégation japonaise (notamment en raison des discriminations subies par l'émigration nippone aux États-Unis et dans l'Empire britannique). La proposition fut adoptée par une majorité relative (Japon, Italie, France, Chine, Brésil, Grèce, notamment), mais ni la Grande-Bretagne, ni les États-Unis ne participèrent au vote. Les dominions britanniques (en particulier l'Australie) s'y opposèrent résolument. En fin de compte, Woodrow Wilson écarta la proposition compte tenu des fortes objections qui s'étaient manifestées au cours des débats. Les Japonais acceptèrent cette décision qui suscita néanmoins de rudes critiques à l'égard du monde dit « civilisé » et une déception lourde de conséquences dans l'évolution du pays entre les deux guerres mondiales [Shimazu, 2009 ; MacMillan, 2006, p. 405-424].

instrument de discrimination internationale a disparu du langage diplomatique. Après l'Holocauste, les crimes de guerre et l'usage de l'arme atomique, « la civilisation » a totalement perdu ses repères tandis que les peuples coloniaux la contestent de plus en plus ouvertement. Avec la création de l'ONU, organisation à vocation mondiale, une nouvelle forme d'universalité émerge : on abandonne la notion discréditée de « civilisation » au profit d'une profession de foi « dans les droits fondamentaux de l'homme, dans la dignité et la valeur de la personne humaine, dans l'égalité des droits des hommes et des femmes, ainsi que des nations, grandes et petites » (préambule de la Charte des Nations unies). La Déclaration *universelle* des droits de l'homme (DUDH), adoptée en 1948, reprend et détaille ce credo qui, compte tenu des rapports des forces, porte nettement la marque de la culture occidentale.

Initialement, cette Déclaration (intitulée « universelle » à la suite d'un amendement du Français René Cassin) tente surtout de réaliser un compromis entre les conceptions occidentales et soviétiques de la liberté, de l'égalité et de la dignité humaine. Préparée par un petit groupe d'experts au sein de la Commission des droits de l'homme de l'ONU (créée en 1946 et majoritairement acquise aux idées occidentales), adoptée par 48 États (et 8 abstentions parmi lesquelles l'Afrique du Sud, l'Arabie Saoudite et l'URSS), accueillie dans un climat de relative indifférence et sans portée juridique précise, rien ne laissait prévoir que la DUDH allait devenir un texte de référence. Pourtant, ce qui peut apparaître, avec le recul, comme un coup de force symbolique, constituera le moment fondateur d'une deuxième universalisation, celle des droits des individus et non plus seulement celle de l'État-nation.

L'ambiguïté n'est pas moindre qu'auparavant. En effet, l'universalité des droits de l'homme promue par l'ONU est indissociable du développement politique et économique des pays occidentaux et celui-ci ne correspond pas nécessairement aux priorités et aux valeurs des autres pays – pour de bonnes ou de mauvaises raisons, ce qui est une autre question. Les résistances n'ont pas manqué et ne manquent toujours pas du côté de ceux qui perçoivent les droits de l'homme comme un instrument occidental d'ingérence et de déstabilisation politique. Néanmoins, « l'acide corrosif de la doctrine des droits de l'homme » [Cassese, 1990, p. 154] n'épargne pas non plus les pays occidentaux qui entendent bien s'en défendre à l'occasion. Contrairement à la première universalisation totalement verrouillée par les États occidentaux, l'universalité des droits des individus possède ainsi une dynamique propre, une certaine autonomie à l'égard des plus puissants, facilitée par le jeu des majorités et encouragée par les bureaucraties des OI et les activistes des ONG qui y trouvent de nouvelles justifications d'agir. En témoigne la très forte production du droit international humanitaire depuis 1945 [Decaux, 2007] et, en particulier, l'adoption de 9 traités onusiens qui sont assortis de procédures de contrôle[1]. La moyenne élevée du nombre d'États parties à ces traités (145) peut se lire comme un indice d'universalité même s'il cache des disparités (50 ratifications pour la Convention sur les disparitions forcées ; 48 ratifications pour la Convention sur les migrants), des absences marquantes (les États-Unis n'ont ratifié ni la Convention sur les droits de l'enfant, ni le Pacte relatif aux droits économiques, sociaux et culturels) et des violations manifestes (s'agissant notamment de la Convention contre la torture) [Sidani, 2014].

La réaffirmation par le Sommet mondial de 2005 du « caractère universel » des droits de l'homme [ONU, 2005, point 13], douze ans après la conférence de Vienne où les Occidentaux en avaient fait leur priorité avec la création d'un haut-commissariat des Nations unies aux droits de l'homme et cinquante-sept ans après la DUDH, peut apparaître comme l'expression d'un consensus assez remarquable. Dans le détail, l'image est beaucoup moins nette. En ajoutant les non-ratifications aux multiples réserves (touchant notamment aux droits civils, à la vie privée ou à l'égalité homme-femme) et aux nombreuses violations dénoncées par les ONG, le consensus semble assez superficiel. Les résultats mitigés des activités de la Commission des droits de l'homme de l'ONU ne démentent pas vraiment cette appréciation. L'existence et l'usage (le plus souvent confidentiel) d'une procédure de plaintes, l'invention de mécanismes d'enquête, la désignation de rapporteurs spéciaux ayant ouvert la voie à des initiatives importantes (lutte contre l'impunité, tribunaux pénaux internationaux) ou le rôle actif des experts indépendants (à travers la sous-commission des droits de l'homme) ne sont pas en cause. Mais l'impulsion a toujours principalement reposé sur le groupe occidental de la Commission. Jouant sur sa cohésion et le soutien de quelques pays non alignés, il a pu contourner les oppositions des Soviétiques et de leurs alliés pendant la Guerre froide quitte à lier de plus en plus explicitement la cause de l'universalité des droits de l'homme à celle de leur indivisibilité afin de satisfaire les revendications des pays du Tiers-monde (autodétermination, égalité raciale, développement économique).

1. *Convention sur l'élimination de toutes les formes de discrimination raciale* (1965), *Pactes* sur les droits économiques, sociaux et culturels, d'une part, et sur les droits civils et politiques, d'autre part (1966), *Convention sur l'élimination de toutes les formes de discrimination à l'égard des femmes* (1979), *Convention contre la torture et autres peines ou traitements cruels, inhumains ou dégradants* (1984), *Convention sur les droits de l'enfant* (1989), *Convention sur la protection des droits de tous les travailleurs migrants et des membres de leur famille* (1990), *Convention internationale pour la protection de toutes les personnes contre les disparitions forcées* (2006), *Convention relative au droit des personnes handicapées* (2006). Toutes ces conventions sont entrées en vigueur.

La fin de la bipolarité a ouvert une période beaucoup plus difficile. Après la célébration de l'universalité des droits de l'homme à la Conférence internationale de Vienne (1993), les pays du Sud se sont montrés de plus en plus critiques à l'idée d'être mis en accusation au nom de principes qu'ils n'estimaient pas être impératifs compte tenu de leurs traditions culturelles et du niveau de leur développement. Plusieurs incidents ont porté atteinte à l'image de la Commission des droits de l'homme (échec de la candidature des États-Unis en 2001 ; élection de la Libye à la présidence de la Commission en 2003) et par là même, selon le Secrétaire général Kofi Annan, à « la réputation » des Nations unies, ce qui justifiait sans doute une réforme. Mais la cause plus profonde du remplacement de la Commission par un « Conseil des droits de l'homme » à la suite de la déclaration du Sommet mondial de 2005 réside dans un mécontentement contradictoire : du côté des pays occidentaux, le sentiment que l'universalité des droits est menacée par un regain de relativisme culturel et de souverainisme ; du côté des pays en développement, la volonté d'en finir avec une approche punitive des droits de l'homme et l'imposition d'une pratique du « deux poids, deux mesures ».

Le nouveau Conseil des droits de l'homme résulte donc d'un compromis incertain[1]. Regrettant par la voix de son représentant, John Bolton, l'absence de mécanismes suffisamment contraignants et refusant de se satisfaire d'un « à-peu-près », l'administration Bush boycottera la nouvelle instance. Le président Obama préférera jouer le jeu de la nouvelle institution et les États-Unis se présenteront avec succès à l'élection au Conseil en mai 2009.

D'une manière générale, les Occidentaux (avec une forte implication des pays de l'Union européenne dans les négociations) ont obtenu le maintien des procédures spéciales (thématiques et par pays) qu'ils jugeaient essentielles comme mécanisme d'alerte pour identifier des violations graves de droits de l'homme dans certains pays. Ont été aussi acquis le principe de sessions échelonnées toute l'année (contre six semaines par an, au printemps, pour la Commission) et la possibilité de recourir plus facilement aux sessions extraordinaires. Il a été également entendu que les membres du Conseil (47) seraient élus pour trois ans par l'Assemblée générale (et non plus par l'Ecosoc) en considération de leur concours apporté à la cause des droits de l'homme mais selon « une répartition géographique équitable »[2]. Ces quelques succès n'effacent pourtant pas l'impression que le groupe des pays occidentaux se trouvait

1. Adopté par l'Assemblée générale de l'ONU, le 15 mars 2006, par 170 voix contre 4 (États-Unis, îles Marshall, Israël, Palaos) et 3 abstentions (Belarus, Iran, Venezuela).

2. Afrique (13 sièges), Asie-Pacifique (13), Amérique latine-Caraïbes (8), Europe occidentale et autres États (7), Europe orientale (6).

plutôt dans une position défensive. Les pays non occidentaux avec le renfort occasionnel de la Russie sont ainsi parvenus à encadrer les procédures spéciales par un « code de conduite » (dont ni les pays occidentaux ni les ONG ne voyaient la nécessité) enjoignant les rapporteurs à préparer leur visite avec l'État concerné, à favoriser le dialogue avec les autorités et à leur permettre de commenter en priorité les évaluations de la mission sans qu'à aucun moment les obligations de coopération des États visités ne soient précisées. La même orientation restrictive a présidé à la transformation de la sous-commission des droits de l'homme en un « comité consultatif » de 18 experts, principalement cantonné à des études thématiques. Les pays du Sud ont également obtenu que l'élection des membres du Conseil par l'Assemblée générale se déroule à la majorité simple et non à la majorité plus sélective des deux tiers comme le souhaitaient les Occidentaux. Plus généralement, la principale innovation de la réforme – le mécanisme intitulé « examen périodique universel » – reflète l'approche consensuelle de la protection des droits de l'homme défendue par les pays en développement. En d'autres termes, il s'agit pour le Conseil des droits de l'homme d'examiner périodiquement la situation des droits de l'homme de *tous* les membres de l'ONU à travers un *dialogue* avec l'État concerné débouchant sur des recommandations et non sur des sanctions. Plusieurs dispositions de la procédure retenue (rapport du haut-commissariat aux droits de l'homme n'excédant pas dix pages, examen réalisé par l'ensemble du Conseil au cours de sessions limitées à trois heures, prise en compte du niveau de développement des pays examinés, recherche du consensus) laissent sceptique sur l'efficacité d'un mécanisme purement coopératif vis-à-vis d'États récalcitrants. Mais l'approche punitive n'a pas nécessairement donné de meilleurs résultats et le système peut évoluer, notamment grâce au travail d'interpellation des ONG (voir, par exemple, le site internet « Votescount » animé par *Human Rights Watch*). Quoi qu'il en soit, il ne semble pas que les tenants (occidentaux) d'une conception plus contraignante aient pu l'emporter face aux pays en développement, clairement majoritaires. Les pays de l'Union européenne ont d'abord cherché à éviter l'échec des négociations [Vandeville, 2008]. Aux yeux des Occidentaux, l'enjeu est, en effet, considérable. À travers la question des droits de l'homme, c'est bien celle de l'universalité de l'ordre international à construire qui se pose. De ce point de vue, les tractations sur la réforme du Conseil des droits de l'homme ont été si laborieuses que « l'on pourrait presque parler de deux Nations unies » [Zifcak, 2009, p. 185], chacune avec ses discours (sur l'universalité, sur l'identité), avec ses priorités (les droits de l'homme, le droit au développement) et avec ce que l'autre perçoit comme une hypocrisie (le soutien d'Israël en violation des droits des Palestiniens, la défense de la non-ingérence au mépris des droits de l'homme).

Le régionalisme n'est ici d'aucun secours. Les mécanismes de protection régionale des droits de l'homme reproduisent et redoublent les différences internationales : dispositifs avancés en Europe et en Amérique latine (Cour européenne des droits de l'homme, Cour interaméricaine des droits de l'homme), balbutiants en Afrique (Cour africaine des droits de l'homme), inexistants en Asie et au Moyen-Orient. En elle-même, la création de nouveaux mécanismes de protection dans les régions non couvertes ne serait pas suffisante pour réduire les divergences. On peut même se demander si à l'instar de la « Charte des droits africains des droits de l'homme et des peuples » (1986) selon laquelle « les traditions et les valeurs de la civilisation africaine [...] doivent inspirer et caractériser [...] la conception des droits de l'homme et des peuples » (préambule), la multiplication d'instruments régionaux ne risquerait pas d'aggraver les tensions en promouvant un relativisme régional des droits de l'homme plutôt qu'un contrôle régional de droits universels.

On a pu penser que le « printemps arabe », qui a bousculé nombre de régimes autoritaires au Maghreb et au Moyen-Orient en 2011, allait rendre les arguments « culturalistes » moins audibles. Mais la succession de crises et de conflits qui s'en est suivie a surtout été l'occasion d'assister à des violations massives des droits de l'homme (Bahreïn, Egypte, Libye, Syrie).

La contestation de l'universalisme de type occidental demeure sérieuse. Elle s'insinue dans de nombreuses activités internationales (de l'action humanitaire à la justice pénale en passant par l'aide au développement) et met le « Nous, peuples des Nations unies » au défi de fonder les organisations internationales sur un nouveau consensus sous peine d'assister à leur paralysie ou à leur balkanisation.

La réciprocité controversée

On repère des références à la réciprocité parmi les documents diplomatiques les plus anciens : aides et soutiens réciproques, échanges de prisonniers, de biens et d'informations réciproques, abstentions de faire réciproques, etc. Cette trace ancienne n'est pas surprenante dans la mesure où la réciprocité n'est pas une pratique parmi d'autres, mais un mécanisme social de portée bien plus fondamentale. Les anthropologues l'ont découvert au cœur des sociétés les plus reculées. Bronislaw Malinowski a été l'un des premiers à l'identifier à l'occasion de ses célèbres études sur le réseau d'échanges entre les habitants des îles de l'archipel des Trobriands en Mélanésie (*Les Argonautes du Pacifique occidental*, 1922). Plus tard, Claude Lévi-Strauss y a vu un « principe » structural qui sous-tend toute vie sociale : un principe qui ne constitue pas une conséquence du social, mais son fondement même (*Les structures élémentaires de la parenté*, 1949). En d'autres termes, la réciprocité ouvre la possibilité de l'échange social (celle du don et du contre-don dans le fameux *Essai sur le don* de Marcel Mauss, 1923, [Ramel, 2015]).

Si l'on suit ces lectures anthropologiques, la réciprocité ne peut pas se confondre à une figure sociale secondaire ou à une règle de circonstance. Elle gouverne les relations d'acteurs qui tiennent à se maintenir dans un strict rapport d'indépendance et d'égalité. La réciprocité est ici plus précise que la simple obtention d'avantages mutuels : il ne suffit pas que chaque partie trouve un avantage à la transaction, il faut que puisse s'établir une comparaison d'avantages équivalents entre ce qu'obtiennent respectivement les divers partenaires. La réciprocité s'accompagne de l'idée d'équilibre ; elle postule l'égalité ou l'équivalence des prestations échangées.

Au plan international, la réciprocité occupe une place centrale. Elle fonctionne comme principe d'ordre, gage de l'égalité des prestations, là où il n'existe pas un système de sanctions organisées : « un ordre spontané de substitution » [Kolb, 2003, p. 309]. La réciprocité est de l'essence des traités qui y font souvent des références explicites et du droit diplomatique qui pérennise l'existence même de « relations » entre les unités politiques (ici les États) en assurant à chaque partie que ses représentants seront traités avec les mêmes droits et obligations. Reconnaître l'autre pour coexister, tel pourrait être l'objectif premier de la réciprocité. Il renvoie à un monde de souverainetés, dominé par des relations bilatérales, dans lequel les parties ne contractent qu'avec le souci de maintenir entre elles une relation d'égalité. Chacune peut toujours s'en dégager, mais en prenant le risque de subir des représailles. En ce sens, la réciprocité apparaît également comme une stratégie robuste de coopération, mais à la condition d'être légèrement plus indulgente que la stratégie « donnant-donnant », c'est-à-dire en décourageant « l'effet d'écho du conflit, tout en fournissant à l'autre joueur une motivation pour ne pas tenter une défection gratuite » [Axelrod, 1992, p. 139]. À défaut, le principe d'ordre se dégrade et la réciprocité ouvre la voie à un processus incontrôlable d'escalade. La réciprocité a donc des effets profondément ambivalents. L'ordre égalitaire qu'elle contribue à maintenir repose sur une conception exclusive des intérêts en présence qui risque à tout moment de servir de prétexte à sa destruction.

À partir du XIXe siècle, pour des raisons déjà évoquées dans ce livre, les organisations internationales offrent une réponse différente à la question de « l'ordre international ». L'équilibre précaire de la réciprocité ne correspond ni aux défis de la première mondialisation, ni aux risques de conflits généralisés. Les OI et leurs défenseurs affichent leur ambition de dépasser les intérêts nationaux pour résoudre ce qu'ils perçoivent comme des problèmes d'intérêt commun. Ici, la construction de l'ordre international repose sur une conception inclusive des intérêts tournée vers la production de biens collectifs.

Tant que le système international demeure principalement un monde de souverainetés, la réciprocité conserve un rôle actif, mais l'invention des OI contribue à le domestiquer voire à le diluer dans une solidarité plus globale. Parfois, les organisations encadrent la réciprocité. Elles l'aménagent selon des modalités diverses : en lui fixant des limites de proportionnalité comme dans le cas de la légitime défense autorisée par le Pacte de la SDN et la Charte de l'ONU (interprétation plusieurs fois confirmée par la Cour internationale de justice), en la généralisant (clause de la nation la plus favorisée ; principe du traitement national : deux clauses prioritaires des accords commerciaux du Gatt à l'OMC) ou en la codifiant à travers des procédures acceptées (ainsi des représailles commerciales autorisées si l'une des parties ne se conforme pas à la décision de l'Organe de règlement des différends de l'OMC). Parfois, les organisations internationales renoncent à la réciprocité. Il peut s'agir de compenser des situations d'inégalités par une forme de justice distributive. Ainsi en va-t-il du principe d'un traitement différentiel des pays en développement consenti par le Gatt sous la pression de la CNUCED dans les années 1960, puis de la clause d'habilitation et de diverses dérogations, selon la nomenclature de l'OMC, autorisant les pays développés à accorder un traitement différencié et plus favorable aux pays en développement, y compris les moins avancés, pour faciliter leur commerce et promouvoir leur développement. Le renoncement à la réciprocité s'inscrit, le cas échéant, dans des accords collectifs de portée plus vaste visant explicitement l'intégration économique et politique des États membres et dont l'Union européenne représente, pour l'instant, la forme la plus avancée. L'abandon de la réciprocité peut reposer également sur l'édiction de règles de droit produites dans le cadre des organisations internationales et qui valent comme obligations à l'égard de tous (le non-recours à la force pour le règlement des différends, le droit international humanitaire des Conventions de Genève ou l'ensemble des conventions internationales relatives aux droits de l'homme). Plus directement encore, l'établissement de juridictions internationales tend à la neutralisation et à la disparition des relations de réciprocité (c'est-à-dire de représailles) à travers la judiciarisation croissante des conflits internationaux.

De manière générale, les organisations internationales et leurs divers dispositifs de coopération ont réduit les zones de réciprocité dans les relations interétatiques. La promotion de « biens collectifs » (la paix, le développement durable, la diversité biologique, etc.) suggère que des concessions communes sont plus avantageuses à long terme qu'un strict calcul d'équivalence à court terme. La réciprocité réelle portant sur des biens concrètement définis, pouvant faire l'objet d'une évaluation objective, semble céder le pas à une réciprocité formelle qui se réalise à travers un échange de biens abstraits, constitués généralement par des promesses. Cette transformation « remet en cause la définition simple de la réciprocité et la dissout dans une proportionnalité plus ou moins vague » [Decaux, 1980, p. 347]. On a parlé de « réciprocité diffuse » [Kehoane, 1986], mais la notion n'est pas entièrement convaincante parce qu'elle suggère que l'échange réciproque pourrait se satisfaire d'une forme incertaine d'avantages mutuels alors que la réciprocité suppose un équilibre entre ce qu'obtiennent respectivement les partenaires. En d'autres termes, rien ne dit que la « réciprocité diffuse » n'est pas une réciprocité tronquée dans laquelle les plus faibles sont invités à se soumettre aux règles des plus puissants : la loyauté se substituerait alors à la réciprocité et au principe d'égalité qui en constitue le fondement [Devin, 2001]. De nombreux pays du Sud s'en émeuvent et réclament de plus en plus fermement, grâce à l'autorité nouvelle des pays émergents, des concessions « réciproques » dans les grandes négociations internationales (commerce, environnement).

Au sein des organisations internationales, ces revendications traduisent le retour de la question de l'égalité et/ou de l'équité dans les relations entre les États membres après l'échec des tentatives de rééquilibrage Nord-Sud au cours des années 1970. De nouvelles formules sont à inventer.

La défense obstinée d'une stricte réciprocité ne paraît guère réaliste lorsque les négociations internationales concernent près de 200 États, portent sur des objets d'intérêt commun et se prolongent sur plusieurs années (négociations climatiques). Elle s'accompagne de crispations souverainistes qui bloquent les compromis possibles et mine le crédit des organisations internationales (négociations commerciales). Par ailleurs, la revanche agressive de la réciprocité est lourde de dangers. En appliquant strictement le principe de réciprocité aux détenus de Guantanamo, c'est-à-dire en les privant de la protection du droit humanitaire international au motif qu'ils ne le respecteraient pas eux-mêmes, l'administration du président G. W. Bush a ouvert une brèche dans le caractère absolu des obligations relatives aux droits de l'homme – contrairement à tout ce qui a été proclamé par les organisations internationales depuis 1945 – et favorisé les risques de représailles et d'escalade [Osiel, 2009]. Les organisations internationales ont été pensées et construites pour atténuer les effets les plus extrêmes de la réciprocité. Si celle-ci devait être utilisée de manière systématique comme une arme entre les mains des États, c'est tout l'édifice des OI qui serait menacé.

Mais la dilution de la réciprocité à travers l'imposition déguisée de standards internationaux n'annoncerait rien de mieux. Si la coopération internationale ne peut s'exprimer que sous la forme d'une solidarité hiérarchique, c'est la contestation qui fragilisera les organisations internationales. Perçues comme la simple reproduction du rapport des puissances plutôt que comme un mouvement tendant à les rapprocher, les OI risquent d'être délégitimées par ceux-là mêmes qui en ont le plus besoin.

De nouvelles pratiques délibératives de la réciprocité sont à inventer. Les négociations internationales sur l'environnement montrent la voie : fonds de soutien aux pays les moins avancés, mécanismes multilatéraux de partage des avantages, procédures de vérification non punitives. À défaut, la réciprocité retrouvera son potentiel agressif et, faute d'un encadrement mutuellement accepté, son cortège de confrontations. Pour les organisations internationales, il y a là une nouvelle menace de paralysie. Le défi demeure considérable qui consiste à dissoudre la réciprocité dans l'égalité multilatérale.

Conclusion

DEPUIS LE DÉBUT DU XIXe SIÈCLE, les organisations internationales ont beaucoup changé. La croissance de leur nombre occulte parfois des transformations beaucoup plus spectaculaires si l'on veut bien les réinscrire dans la durée : l'extension de leurs domaines de compétence, l'augmentation de leur production normative, la diversification de leurs capacités opérationnelles. Il est toujours loisible de railler leurs performances insuffisantes, mais insuffisantes par rapport à quoi ? Les OI ne constituent pas un gouvernement mondial, mais un mouvement commencé il y a près de deux siècles pour coordonner les intérêts des acteurs qui parviennent à se faire entendre au plan international : un cercle d'acteurs intéressés et hiérarchisés qui n'a cessé de s'élargir au-delà des seules puissances occidentales pour englober le monde des États et toucher de plus en plus massivement les sociétés. Les OI reflètent et accompagnent ce vaste mouvement d'intégration internationale débuté avec la première mondialisation. Elles doivent être pensées en quelque sorte comme ce mouvement lui-même avec ses avancées et ses reculs. De ce point de vue, il n'y a pas à choisir entre une vision désenchantée par les ruses de la puissance et une vision exaltée par les vertus de la coopération. Le citoyen peut avoir ses préférences – et elles comptent au moment de l'action –, mais les deux conceptions sont à l'œuvre dans ce qui fait le monde des OI, c'est-à-dire notre monde, pénétré d'idées et de puissance, d'attentes et de calculs, de fonctions et d'usages.

L'appel aux réformes des OI est un exercice habituel. Les experts ne manquent pas de propositions pour mieux « adapter » les organisations aux « réalités nouvelles », renforcer le triangle de la fonctionnalité (représentativité, légitimité, efficacité), professionnaliser les bureaucraties ou repenser la participation des sociétés dans des formes de plus en plus complexes de « gouvernance multi-acteurs ». Mais là encore, sans réduire l'importance des choix effectués, le principe même de la réforme est aussi inévitable que le mouvement qui transforme les relations entre les États, entre les sociétés et entre les individus au plan régional et mondial. Qu'il s'agisse de l'interaction, de l'interdépendance ou du resserrement des relations politiques, économiques et sociales internationales, les organisations internationales construisent, sous nos yeux, une image du « nous » à l'échelle planétaire. Nous n'en avons qu'une conscience très vague. Mais sous la double action d'une logique de différenciation des fonctions et d'une globalisation des responsabilités, les organisations internationales ont profondément modifié la façon dont nous pensons et dont nous pratiquons le monde. Comme le souligne Norbert Elias à propos de l'évolution de nos sentiments d'appartenance vis-à-vis des organisations pré-étatiques et des États : « L'image du nous a changé ; elle peut donc changer encore » [Elias, 1991 c, p. 296].

Les formes du changement ne sont pas déterminées. L'histoire des OI a montré que le mouvement pouvait être ralenti, chaotique, voire interrompu par de graves conflits mondiaux. Hormis le cas, discuté, de l'Union européenne, l'habitus social axé sur une organisation internationale (y compris l'ONU) est encore à peine perceptible. Pour que les contraintes de l'attachement se renforcent, il faudrait que les OI, ou tout du moins certaines d'entre elles, deviennent garantes du non-recours à la force et de la solidarité au plan international. Cet horizon n'est à la portée d'aucune réforme particulière à court terme. En revanche, il pourrait bien s'inscrire dans la dynamique organisationnelle enclenchée il y a moins de deux siècles, pour répondre successivement à l'industrialisation, à l'intensification des échanges et aux menaces de destruction de l'humanité par elle-même. Si cette orientation encore récente, fragile et toujours réversible, devait se confirmer, elle s'apparenterait à un lent processus de civilisation des relations internationales dont l'état changeant des organisations internationales serait à la fois un révélateur et un moteur.

Les OI ne se réduisent donc pas à des appareils. Leur étude ne peut pas se contenter d'examiner si, à l'instar de machines, les dispositifs établis « marchent » ou « ne marchent pas ». C'est le mouvement qu'il faut saisir.

Bibliographie

(Les ouvrages généraux et les lectures indispensables figurent en caractères gras)

ADDA Jacques, SMOUTS Marie-Claude, 1989, *La France face au Sud*, Karthala, Paris.

ALBARET Mélanie, 2014, *Puissances moyennes dans le jeu international : le Brésil et le Mexique aux Nations unies*, Presses de Sciences Po (collection Relations internationales), Paris.

ALBARET Mélanie et al., dir., 2012, *Les grandes résolutions du Conseil de sécurité des Nations unies, Dalloz,* Paris.

ALBARET Mélanie, 2007, « Les formes régionales du multilatéralisme : entre incertitudes conceptuelles et pratiques ambiguës » *in* BADIE Bertrand, DEVIN Guillaume, dir., *Le Multilatéralisme. Nouvelles formes de l'action internationale*, Éditions La Découverte, Paris, p. 41-56.

ALTERNATIVES SUD, 2007, *Coalitions d'États au Sud. Retour de l'esprit de Bandung*, 14 (3), Syllepse, Paris.

AMBROSETTI David, 2009, *Normes et rivalités diplomatiques à l'ONU*, P.I.E. Peter Lang, Bruxelles.

ANNAN Kofi, 2005, « Dans une liberté plus grande », Rapport du secrétaire général à l'Assemblée générale des Nations unies (A/59/2005), www.un.org/frencch/reform/

ARCHER Clive, 2015, *International Organizations,* Routledge, London.

ASHWORTH Lucian M., 1999, *Creating International Studies. Angell, Mitrany and the Liberal Tradition*, Ashgate, Aldershot.

AUTESSERRE Séverine, 2014, *Peaceland : conflict resolution and the everyday politics of international intervention*, Cambridge University Press, New York.

AUBIN Louise, 2009, « La sécurité humaine et le Haut Commissariat des Nations unies pour les réfugiés », *in* DEVIN Guillaume, dir., *Faire la paix. La part des institutions internationales*, Presses de Sciences Po, Paris, p. 149-171.

AXELROD Robert, 1992, *Donnant, donnant : une théorie du comportement coopératif*, Odile Jacob, Paris.

AYKUT Stefan, DAHAN Amy, 2015, *Gouverner le climat ?*, Presses de Sciences Po, Paris.

AZAR Rosalie, 2009, « La Commission de consolidation de la paix : un premier bilan », *in* : DEVIN Guillaume, dir., *Faire la paix. La part des institutions internationales*, Presses de Sciences Po, Paris, p. 135-148.

BADIE Bertrand, 2011, *La Diplomatie de connivence. Les dérives oligarchiques du système international*, Éditions La Découverte, Paris.

BADIE Bertrand, BRAUMAN Rony, DECAUX Emmanuel, DEVIN Guillaume, WIHTOL DE WENDEN Catherine, 2008, *Pour un autre regard sur les migrations. Construire une gouvernance mondiale*, Éditions La Découverte, Paris.

BADIE Bertrand, 2007, *Le Diplomate et l'intrus : l'entrée des sociétés dans l'arène internationale*, Fayard, Paris.

BADIE Bertrand, DEVIN Guillaume, dir., 2007, *Le Multilatéralisme. Nouvelles formes de l'action internationale*, Éditions La Découverte, Paris.

BAIROCH Paul, 1995, « L'impact du protectionnisme fut-il toujours négatif ? », *in* : BAIROCH Paul, *Mythes et paradoxes de l'histoire économique*, Éditions La Découverte, Paris.

BALZACQ Thierry, 2015, *Théories de la sécurité*, Presses de Sciences Po, Paris.

BARNETT Michael N., FINNEMORE Martha, 2004, *Rules for the World : International Organizations in Global Politics*, Cornell University Press, Ithaca.

BATTISTELLA Dario, 2009, *Théories des relations internationales*, Presses de Sciences Po, Paris.

BAUER Steffen *et alii*, 2009, "Understanding International Bureaucracies : Taking Stock", *in* BIERMANN Frank, SIEBENHÜNER Bernd, éd., *Managers of Global Change. The Influence of International Environmental Bureaucracies*, The MIT Press, Cambridge (Mass.), London, p. 15-36.

BEESON Mark, 2009, *Institutions of the Asia-Pacific*, Routledge, London and New York.

BEHAR Abraham, 2009, « La lutte contre la prolifération nucléaire. Le rôle de l'AIEA », *in* DEVIN Guillaume, dir., *Faire la paix. La part des institutions internationales*, Presses de Sciences Po, Paris, p. 79-100.

BELLOT Jean-Marc, CHÂTAIGNER Jean-Marc, 2009, « Réduire la pauvreté et les inégalités ? À quoi sert le PNUD ? », *in* DEVIN Guillaume, dir., *Ibid.*, p. 199-239.

BERG Eugène, 1980, *Non-alignement et nouvel ordre mondial*, Presses Universitaires de France, Paris.

BERTRAND Maurice, DONINI Antonio, 2015, *L'ONU*, Éditions La Découverte, Paris.

BIERMANN Frank SIEBENHÜNER Bernd, SCHREYÖGG Anna, éd., 2009, *International Organizations in Global Environmental Governance*, Routledge, Londres et New York.

BIERMANN Frank, SIEBENHÜNER Bernd, éd., 2009, *Managers of Global Change. The Influence of International Environmental Bureaucracies*, The MIT Press, Cambridge (Mass.), London.

BOUTROS-GHALI Boutros, 1992, « Agenda pour la paix », *Études internationales* (Tunis), 44 (octobre), p. 1-31.

BRAUD Philippe, 2008, *Sociologie politique*, LGDJ, Paris.

BRAVEBOY-WAGNER Jacqueline, 2009, *Institutions of the Global South*, Routledge, London and New York.

BULL Hedley, 1977, *The Anarchical Society*, The Macmillan Press, London.

BURTON John W., 1972, *World society*, Cambridge University Press, Cambridge.

BUZAN Barry, 1991, 2e éd., *People, States and Fear. An Agenda for International Security Studies in the Post-Cold War Era*, Harvester Wheatsheaf, Hemel Hempstead.

BUZAN Barry, HANSEN Lene, 2009, *The Evolution of International Studies*, Cambridge University Press, Cambridge.

CARROLL Michael K., *Pearson's Peacekeepers, Canada and the United Nations Emergency Force, 1956-1957*, 2009, UBC Press, Vancouver-Toronto.

CASSESE Antonio, 1990, *Violence et droit dans un monde divisé*, Presses universitaires de France, Paris.

CENTER Seth A., 2009, "The United Nations Department of Public Information : Intractable Dilemmas and Fundamental Contradictions", *in* SRIRAMESH Krishnamurthy, et VERCIC Dejan, ed., *The Global Public Relations Handbook : Theory, Research and Practice*, Routledge, New York, p. 886-906.

CHÂTAIGNER Jean-Marc, MAGRO Hervé, dir., 2007, *États et sociétés fragiles : entre conflits, reconstruction et développement,* Khartala, Paris.

Chavagneux Christian, 2010, « La finance est-elle sous contrôle ? », *La crise,* Alternatives économiques hors série Poche, n° 43 bis, p. 155-163.

Chowdhury Iftekhar Ahmed, 2010, "The Global Governance Group ("3G") and Singaporean Leadership. Can Small Be Significant ?", *ISAS Working Paper,* n° 108, www.isas.nus.edu.sg

Christoffersen Leif E. *et alii,* 2007, *Report of the Independent External Evaluation of the Food and Agricultural Organization of the United Nations,* ftp ://ftp.fao.org/docrep/fao/meeting/012/K0827e02.pdf

CISSE (Commission internationale de l'intervention et de la souveraineté des États), *La Responsabilité de protéger,* http://www.iciss.ca/pdf/Rapport-de-la-Commission.pdf

Claude Inis L., 1967, "Collective Legitimization as a Political Function of the United Nations", *in : The Changing United Nations,* Random House, New York, p. 73-103.

Coicaud Jean-Marc, 2007, « La Fonction publique internationale en question », *Les Carnets du CAP,* numéro 5, Ministère des Affaires étrangères, Paris, p. 43-73.

Commission européenne, 2015, *Chiffres clés des membres du Personnel,* http://ec.europa.eu/civil_service/docs/key_figures_2015_en. pdf

Commission on global governance, 1995, *Our Global Neighbourhood : the report of the Commission on Global Governance,* Oxford University Press, Oxford.

Commission sur la sécurité humaine, 2003, *La Sécurité humaine maintenant,* Presses de Sciences po, Paris.

Compagnon Daniel, « L'environnement dans les RI », 2013, *in* : BALZACQ Thierry, RAMEL Frédéric, dir., *Traité de relations internationales,* Presses de Sciences Po, Paris, p. 1019-1052.

Constantin François, dir., 2002, *Les Biens publics mondiaux. Un mythe légitimateur pour l'action collective,* L'Harmattan, Paris.

Cooper Andrew F., 2010, "The G20 as an improvised crisis committee and/or a contested 'steering committee' for the world", *International Affairs,* 86 (3), p. 741-757.

Cornia Giovanni A., Jolly Richard and Stewart Frances., ed., 1987, 1988, *Adjustment with a human face,* vol. 1, *Protecting the vulnerable and promoting growth* et vol. 2, *Ten countries cases,* Clarendon Press, Oxford.

Corten Olivier, 2008, *Le Droit contre la guerre. L'interdiction du recours à la force dans le droit international contemporain,* Éditions A. Pédone, Paris.

Cortright David, Lopez George A., gerber-stellingwerf Linda, 2008, "The sanction era : themes and trends in UN Security Council sanctions since 1990", *in* Lowe Alan Vaughan, Roberts Adam, Welsh Jennifer, *The United Nations Security Council and war : the evolution of thought and practice since 1945,* Oxford University Press, Oxford, New York, p. 205-225.

Cortright David, Lopez George A., 2004, "Reforming sanctions", *in* : Malone David M., ed. *The UN Security Council. From the Cold War to the 21st Century,* Lynne Rienner Publishers, Boulder, London, p. 167-179.

Cot Jean-Pierre, Pellet Alain, dir., 2005, 3e éd., *La Charte des Nations unies : commentaire article par article,* Économica, Paris.

Courty Guillaume, Devin Guillaume, 2010, *La Construction européenne,* Éditions La Découverte, Paris.

Cox Robert W., Jacobson Harold K., 1973, *The Anatomy of influence : decision making in international organization,* Yale University Press, New Haven (Conn.).

Cox Robert W., 1981, "Social Forces, States and World Orders : Beyond International Theory", *Millenium : Journal of International Studies* 10 (2), p. 126-155.

CROZIER Michel, FRIEDBERG Erhard, 1977, *L'Acteur et le système*, Éditions du Seuil, Paris.

CRUMP Laurien, 2014, *The Warsaw Pact Reconsidered*, London, Routledge.

DAVID Meryll, 2008, « Les stratégies d'influence des États membres sur le processus de recrutement des organisations internationales : le cas de la France », *Revue française d'administration publique*, n° 126, p. 263-277.

DECAUX Emmanuel, 2007, « Le développement de la production normative : vers un "ordre juridique international" ? », *in* BADIE Bertrand, DEVIN Guillaume, dir., *Le Multilatéralisme. Nouvelles formes de l'action internationale*, Éditions La Découverte, Paris, p. 113-128.

DECAUX Emmanuel, 1980, *La Réciprocité en droit international*, LGDJ, Paris.

DEGNI-SEGUI René, 2005, « Article 24. Paragraphes 1 et 2 » *in* COT Jean-Pierre, PELLET Alain, dir., *La Charte des Nations unies : commentaire article par article*, Economica, Paris, p. 879-904.

DEHAUSSY Jacques, 2005, « Articles 108 et 109 », *in* COT Jean-Pierre et PELLET Alain, dir., *Ibid.*, p. 2191-2228.

DEJAMMET Alain, 2012, *L'archipel de la gouvernance mondiale : ONU, G7, G8, G20.....*, Dalloz (collection Les sens du droit), Paris.

DEVIN Guillaume, 2014, *Un seul monde. L'évolution de la coopération internationale*, CNRS Éditions, Paris.

DEVIN Guillaume, 2014, « Paroles de diplomates. Comment les négociations multilatérales changent la diplomatie », *in* : PETITEVILLE Franck et PLACIDI-FROT Delphine, dir., *Négociations internationales*, Presses de Sciences Po, Paris, p. 77-104.

DEVIN Guillaume, 2013, *Sociologie des relations internationales*, Éditions La Découverte, Paris.

DEVIN Guillaume, PLACIDI-FROT, Delphine, « Les évolutions de l'ONU : concurrences et intégration », 2011, *Critique internationale*, 53 (4), p. 21-41.

DEVIN Guillaume, dir., 2009, *Faire la paix. La part des institutions internationales, Presses de Sciences Po, Paris.*

DEVIN Guillaume, 2008 a, « Traditions et mystères de l'interdépendance internationale », *in* MORVAN Pascal, éd., *Droit, politique et littérature. Mélanges en l'honneur du professeur Yves Guchet*, Bruylant, Bruxelles, p. 245-263.

DEVIN Guillaume, 2008 b, « Que reste-t-il du fonctionnalisme international ? Relire David Mitrany (1888-1975) », *Critique internationale*, 38, p. 137-152.

DEVIN Guillaume, 2007, « Le Multilatéralisme est-il fonctionnel ? », *in* BADIE Bertrand, DEVIN Guillaume, dir., *Le Multilatéralisme. Nouvelles formes de l'action internationale*, Éditions La Découverte, Paris, p. 147-165.

DEVIN Guillaume, 2006, « l'ONU : des réformes qui ne font pas une révision », *in* BADIE Bertrand et DIDIOT Béatrice, dir., *L'État du Monde 2007*, Éditions La Découverte, Paris, p. 32-37.

DEVIN Guillaume, 2001, « La loyauté : d'un monde à l'autre » *in* LAROCHE Josepha, dir., *La Loyauté dans les relations internationales*, L'Harmattan, Paris.

DEVIN Guillaume, 1995, « Norbert Elias et l'analyse des relations internationales », *Revue française de science politique*, 45 (2), p. 305-327.

DEVIN Guillaume, 1993, *L'Internationale socialiste : histoire et sociologie du socialisme international*, Presses de la FNSP, Paris.

DE WILDE Jaap, 1991, *Saved from Oblivion : Interdependence Theory in the First Half of the 20th Century*, Dartmouth Publishing Company, Dartmouth.

DI RAZZA Namie, 2010, *L'ONU en Haïti depuis 2004 : ambitions et déconvenues des opérations de paix multidimensionnelles*, L'Harmattan, Paris

DOBSON Hugo, 2007, *The Group of 7/8*, Routledge, London and New York.

DOLAN Julie, ROSENBLOOM David H., ed., 2003, *Representative Bureaucracy :*

Classic Readings and Continuity Controversies, M.E. Sharpe, London and New York.

DOYLE Michael, 1986, "Liberalism and World Politics", *American Political Science Review*, 80 (4), p. 1151-1169.

DUDOUET François-Xavier, 2009, *Le Grand Deal de l'opium. Histoire du marché légal des drogues*, Syllepse, Paris.

DUFAULT Évelyne, 2007, « L'École anglaise : *Via Media* entre ordre et anarchie dans les relations internationales ? » *in* MACLEOD Alex et O'MEARA, *Théories des relations internationales. Contestations et résistances*, CEPES-Athéna Éditions, Montréal, p. 159-179.

DUNCAN Jessica, 2015, *Global Food Security Governance : civil society engagement in the reformed Committee on World Food Security*, Routledge, London and New York.

DURKHEIM Émile, 1998, 5e éd., *De la division du travail social*, Presses Universitaires de France, Paris (1893).

DURKHEIM Émile, 1983, 21e éd., *Les Règles de la méthode sociologique*, Presses Universitaires de France, Paris (1895).

ELIAS Norbert, 1993, « Les pêcheurs dans le maelström » *in* ELIAS Norbert, *Engagement et distanciation*, Fayard, Paris, p. 69-174.

ELIAS Norbert, 1991 a, *Qu'est-ce que la sociologie ?*, Éditions de l'aube, La Tour d'Aigues.

ELIAS Norbert, 1991 b, *Norbert Elias par lui-même*, Fayard, Paris.

ELIAS Norbert, 1991 c, « Les transformations de l'équilibre "nous-je" », *in* ELIAS Norbert, *La Société des individus*, Fayard, Paris, p. 207-301.

ELIAS Norbert, 1975, *La Dynamique de l'Occident*, Calmann-Lévy, Paris.

ELIAS Norbert, 1973, *La Civilisation des mœurs*, Calmann-Lévy, Paris.

FICKLING Meera, HUFBAUER Gary, 2012, « Trade and Environment », *in* : NARLIKAR Amrita, DAUNTON M.J Martin, STERN Robert M., ed., The Oxford handbook on the World Trade Organization, Oxford University Press, New York, p. 719-739.

FAWN Rick, 2013, *International Organizations and Internal Conditionality. Making Norms Matter*, Palgrave Macmillan, Basings toke.

FINNEMORE Martha, 2004, *The purpose of intervention : changing beliefs about the use of force*, Cornell University Press, Ithaca.

FOUILLEUX Ève, 2009, « À propos de crises mondiales... Quel rôle de la FAO dans les débats internationaux sur les politiques agricoles et alimentaires ? », *Revue française de science politique*, 59 (4), p. 757-782.

FRAU-MEIGS Divina, 2004, « Le retour des États-Unis à l'Unesco », *Annuaire français des relations internationales*, vol. 5, p. 860-877.

GERBET Pierre, GHEBALI Victor-Yves, MOUTON Marie-Renée, 1996, *Le Rêve d'un ordre mondial : de la SDN à l'ONU*, Imprimerie nationale, Paris.

GHERARI Habib, 2008, « Organisation mondiale du commerce et accords commerciaux régionaux. Le bilatéralisme conquérant ou le nouveau visage du commerce international », *Revue générale de droit international public*, tome 112, n° 2, p. 255-293.

GESLIN Albane, 2013, « Les agents des organisations internationales », *in* LAGRANGE Evelyne et SOREL Jean-Marc, dir., *Droit des organisations internationales*, LGDJ, Paris, p. 520-557.

GIDDENS Anthony, 1987, *La Constitution de la société*, Presses Universitaires de France, Paris.

GIESEN Klaus-Gerd, 1992, *L'Éthique des relations internationales. Les théories anglo-américaines contemporaines*, Bruylant, Bruxelles.

GIRAUD Pierre-Noël, 2008, *La Mondialisation. Émergences et fragmentations*, Sciences humaines Éditions, Auxerre.

GLENN John, 2008, "Global Governance and the Democratic Deficit : stifling the voice of the South", *Third World Quarterly*, 29 (2), p. 217-238.

Godard Simon, 2011, « Construire le bloc de l'Est par l'économie ? La délicate émergence de la solidarité internationale socialiste au sein du Conseil d'aide économique mutuelle », *Vingtième siècle*, 1/2011, n° 109, p. 45-58.

Goffman Erving, 1973, *La Mise en scène de la vie quotidienne, 1. La présentation de soi*, Les Éditions de Minuit, Paris.

Goldgeier James M., Weber Steven, 2005/2006, "Getting to No. The Limits of Multilateralism", *The National Interest*, n° 82, p. 69-75.

Gong Gerrit W., 1984, *The Standard of Civilization in International Society*, Clarendon Press, Oxford.

Grieco Joseph M., 1988, "Anarchy and the Limits of Cooperation : A Realist Critique of the Newest Liberal Institutionalism", *International Organization*, 42 (3), p. 485-507.

Guieu Jean-Michel, 2008, *Le Rameau et le glaive. Les militants français pour la Société des Nations*, Presses de Sciences Po, Paris.

Guilbaud Auriane, 2015, *Business partners : firmes privées et gouvernance mondiale de la santé*, Presses de Sciences Po (collection Relations internationales), Paris.

Guilbaud Auriane, 2008, *Le Paludisme. La lutte mondiale contre un parasite résistant*, L'Harmattan, Paris.

Haas Peter M., 1997, éd., *Knowledge, Power and International Policy Coordination*, University of South Carolina Press, Columbia, 1997.

Hacking Ian, 2001, *Entre science et réalité. La construction sociale de quoi ?*, Éditions La Découverte, Paris.

Hartmann Florence, 2007, *Paix et châtiments*, Flammarion, Paris.

Hassenteufel Patrick, 2011, *Sociologie politique : l'action publique*, Armand Colin, Paris.

Hatto Ronald, 2015, *Le Maintien de la paix : l'ONU en action*, Paris, Armand Colin.

Hatto Ronald, lemay-hebert Nicolas, 2007, « Le Conseil de sécurité des Nations unies : entre représentativité et efficacité » *in* Badie Bertrand, Devin Guillaume, dir., *Le Multilatéralisme. Nouvelles formes de l'action internationale*, Éditions La Découverte, Paris, p. 129-144.

Hazan Pierre, 2010, *La Paix contre la justice ?*, André Versaille éditeur-GRIP, Bruxelles.

Hermet Guy, 2005, « La gouvernance serait-elle le nom de l'après-démocratie ? L'inlassable quête du pluralisme limité », *in* Hermet Guy, Kazancigil Ali et Prud'homme Jean-François, dir., *La Gouvernance. Un concept et ses applications*, Éditions Karthala, Paris, p. 17-47.

Hibou Béatrice, 2012, *La bureaucratisation du monde à l'ère néo-libérale*, Éditions la Découverte, Paris.

Hulton Susan C., 2004, "Council Working Methods and Procedure", *in* Malone David M., éd., *The UN Security Council. From the Cold War to the 21st Century*, Lynne Rienner Publishers, Boulder, London, p. 237-251.

IRIYE Akira, SAUNIER Pierre-Yves, ed., 2009, *The Palgrave Dictionary of Transnational History*, Palgrave Macmillan, Houndmills.

Ivanova Maria, 2009, "UNEP as anchor organization for the global environment", *in* Biermann Frank, Siebenhüner Bernd et Schreyögg Anna, ed., *International Organizations in Global Governance*, Routledge, Londres et New York, p. 151-173.

Jeangène Vilmer Jean-Baptiste, 2015, *La Responsabilité de protéger*, Presses Universitaires de France, Paris.

Kaiser Wolfram, Schot Johan, 2014, *Writing the rules for Europe : experts, cartels and international organizations*, Houndmills, Basingstoke, Palgrave Macmillan.

Karns Margaret P., Mingst Karen A., 2009, *International Organizations : The Politics and Processes of Global Governance*, Lynne Rienner, Boulder (Col).

Kébabdjian Gérard, 1999, *Les Théories de l'économie politique internationale*, Éditions du Seuil, Paris.

KEOHANE Robert O., NYE Joseph, S., 2001, 3rd édition, *Power and Interdependance*, Longman, New York.

KEOHANE Robert O., 1989, "Neoliberal Institutionalism : A Perspective on World Politics", *in* KEOHANE Robert O., *International Institutions and State Power : Essays in International Relations*, Westview, Boulder (Col).

KEOHANE Robert O., 1984, *After Hegemony : Cooperation and Discord in the World Political Economy*, Princeton University Press, Princeton, NJ.

KEOHANE Robert, 1986, "Reciprocity in International Relations", *International Organization*, 40 (1), p. 1-26.

KISSINGER Henri, 1994, *Diplomatie*, Fayard, Paris.

KLEIN Asmara, LAPORTE Camille, SAIGET Marie, dir., 2015, *Les bonnes pratiques des organisations internationales*, Presses de Sciences Po (collection Relations internationales), Paris.

KLEIN Asmara, 2013, *La « transparence », une norme et ses nouvelles pratiques transnationales : l'exemple de l'Initiative pour la Transparence dans l'Industrie Extractive*, Thèse de science politique, Institut d'Études Politiques de Paris.

KNIGHT Andy, KEATING Tom, 2010, *Global Politics*, Oxford University Press.

KOLB Robert, dir., 2015, *Commentaire sur le Pacte de la Société des Nations*, Éditions Bruylant, Bruxelles.

KOLB Robert, 2003, *Réflexions de philosophie du droit international*, Éditions Bruylant et Éditions de l'Université de Bruxelles, Bruxelles.

KOTT Sandrine, 2011, « Les organisations internationales, terrain d'étude de la globalisation. Jalons pour une approche socio-historique », *Critique internationale*, 52, p. 9-16.

KRASNER Stephen, 1983, éd., *International Regimes*, Cornell University Press, Ithaca.

LAGRANGE Evelyne et SOREL Jean-Marc, 2013, dir., *Droit des organisations internationales*, LGDJ, Paris.

LAGROYE Jacques, FRANÇOIS Bastien, SAWICKI Frédérick, 2012, *Sociologie politique*, Presses de Sciences po, Dalloz, Paris.

LAKA Daniel, 2011, « Internationalisme ou affirmation de la nation ? La coopération intellectuelle transnationale dans l'entre-deux-guerres », *Critique internationale*, 52, p. 51-67.

LARHANT Morgan, 2016, *La crise permanente des finances de l'ONU*, Presses de Sciences Po (Collection relations internationales), Paris.

LASSALLE DE SALINS Maryvonne, 2008, « Les délégués des États dans les processus décisionnels des organisations intergouvernementales : la défense d'une position nationale au sein du Codex Alimentarius », *Revue française d'administration publique*, n° 126, p. 387-406.

LEE Kelley, 2009, *The World Health Organization*, Routledge, London and New York.

LENAIN Patrick, 2011, *Le FMI*, Éditions La Découverte, Paris.

LE PRESTRE Philippe, 2005, *Protection de l'environnement et relations internationales*, Armand Colin, Paris.

LOUIS (Marieke), 2016, *La représentativité : une valeur pratique pour les organisations internationales. Le cas de l'Organisation Internationale du Travail de 1919 à nos jours*, Dalloz (Nouvelle bibliothèque des thèses), Paris.

LUCK Edward C., 1999, *Mixed Messages : American Politics and International Organization, 1919-1999*, Brookings Institution Press, Washington D.C.

LUCK Edward C., 2006, *UN Security Council. Practise and promise*, Routledge, London and New York.

MACLEOD Alex, O'MEARA Dan, dir., 2007, *Théories des relations internationales. Contestations et résistances*, CEPES-Athéna Editions, Montréal.

MACMILLAN Margaret O., 2006, *Les Artisans de la paix : comment Lloyd George, Clemenceau et Wilson ont redessiné la carte du monde*, J.-C. Lattès, Paris.

MCQUAID Ronald W., 2000, "The theory of partnership", *in* OSBORNE Stephen P., ed., *Public-Private Partnerships. Theory and practice in international perspective*, Routledge, London and New York, p. 9-35.

MAERTENS Lucile, 2012, *Le Haut Commissariat des Nations Unies pour les Réfugiés (HCR) face aux catastrophes naturelles : ce que le tsunami de 2004 a changé*, L'Harmattan, Paris.

MAHBUBANI Kishore, 2004, "The Permanent and Elected Council Members", *in* MALONE David M., ed., *The UN Security Council. From the Cold War to the 21*st *Century*, Lynne Rienner Publishers, Boulder, London, p. 253-266.

MAKINDA Samuel M., OKUMU F. Wafula, 2008, *The African Union*, Routledge, London and New York.

MALONE David M., 2004, ed., *The UN Security Council. From the Cold War to the 21*st *Century*, Lynne Rienner Publishers, Boulder, London.

MARTIN Benoît, 2015, « Les quantifications dans l'expertise des OI, le cas de l'UNODC », *in* : KLEIN Asmara, LAPORTE Camille, SAIGET Marie, dir., *Les bonnes pratiques des organisations internationales*, Presses de Sciences Po, Paris, p.131-150.

MATHIASON John, 2009, *Internet Governance. The new frontier of global institutions*, Routledge, London and New York.

MAUREL Chloé, 2015, *Histoire des idées des Nations unies : l'ONU en 20 notions*, L'Harmattan, Paris.

MEARSHEIMER John J., 1994-1995, "The False promise of international institutions", *International Security*, 19 (3), p. 5-49.

MEISLER Stanley, 1995, *United Nations. The first Fifty Years*, Atlantic Monthly Press, New York.

MITRANY David, 1943, *A Working Peace System : An Argument for the Functionnal Development of International Organization*, The Royal Institute of International Affairs, Londres.

MORIN Jean-Frédéric, ORSINI Amandine, *Politique internationale de l'environnement*, 2015, Presses de Sciences Po, Paris.

MÜLLER Birgit, 2012, « Comment Rendre Le Monde Gouvernable Sans Le Gouverner : Les Organisations Internationales Analysées Par Les Anthropologues », *Critique Internationale*, 54, P. 9-18.

MURPHY Craig N., YATES JoAnne, 2009, *The International Organization for Standardization (ISO)*, Routledge, London and New York.

MURPHY Craig N., 1994, *International Organization and Industrial Change : Global Governance since 1850*, Polity Press, Cambridge.

NAY Olivier, PETITEVILLE Franck, « Élements pour une sociologie du changement dans les organisations internationales », 2011, *Critique internationale*, 53 (4), p. 9-20.

NAY Olivier, 2009, "Administrative Reform in International Organizations : The Case of the Joint United Nations Programme on HIV/AIDS", *Questions de Recherche/Research in Question*, Centre d'études et de recherches internationales (CERI), Sciences Po Paris.

NOVOSSELOFF Alexandra, 2015, « Réforme du Conseil de sécurité. Critiques et projets », *Aquilon*, Revue en ligne de l'Association des internationalistes, p. 21-30.

NYE Joseph S., 1971, *Peace in Parts : Integration and Conflict in Regional Organization*, Little, Brown, Boston.

OIF, 2012, *Assurer au quotidien la place du français. Mise en œuvre du Vade-Mecum relatif à l'usage de la langue française dans les organisations internationales*, Éditions Nathan, Paris.

O'MEARA Dan, 2007 a, "Le constructivisme. Sa place, son rôle, sa contribution et ses débats", *in* MACLEOD Alex, O'MEARA Dan, dir., *Théories des relations internationales. Contestations et résistances*, CEPES-Athéna Editions, Montréal, p. 182-206.

O'Meara Dan, 2007 b, « La théorie marxiste et l'analyse des conflits et des relations de pouvoirs mondiaux », *in* MACLEOD Alex, O'Meara Dan, dir., *Ibid.*, p. 133-154.

ONE WORLD TRUST, 2008, *Global Accountability Report*, http://www.oneworldtrust.org/

ONU, AG-CS, 2015, *Rapport du Groupe indépendant de haut niveau chargé d'étudier les opérations de paix des Nations Unies*, A/70/95-S/2015/446.

ONU, AG, (2014), *Rapport du secrétaire général. Composition du Secrétariat général : données démographiques*, A/69/292.

ONU, AG (2012), *Suite donnée au paragraphe 143 sur la sécurité humaine du Document final du Sommet mondial de 2005*, A/RES/66/290

ONU, CS, (2009), *Rapport du secrétaire général sur le développement de la médiation et le renforcement d'appui y relatives*, S/2009/189.

ONU, AG (2006), *Rapport du Groupe de haut niveau sur la cohérence du système des Nations unies*, A/61/583.

ONU, AG, (2005), *Document final du Sommet mondial de 2005*, A/60/L.1.

ONU, AG, (2004), *Rapport du Groupe de personnalités de haut niveau sur les menaces, les défis et le changement*, A/59/565.

Orsini Amandine, 2010, *La Biodiversité sous influence ? Les lobbies industriels face aux politiques internationales d'environnement*, Éditions de l'Université de Bruxelles, Bruxelles.

Osiel Mark, 2009, *The End of Reciprocity. Terror, Torture and the Law of War*, Cambridge University Press, New York.

Paris Roland, 2001, "Human Security. Paradigm Shift or Hot Air ?", *International Security*, 26 (2), p. 87-102.

Paul James A., 2004, "Working with Non-governmental organizations", *in* Malone David M., éd., *The UN Security Council. From the Cold War to the 21*st *Century*, Lynne Rienner Publishers, Boulder, London, p. 373-387.

Peck Richard, 1979, "Socialization of permanent representatives in the United Nations. Some evidence", *International Organization*, 33 (3), p. 365-390.

Petiteville Franck et Placidi-Frot Delphine, 2014, *Négociations internationales*, Presses de Sciences po (Collection RI), Paris.

Petiteville Franck, « Les négociations multilatérales à l'OMC. L'épuisement d'un modèle », *in* : PETITEVILLE Franck et Placidi-Frot Delphine, dir., *Ibid*, p. 345-372.

Petiteville Franck, 2013, « L'analyse et la résolution des conflits », *in* : BALZACQ Thierry, RAMEL Frédéric, dir., *Traité de relations internationales*, Presses de Sciences Po, Paris, p. 531-552.

Petiteville Franck, 2009, *Le Multilatéralisme*, Montchrestien, Paris.

Placidi Delphine, 2007, « La transformation des pratiques diplomatiques nationales », *in* Badie Bertrand, Devin Guillaume, dir., *Le Multilatéralisme. Nouvelles formes de l'action internationale*, Éditions La Découverte, Paris, p. 95-112.

Placidi Delphine, 2008, *Le Multilatéralisme onusien dans les politiques extérieures française et russe depuis 1945. Ressources et contraintes de la coopération internationale*, Thèse de Doctorat en science politique, Institut d'Études Politiques de Paris.

PNUD (Programme des Nations unies pour le développement), 1994, *Human Development Report*, Oxford University Press, New York.

Polanyi Karl, 1983, *La Grande Transformation : aux origines politiques et économiques de notre temps*, Gallimard, Paris.

POSTEL-VINAY Karoline, 2011, *Le G20, laboratoire d'un monde émergent*, Presses de Sciences Po, Paris.

POSTEL-VINAY Karoline, 2005, *L'Occident et sa bonne parole. Nos représentations du monde de l'Europe coloniale à l'Amérique hégémonique*, Flammarion, Paris.

POULIGNY Béatrice, 2004, *Ils nous avaient promis la paix*, Presses de Sciences Po, Paris.

PRASHAD Vijay, 2007, *The darker nations : a people's history of the third world*, New Press, New York, London.

PUTNAM Robert D., 1988, "Diplomacy and domestic politics : the logic of two-level games", *International Organization*, 42 (3), p. 427-460.

RAFFINOT Marc, 2008, *La Dette des tiers-mondes*, Éditions La Découverte, Paris.

RAINELLI Michel, 2012, *L'Organisation mondiale du commerce*, Éditions La Découverte, Paris.

RAMEL Frédéric, 2015, « Au-delà du contrat : penser la réciprocité internationale avec Mauss », *in* : DEVIN Guillaume, dir., *Dix concepts sociologiques en relations internationales*, CNRS Éditions, Paris, p. 176-196.

RAMEL Frédéric, 2012, « Task-Sharing and Peace Operations : the Role of the Organisation internationale de la Francophonie », *International Peacekeeping*, 19, 3, p. 301-315.

REINALDA Bob, ed., 2013, *Routledge Handbook of international Organization*, Routledge, London and New York.

REINALDA Bob, 2009, *Routledge History of International Organizations : from 1815 to the present day*, Routledge, London, New York.

REUS-SMIT Christian, SNIDAL Duncan, ed., 2008, *The Oxford Handbook of International Relations*, Oxford University Press, Oxford.

RICHMOND Oliver P., ed., 2010, *Palgrave advances in peacebuilding : critical development and approaches*, Palgrave Macmillan, Basingstoke, New York.

RICHMOND Oliver P., MACGINTY Roger, 2015, "Where now for the critique of the liberal peace ?", 2015, *Cooperation and Conflict*, 50(2), p. 171-189.

RIPINSKY Sergey, VAN DEN BOSSCHE Peter, 2007, *NGO Involvement in International Organizations. A Legal Analysis*, British Institute of International and Comparative Law, London.

RIST Gilbert, 2002, dir., *Les mots du pouvoir. Sens et non-sens de la rhétorique internationale*, Presses universitaires de France, Paris.

RIST Gilbert, 2007 3e éd., *Le Développement. Histoire d'une croyance occidentale*, Presses de Sciences Po, Paris.

RITTBERGER Volker, ZANGL Bernhard, 2006, *International Organization. Polity, Politics and Policies*, Palgrave Macmillan, Houndmills, New York.

ROBERTS Adam, 2004, "The Use of Force", *in* MALONE David M., ed., *The UN Security Council. From the Cold War to the 21st Century*, Lynne Rienner Publishers, Boulder, London , p. 133-152.

ROCHE Jean-Jacques, 2010, 8e éd., *Théories des relations internationales*, Montchrestien, Paris.

ROUBAUD François, CLING Jean-Pierre, 2010, *La Banque mondiale*, Éditions La Découverte, Paris.

RUGGIE John Gerard, 1998, *Constructing the World Polity. Essays on International Institutionalization*, Routledge, London, New York.

RUGGIE John Gerard, éd., 1993, *Multilateralism Matters : Theory and Praxis of an Institutional Form*, Columbia University Press, New York.

RUSSETT Bruce M., ONEAL John R., 2001, *Triangulating Peace : Democracy, Interdependence and International Organizations*, Norton, New York.

RYFMAN Philippe, 2014, *Les ONG*, Éditions La Découverte, Paris.

SAUVIGNON Édouard, 1978, « Le Fonds international de développement agricole », *Annuaire français de droit international*, 24 (24), p. 660-677.

SCHEMEIL Yves, 2009, "From Mutual Denegation to Mutual Recognition : NGO/IGO Partnership in Trade and Atom", *Cosmopolis* (Tokyo), 3, p. 1-16.

SCHECHTER Michael G., 1999, *Innovation in Multilateralism*, United Nations University Press, Tokyo.

SCHLESINGER Stephen C., 2003, *Act of Creation : the Founding of the United Nations*, Westview, Boulder (Colo.), Oxford.

SCHOLTE Jan Aart, ed., 2011, *Building global democracy ? Civil society and accountable global governance*, Cambridge University Press, Cambridge.

SCHWOK René, 2005, *Théories de l'intégration européenne*, Montchrestien, Paris.

SÉDOUY Jacques-Alain de, 2009, *Le Concert européen. Aux origines de l'Europe 1814-1914*, Fayard, Paris.

SENARCLENS Pierre de, ARIFFIN Yohan, 2010, 6e éd., *La Politique internationale. Théories et enjeux contemporains*, Armand Colin, Paris.

SGARD Jérôme, 2008, « Qu'est-ce qu'un pays émergent ? », *in* : JAFFRELOT Christophe, dir., *L'Enjeu mondial. Les pays émergents*, Presses de Sciences Po, Paris, p. 41-54.

SHAW D. John, 2009, *Global Food and Agricultural Institutions*, Routledge, London and New York.

SHIMAZU Naoko, 2009, *Japan, Race and Equality. The Racial Equality Proposal*, Routledge, London.

SIDANI Soraya, 2014, *Intégration et déviance au sein du système international*, Paris, Presses de Sciences Po (collection « Relations internationales »).

SIROËN Jean-Marc, 2009, "L'OMC face à la crise des négociations multilatérales", *Les Études du CERI*, n° 160, décembre 2009.

SIROEN Jean-Marc, 2007, « L'OMC a-t-elle un avenir ? », *L'Économie politique*, n° 35, juillet 2007, p. 7-17.

SLAUGHTER Anne-Marie, 2004, *A New World Order*, Princeton University Press, Princeton N.J.

SMOUTS Marie-Claude, 2002, « Les biens publics mondiaux : une notion molle pour des causes incertaines », *in* CONSTANTIN François, dir., *Les Biens publics mondiaux. Un mythe légitimateur pour l'action collective*, L'Harmattan, Paris, p. 369-382.

SMOUTS Marie-Claude, 2001, *Forêts tropicales, jungle internationale. Les revers d'une écopolitique mondiale*, Presses de Sciences Po, Paris.

SMOUTS Marie-Claude, 1998 a, « Du bon usage de la gouvernance en relations internationales », *Revue internationales des sciences sociales*, p. 85-94.

SMOUTS Marie-Claude, 1998 b, « La coopération internationale de la coexistence à la gouvernance », *in* SMOUTS Marie-Claude, dir., *Les Nouvelles Relations internationales. Pratiques et théories*, Presses de Sciences Po, Paris, p. 135-160.

SMOUTS Marie-Claude, 1979 a, *La France aux Nations unies : premiers rôles et second rang*, Presses de la Fondation nationale de science politique, Paris.

SMOUTS Marie-Claude, 1979 b, « Les sommets des pays industrialisés », *Annuaire français de droit international*, 25 (25), p. 668-685.

SOUMY Isabelle, 2008, *L'accès des organisations non gouvernementales aux juridictions internationales*, Bruylant, Bruxelles.

STAPLES Amy L.S., 2006, *The Birth of Development : how the World Bank, Food and Agriculture Organization and World Health Organization changed the world 1945-1965*, Kent State University Press, Kent, Ohio.

STEFFEK Jen, HAHN Kristina, eds., *Evaluating transnational NGOs : legitimacy, accountability, representation*, 2010, Palgrave Macmillan, Basingstoke, New York.

STIGLITZ Joseph E., 2006, *Un autre monde. Contre le fanatisme du marché*, Fayard, Paris.

STIGLITZ Joseph E., 2002, *La Grande Désillusion*, Fayard, Paris.

STRANGE Susan, 1983, "Cave ! Hic Dragones. A critique or Regime Analysis" *in* KRASNER Stephen, ed., *International Regimes*, Cornell University Press, Ithaca, p. 337-354.

SZUREK Sandra, 2011, "la composition des juridictions internationales permanentes : l'émergence de nouvelles exigences de qualité et de représentativité », *Annuaire français de droit international*, Vol. LVI, p. 41-78.

TADJBAKHSH Shahrbanou, ANURADHA Chenoy, 2007, *Human Security : Concepts and Implications*, Routledge, London, New York.

TALLBERG Jonas, SOMMERER Thomas, SQUATRITO Theresa and al., 2013, *The opening up of international organizations : transnational access in global governance*, Cambridge University Press, Cambridge.

TARROW Sidney, 2005, *The New Transnational Activism*, Cambridge, Cambridge University Press.

TAVARES Rodrigo, 2010, *Regional Security. The capacity of international organizations*, Routledge, London and New York.

TAYLOR Paul, GROOM Arthur John R., ed., 2000, *The United Nations at the millennium : the principal organs*, Continuum, London, New York.

TAYLOR Paul, GROOM Arthur John R., ed., 1988, *International Institutions at Work*, Pinter, London.

TAYLOR Ian, SMITH Karen, 2007, *United Nations Conference on Trade and Development (UNCTAD)*, Routledge, London and New York.

TENENBAUM Charles, 2007, « Une diplomatie globale : conférences et sommets mondiaux », *in* BADIE Bertrand, DEVIN Guillaume, dir., *Le Multilatéralisme. Nouvelles formes de l'action internationale*, Éditions La Découverte, Paris, p. 75-94.

TILLY Charles, 1992, *Contrainte et capital dans la formation de l'Europe, 990-1990*, Aubier, Paris.

TÖRNQUIST-CHESNIER Marie, 2007, « Le multilatéralisme "par le bas" : l'entrée en jeu d'acteurs non étatiques », *in* : BADIE Bertrand, DEVIN Guillaume, dir., *Le Multilatéralisme. Nouvelles formes de l'action internationale*, Éditions La Découverte, Paris, p. 166-181.

UNEG (Groupe d'évaluation des Nations unies), 2005, *Uneg Norms for Evaluation*, http://www.uneval.org/index.jsp

VANDEVILLE François, 2008, « De la Commission au Conseil des droits de l'homme : histoire d'une négociation à 191 », *Le Banquet*, n° 25, août-septembre, p. 123-136.

VON EINSEIDEL Sebastian, 2014, *Major Recent Trends in Violent Conflicts*, United Nations University, Center for Policy Research, Tokyo.

WALLENSTEEN Peter, JOHANSSON Patrick, 2004, "Security Council Decisions in Perspective", *in* MALONE David M., ed., *The UN Security Council. From the Cold War to the 21st Century*, Lynne Rienner Publishers, Boulder, London, p. 17-33.

WALTZ Kenneth N., 1979 *Theory of International Politics*, Addison-Wesley, Reading (Mass.).

WALTZ Kenneth N., 2000, "Structural realism after the Cold war", *International Security*, 25 (1), p. 5-41.

WEBER Max, 1995, *Economie et Société. 1. Les catégories de la sociologie*, Plon, Paris.

WILLETTS Peter, 2000, "From 'Consultative Arrangements' to 'Partnership' : The Changing Status of NGOs in Diplomacy at the UN", *Global Governance*, 6 (2), p. 191-212.

ZARTMAN I. William, 1995, *Collapsed States : the Disintegration and Restoration of Legitimate Authority*, Rienner, Boulder, Colo.

ZIFCAK Spencer, 2009, *United Nations Reform : Heading North or South ?*, Routledge, London and New York.

Liste des sigles utilisés

(voir également p. 55-56 pour l'ensemble des organisations régionales citées)

ADM : Arme de destruction massive

ADPIC (*Agreement on Trade-Related Aspects of Intellectual Property*) : Accord sur les aspects des droits de propriété intellectuelle qui touchent au commerce

AG : Assemblée générale (de l'ONU)

AID : Association internationale de développement (*IDA : International Association Development*)

AIEA : Agence internationale de l'énergie atomique

AME : Accord multilatéral environnemental

Amisom (*African Union Mission to Somalia*) : Mission de l'Union africaine en Somalie

APA : *Ad Hoc Paris Agreement* (Accord de Paris)

APD : Aide publique au développement

ASEAN : Association des nations de l'Asie du Sud-Est

BAII : Banque asiatique d'investissement pour les infrastructures

BCE : Banque centrale européenne

Beps : *Base Erosion and Profit Shifting* (Erosion des bases fiscales et des transferts de bénéfices)

BERD : Banque européenne pour la reconstruction et le développement

BINGOS (*Business International Non-Governmental Organizations*) : organisations privées économiques à but lucratif

BIRD : Banque internationale pour la reconstruction et le développement

BIT : Bureau international du travail

BPM : Biens publics mondiaux

BRI : Banque des règlements internationaux

BRICS : acronyme pour Brésil, Russie, Inde, Chine et Afrique du Sud

CAD : Comité d'aide au développement (de l'OCDE)

CADH : Cour africaine des droits de l'Homme

CCI : Centre du commerce international

CCNUCC : Convention-cadre des Nations unies sur les changements climatiques (*UNFCCC : United Nations Framework Convention on Climate Change*)

CDB : Convention sur la diversité (*CBD : Convention on Biological Diversity*)

CEDEAO : Communauté économique des États de l'Afrique de l'Ouest (*ECOWAS : Economic Community of West African States*)

CEDH : Cour européenne des droits de l'homme

CEE : Communauté économique européenne

CEEAC : Communauté économique des États de l'Afrique centrale (*ECCAS : Economic Community of Central African States*)

CEI : Communauté des États indépendants

CEPAL : Commission économique pour l'Amérique latine

CICR : Comité international de la Croix-Rouge

CIDH : Cour interaméricaine des droits de l'homme

CIJ : Cour internationale de justice (de l'ONU)

CITES (*Convention on International Trade in Endangered Species of Wild Fauna and Flora*) : Convention sur le commerce international des espèces de faune et de flore sauvages menacées d'extinction

CNUCED : Conférence des Nations unies sur le commerce et le développement (*UNCTAD : United Nations Conference on Trade and Development*)

CoE : Conseil de l'Europe

CoP : Conférence des parties

CPI : Cour pénale internationale

CPS : Conseil de paix et de sécurité (de l'UA)

CS : Conseil de sécurité (de l'ONU)

CSCE : Conférence sur la sécurité et la coopération en Europe

CSF : Conseil de stabilité financière (*FSB : Financial Stability Board*)

DAM : Département de l'appui aux missions (*DFS : Department of Field Support*), ONU

DAP : Département des affaires politiques (*DPA : Department of Political Affairs*), ONU

DDR : Désarmement, démobilisation et réintégration

DESA (*Department of Economic and Social Affairs*) : Département des affaires économiques et sociales (de l'ONU)

DOMP : Département des opérations de maintien de la paix de l'ONU (*DPKO : Department of Peacekeeping Operations*)

DTS : Droits de tirage spéciaux

DUDH : Déclaration universelle des droits de l'homme (*UDHR : Universal Declaration of Human Rights*)

Ecomog (*Economic Community of West African States Cease-fire Monitoring Group*) : Brigade de surveillance de cessez-le-feu de la CEDEAO

Ecosoc (*Economic and Social Council*) : Conseil économique et social (de l'ONU)

EITI (*Extractive Industries Transparency Initiative*) : Initiative pour la transparence dans les industries extractives

FAO (*Food and Agricultural Organization*) : Organisation pour l'alimentation et l'agriculture

FEM : Fonds pour l'environnement mondial (*GEF : Global Environment Facility*)

FIDA : Fonds international de développement agricole

FINUL : Force intérimaire des Nations unies au Liban

FMI : Fonds monétaire international

FNUAP : Fonds des Nations unies pour la population

FNUOD : Force des Nations unies chargée d'observer le dégagement (des forces israélienne et syrienne des hauteurs du Golan)

FSF : Fonds de stabilité financière (*FSF : Financial Stability Forum*, remplacé en 2009 par le CSF)

FUNU : Force d'urgence des Nations unies

GAFI : Groupe d'action financière (*FATF : Financial Action Task Force*)

GATS (*General Agreement on Trade in Services*) : Accord général sur le commerce des services (AGCS)

Gatt (*General Agreement on Tariffs and Trade*) : Accord général sur les tarifs douaniers et le commerce

GIEC : Groupe d'experts intergouvernemental sur le climat (*IPCC : Intergovernmental Panel on Climate Change*)

Gongos (*Governmental Non-Gouvernmental Organizations*) : Organisations gouvernementales non gouvernementales

HCR (ou UNHCR) : Haut-Commissariat des Nations unies pour les réfugiés

IDE : Investissement direct à l'étranger

IEF (*International Energy Forum*) : Forum international de l'énergie

IFI : Institutions financières internationales

IPBES (*International Platform on Biodiversity and Ecosystems*) : Plateforme internationale sur la biodiversité et les écosystèmes

ISO (*International Organization for Standardization*) : Organisation internationale de normalisation

Mercosur : Marché commun des pays de l'Amérique du Sud

Minuk : Mission d'administration intérimaire des Nations unies au Kosovo

Minurcat : Mission des Nations unies en République centrafricaine et au Tchad

Minustah : Mission des Nations unies pour la stabilisation en Haïti

MNA : Mouvement des non-alignés

Monuc : Mission de l'ONU en RDC

Monusco : Mission de l'ONU pour la stabilisation en RDC

MSF : Médecins sans frontières

NDB BRICS : Nouvelle Banque de Développement des BRICS

NEPAD : Nouveau partenariat pour le développement de l'Afrique

Nomic : Nouvel ordre mondial de l'information et de la communication

NPI : Nouveaux pays industrialisés

NTIC : Nouvelles technologies d'information et de communication

OACI : Organisation de l'aviation civile internationale

OCDE : Organisation de coopération et de développement économiques

OCHA (*Office for the Coordination of Humanitarian Affairs*) : Bureau de la coordination des affaires humanitaires (de l'ONU)

OCI : Organisation de la Conférence islamique

ODD : Objectifs de développement durable

OEA : Organisation des États américains

OECE : Organisation européenne de coopération économique

OGM : Organismes génétiquement modifiés

OI : Organisation internationale

OIAC : Organisation pour l'interdiction des armes chimiques (*OPCW : Organization for the Prohibition of Chemical Weapons*)

OIBT : Organisation internationale des bois tropicaux (*ITTO : International Tropical Timber Organization*)

OIF : Organisation internationale de la francophonie

OIG : Organisation intergouvernementale

OING : Organisation internationale non gouvernementale

OIT : Organisation du travail

OMC : Organisation mondiale du commerce

OMD : Objectifs du millénaire pour le développement

OMM : Organisation météorologique mondiale

OMPI : Organisation mondiale de la propriété intellectuelle

OMS : Organisation mondiale de la santé

OMT : Organisation mondiale du tourisme

ONG : Organisations non gouvernementales

ONU : Organisation des Nations unies

ONUCI : Opération des Nations unies en Côte d'Ivoire

ONUDI : Organisation des Nations unies pour le développement industriel

Onusida (*UNAIDS*) : Programme de l'ONU visant à coordonner les actions pour lutter contre la pandémie de VIH/sida

Onusom : Opération des Nations unies en Somalie

Opep : Organisation des pays exportateurs de pétrole (*OPEC: Organization of Petroleum Exportating Countries*)

OSC : Organisation de la société civile

OSCE : Organisation pour la sécurité et la coopération en Europe

OMP : Opérations de maintien de la paix

Otan : Organisation du traité de l'Atlantique Nord

ORD : Organe de règlement des différends (de l'OMC)

OUA : Organisation de l'Unité africaine

P5 (*Permanent Five*) : Les cinq membres permanents du Conseil de sécurité de l'ONU

PAM : Programme alimentaire mondial

PAS : Plan d'ajustement structurel

PECO : Pays d'Europe centrale et orientale

PMA : Pays les moins avancés
PNUD : Programme des Nations unies pour le développement
PNUE : Programme des Nations unies pour l'environnement (UNEP : *United Nations Environment Programme*)
PPP : Partenariat public-privé
RDC : République démocratique du Congo
RECAMP : Renforcement des capacités africaines au maintien de la paix
SADC (*Southern African Development Community*) : Communauté de développement d'Afrique australe
SDN : Société des Nations
SFI : Société financière internationale
SGP : Système généralisé des préférences
TNP : Traité de non-prolifération nucléaire
TPI : Tribunal pénal international
TPIY : Tribunal pénal international pour l'ex-Yougoslavie
UA : Union africaine
UE : Union européenne
UICN : Union internationale pour la conservation de la nature (ou Union mondiale pour la nature)
UIT : Union internationale des télécommunications
UNCCD (*United Nations Convention to Combat Desertification*) : Convention des Nations unies sur la lutte contre la désertification (CLD)
Unesco (*United Nations Educational, Scientific and Cultural Organization*) : Organisation des Nations unies pour l'éducation, la science et la culture
UNFCCC (*United Nations Framework Convention on Climate Change*) : Convention-cadre des Nations unies sur les changements climatiques (CCNUCC)
UN-Habitat : Programme des Nations unies pour les établissements humains
Unicef (*United Nations of International Children's Emergency Fund*) : Fonds des Nations unies pour l'enfance
UNODC (*United Nations Office on Drugs and Crime*) : Office des Nations unies contre la drogue et le crime
UNPO (*Unrepresented Nations and Peoples Organization*) : Organisation des nations et des peuples non représentés
UPM : Union pour la Méditerranée
UPU : Union postale universelle
URSS : Union des républiques socialistes soviétiques
WWF (*World Wildlife Fund*, puis *World Wide Fund for Nature*) : Fonds mondial pour la nature

Encadrés et tableaux

Index

F

G

H

I

L

M

N

O

P

Table des matières

Partie II
Le rôle des organisations internationales

Partie III
L'évolution des organisations internationales